Rendida

Rendida

Serie: *Los hombres de Roxbury House 2.*

Título original: *Enslaved. The Men of Roxbury House*

© Hope Tarr, 2007
© de la traducción: Eva Pérez Muñoz

© de esta edición: Libros de Seda, S.L.
  Paseo de Gracia 118, principal
  08008 Barcelona
  www.librosdeseda.com
  www.facebook.com/librosdeseda
  @librosdeseda
  info@librosdeseda.com

Diseño de cubierta y maquetación: Germán Algarra
Imagen de la cubierta: © Peter Zelei/Getty Images

Primera edición: febrero de 2014

Depósito legal: B. 343-2014
ISBN: 978-84-15854-18-0

Impreso en España – Printed in Spain

Hope Tarr

Rendida

Libros de
seda

Para mi querida amiga Barbara Joy Casana, cuya aguda inteligencia, perspicaz mirada y dulce sonrisa han llevado la paz, claridad y dicha a muchas vidas.

Agradecimientos

Mi más sincero agradecimiento a Helen Rosburg por proporcionarme una editorial que publicara la historia de amor de Gavin y Daisy, a su director creativo, Adam Mock, y al resto del talentoso equipo de *Medallion Press* por crear una presentación del libro tan espléndida.

También me gustaría hacer una mención especial a mi «equipo local», mis amigos de Fredericksburg, Virginia, que con sus risas, ingenio y constante buen humor consiguen que sonría, me mantenga cuerda —y escriba— a diario. Barbara y Johnny Casana, Cheryl Bosch, Clyde Coatney, Kyle y Rebecca Snyder, y Phil y Trista Chapman, me siento tremendamente afortunada por teneros a todos en mi vida.

Finalmente, a Rob y Virginia Grogan, los editores de la revista *Front Porch Fredericksburg*, mi más sincero agradecimiento por vuestra amistad, apoyo y ánimo durante estos últimos seis años. Ha significado mucho para mí. De hecho, lo ha significado todo.

Capítulo 1

Hace muchos años,
cuando era joven y adorable,
como alguno ya sabrá,
me dediqué a dirigir un orfanato.

GILBERT & SULLIVAN
HMS Pinafore

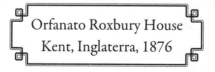

Orfanato Roxbury House
Kent, Inglaterra, 1876

l sonido de unos pasos resonó en las escaleras del desván. Los tres huérfanos se quedaron tensos, conteniendo la respiración y mirando fijamente la puerta sin pestillo. En cuanto la última de ellos, Daisy, entró a hurtadillas, apagaron la vela y se sentaron a esperar. Apenas un cuarto de hora después, el único foco de luz que tenían provenía de los débiles rayos de sol que dejaba entrar el sucio cristal de una de las ventanas, deterioradas por el paso del tiempo. Las motas de polvo flotaban en el aire cargado como si de

plumas se tratara. En aquel silencio antinatural, el más leve chasquido de los tablones del suelo, un crujido de nudillos o, Dios no lo quisiera, un simple estornudo, serían tan audibles como las famosas campanas de la iglesia de St. Mary-le-Bow, un tañido que los tres ocupantes llevaban escuchando casi desde el día en que nacieron, lo que los convertía en auténticos *cockneys*, oriundos del este de Londres, conocido como el East End.

De pronto, la puerta se abrió, dejando entrever una rendija de luz entre las sombras, y Harry Stone asomó su rubia cabeza.

—Todo despejado —anunció el joven en un elevado susurro que consiguió arrancar un suspiro colectivo a sus amigos. A continuación cruzó el umbral; el farol que sostenía proyectó un haz de luz sobre aquella medio sonrisa que todas las muchachas, especialmente las mayores, parecían encontrar tan irresistible.

Frunciendo el ceño, Patrick O'Rourke —Rourke para los más allegados— se subió a la caja de madera para transportar leche que se encontraba justo detrás.

—Jesús, Harry, has vuelto a llegar tarde. Y con esta ya van tres veces seguidas que lo haces.

El larguirucho adolescente de dieciséis años cerró la puerta tras de sí y se agachó para evitar golpearse con el bajo entramado de vigas.

—¿Acaso tengo yo la culpa de que tengamos tareas que hacer?

—Oh, sí, tiene que ser muy duro tratar de convencer a la guapa de Betsy para que se suba las faldas y se vaya contigo al pajar —contestó el escocés con un bufido.

Harry se encogió de hombros y usó una pila de antiguos libros escolares como asiento. Siendo el hijo de una prostituta de los bajos fondos londinenses, el sexo era una función vital para él, una actividad tan inevitable como comer, dormir o hacer sus necesidades.

—¿Has vuelto a espiarme, compañero? Bueno, no importa. A ver si aprendes algo.

Rourke resopló a modo de respuesta. Tenía las mejillas tan encendidas como la llama de una vela bajo la tenue luz que iluminaba la estancia.

—Ya he tenido un buen número de mozas.

Balanceando las piernas, Harry soltó una risotada.

—¿No querrás decir cabras?

Rourke se enfrentó a él con los puños cerrados.

—Será mejor que cierres esa bocaza que tienes, Stone, o te la cerraré yo mismo.

Saliendo desde debajo de un escritorio de pedestal doble, Gavin Carmichael decidió que ya iba siendo hora de intervenir. A sus catorce años no poseía ni la apariencia dorada de Harry ni los músculos y la labia de Rourke, pero sí que tenía un talento innato para lidiar en las discusiones que se producían entre amigos y enemigos por igual, un don por el que se había ganado el apodo de «san Gavin». No estaba muy seguro de que le apeteciera que le comparasen con un santo. Los santos solían tener unas vidas muy breves, llenas de pobreza y sacrificio, que terminaban de forma abrupta bajo unas ruedas, como santa Catalina, o con la cabeza cortada, como san Juan Bautista, o quemados en la hoguera, como Juana de Arco. Y el destino de esta última le parecía especialmente atroz.

—Rourke, Harry, ya basta. Además, hay una dama presente. —Hizo un gesto con la cabeza en dirección a la «dama» en cuestión.

La pequeña Daisy, de nueve años, estaba sentada encima de un baúl, meciendo sus delgadas piernas. Tenía la cabeza con su melena trigueña inclinada hacia un lado y unos preciosos labios fruncidos, señal inequívoca de que estaba intentando desentrañar el último misterio de su vida.

—Pero si la paja pica.

Rourke echó su pelirroja cabeza hacia atrás y soltó una carcajada, mientras trataba de enjugarse las lágrimas de los ojos con el dorso de la mano.

—No te preocupes, cariño. Si alguna vez a la bonita de Betsy le pica algo, nuestro Harry estará más que encantado de rascarle donde sea.

Gavin se estremeció y se aclaró la garganta. Había llegado el momento de cambiar de tema.

—Damas, o mejor dicho, dama y señores, en este instante da comienzo la duodécima reunión mensual del Club de Huérfanos de Roxbury House. ¿Alguien quiere hacer de mi segundo?

—Yo. —Daisy se bajó de su asiento de un salto y se alisó la sencilla bata marrón que llevaba.

Los cuatro se habían sentado con las piernas cruzadas, formando un círculo bajo las vigas. Harry dispuso en el centro su ofrenda, un pañuelo lleno de caramelos de limón y barras de menta que había hurtado de la cocina. Más tarde dividirían el botín entre ellos, aunque Gavin siempre le daba la mayor parte de su cuota a Daisy.

La niña extendió la mano y tiró de la manga de la camisa de Harry.

—Te estás olvidando de la mejor parte.

—¿Ah, sí? —vaciló Harry. Parecía un tanto desconcertado, y Gavin se imaginó que la mente de su amigo todavía estaba en el establo, con la buena de Betsy.

—El juramento, pedazo de burro —siseó Rourke.

—Oh, eso. Es verdad. —Tomando nota de la mordaz mirada que le dirigió Gavin, Harry comenzó—: En lo bueno y en lo malo.

Le dio un codazo a Rourke. El escocés se frotó las costillas, frunció el ceño y continuó:

—Por siempre jamás.

Daisy, encantada con la situación, volvió a extender su manita y envolvió con ella el dedo meñique de Gavin, que sonrió mirando sus brillantes ojos y añadió con diligencia.

—Pase lo que pase.

—Permaneceremos juntos... como una familia de verdad. —Separando las manos, Daisy se puso a aplaudir, rebosante de felicidad.

Aquel juramento era su parte favorita del ritual mensual, sobre todo cuando pronunciaba la frase final—. ¿Tienen las familias de verdad reuniones secretas en su desván? —preguntó a los componentes del círculo, aunque su mirada se posó en Gavin.

Como era el único de todos ellos que había tenido una auténtica familia —dos padres unidos en matrimonio y una hermana de pocos meses, Amelia Grace—, también era el único cualificado para contestar a aquella pregunta. Aun así, dudó durante unos instantes, mientras la emoción amenazaba con trabarle la lengua. Clavó la vista en la débil llama del farol, que pareció cobrar intensidad, transformándose en un ardiente infierno delante de sus propios ojos. Sus padres y hermana habían muerto cuando el edificio de pisos en el que vivían se incendió y se quedaron atrapados dentro. Gavin también tendría que haber fallecido aquel día, pero instantes antes de que se desencadenara el fatal desenlace su madre le había dado un penique y lo había mandado a la panadería en busca de una barra de pan del día anterior, para que dieran un poco más de sí las sobras del estofado que tenían para cenar.

—¿Gav? —Daisy tiró de su manga.

Él apartó los ojos de la llama y se volvió para mirarla. Tratando de superar la sensación de ahogo que constreñía su garganta y la pesadez que sentía en la lengua cada vez que alguien mencionaba la palabra «familia», se dispuso a contestar.

—Puede que... Supongo que sí... si quieren... Pero no... No suelen... Están demasiado... ocupados, trabajando.

Y era cierto. No recordaba a sus padres haciendo otra cosa que no fuera trabajar, sobre todo a su madre. Incluso cuando se sentaba por las tardes delante de la chimenea, leyendo en voz alta alguno de los libros que guardaba en su pequeña biblioteca y que tanto apreciaba, siempre tenía sus callosas y diestras manos ocupadas, ya fuera haciendo cepillos, dando la última puntada al vestido de alguna dama o cosiendo telas de hamacas.

Daisy deslizó una mano entre la suya.

—Entonces somos los que mejor estamos, ¿no? —Terminó aquella declaración con un enérgico gesto de asentimiento y una sonrisa deslumbrante, como si por fin hubiera resuelto el enorme misterio que le suponían las relaciones familiares.

De todos ellos, Daisy era la que menos experiencia tenía en lo que a formar parte de una familia respectaba. La habían abandonado con apenas un mes, en un cesto de lavandería, a los pies de las escaleras de St. Mary-le-Bow, en la calle Cheapside, con tan solo una manta envolviéndola y una nota escrita con una tosca caligrafía que rezaba: «Sed buenos con mi bebé». Si su llegada a Roxbury House había venido auspiciada por el benefactor de la institución, el primer ministro William Gladstone, o por alguna otra persona, nadie lo sabía. Aunque eso era algo que daba igual: terminar en aquel orfanato cuáquero era un destino bastante más deseable que acabar en un asilo parroquial para pobres, o lo que era aún peor, en una de esas inclusas que todo el mundo conocía como lugares lúgubres y poco deseables. En los últimos tiempos, algunas arpías adictas a la ginebra habían hecho de aquello un negocio y cobraban a jóvenes madres desesperadas quince chelines al mes por cuidar de sus hijos. Se suponía que ese dinero se empleaba en el mantenimiento de la criatura, pero la mayoría de las veces el pobre o la pobre desgraciada terminaban muriendo lentamente a causa de la leche mezclada con cal u otros venenos que les suministraban. De hecho, se habían encontrado diversos cuerpos de bebés envueltos en papel de periódico en los márgenes de una vía comarcal. Algo atroz, sin lugar a dudas.

—Sí, encanto —contestó Gavin, agradecido de que su pequeña amiga se hubiera librado de un destino tan horrible. Con aquel pelo tan claro, los ojos verdes rasgados y su delgada constitución, Daisy le recordaba a un duendecillo del bosque cuando desplegaba su travieso encanto, o a un ángel cuando se comportaba de forma más solemne—. Espero que sí.

La niña los miró a todos y preguntó:

—¿Podemos representar la historia de *El Gato con botas*? Es mi favorita, por favor.

Los otros dos muchachos respondieron con un gruñido, pero la mirada de advertencia que les lanzó Gavin les hizo entrar en razón. Si Rourke quería que le ayudara en su trabajo de Historia y Harry necesitaba a alguien que se ocupara de barrer los establos para que él pudiera dedicar su tiempo a Betsy, sería mejor que accedieran. Instantes después, Harry desempeñaba con entusiasmo el papel de rey y Rourke se metía en la piel de ogro, lo que dejaba a Gavin como narrador y director, el puesto perfecto para él. Aunque después de casi un año se sabía de memoria todas las escenas, su tartamudez podía jugarle una mala pasada en cualquier momento.

En cuanto al papel de Gato, a nadie le cupo la menor duda de que lo representaría Daisy. Ser el centro de atención era el objetivo de todo aquel juego, y el ingenio y coraje del felino encajaban a la perfección con el alma *cockney* de la pequeña. Observar cómo se pavoneaba, andando de un lado a otro por el suelo polvoriento con aquel viejo sombrero inclinado sobre su frente y el apolillado mantel de terciopelo cubriendo sus estrechos hombros le producía a Gavin una inmensa paz.

—¡Muy buena representación, cariño! —exclamó al terminar la obra cuando ella se quitó el sombrero y saludó con la consabida reverencia—. Eres una actriz brillante, ¿verdad, muchachos?

—Sí, ha hecho una actuación de primera —afirmó Harry, deshaciéndose de inmediato de la corona de papel, feliz de poder librarse de ella.

—Y no hay muchacha más linda que pise los escenarios de Londres, ni tampoco los de Edimburgo —añadió Rourke. Aunque había vivido en suelo inglés la mayor parte de su vida, siempre aprovechaba la ocasión para traer a colación su tierra natal.

Daisy, que en ese momento estaba en su mundo de fantasía repleto de espléndidos momentos y mejores circunstancias, volvió a hacer una

reverencia y sonrió, lanzando besos a su invisible y adorado público. Gavin le entregó el último elemento del atrezo, una rosa de papel maché que a ella le encantaba acomodarse sobre el brazo, fingiendo que era un ramillete de flores recién cortadas.

Ninguno de ellos lo sabía, pero aquella sería la última vez que se reunirían en el desván.

A la mañana siguiente, a Gavin le avisaron de que el director del orfanato quería verlo en su despacho antes incluso de que sonara la campana llamando al desayuno. En el pasillo, mientras esperaba a que le ordenaran entrar, sintió un nudo en el estómago y empezaron a sudarle las palmas de las manos. Seguro que alguien había descubierto lo de sus reuniones secretas en el desván y había informado de ellas. Aquella era la única explicación posible. Sabían que no podían entrar en la zona de almacenamiento, pero lo que les metería en problemas no era haber entrado en territorio vedado, sino representar obras teatrales. La Sociedad de Amigos, o los cuáqueros, como todo el mundo los conocía, rechazaban las vanidades terrenales tales como la moda, la palabrería y los entretenimientos varios. La música, la danza y el teatro estaban completamente prohibidos. Si el director descubría que Daisy era la instigadora de su teatrillo, la mayor parte de la culpa recaería sobre sus delgados hombros. Para protegerla, y también a sus otros dos amigos, Gavin estaba dispuesto a confesar que sus encuentros en el desván habían sido idea suya.

Para su fortuna, la Sociedad de Amigos aborrecía todo tipo de violencia. Los azotes con varas o palmetas, así como cualquier otro castigo corporal de los que solían administrarse tanto en los hogares más indignos del proletariado como en las escuelas públicas más prestigiosas, brillaban por su ausencia en el orfanato. Allí, los métodos disciplinarios más comunes incluían tareas adicionales en beneficio del grupo, junto con algún que otro ejercicio de meditación que ayudara al infractor a analizar el impulso egoísta o negativo que le había llevado a tomar el mal camino.

De pronto, la puerta del despacho se abrió, mostrando la alta silueta y las sencillas vestimentas del director. Gavin cerró los puños a su espalda y se obligó a sí mismo a ser fuerte.

—¿Me ha mandado llamar, señor?

El director, un hombre que rondaba los cuarenta, asintió y le hizo un gesto para que pasara.

—Gavin, te está esperando una visita.

¿Una visita? ¿Sería el primer ministro Gladstone? El corazón le dio un brinco. No había vuelto a ver a su benefactor desde la noche de su rescate, un año antes, y no había tenido la oportunidad de agradecérselo como era debido. El incendio no solo le había dejado huérfano, sino también sin un techo bajo el que vivir. Congelado, con los pies doloridos y medio enfermo, estuvo vagando por las calles del este londinense durante más de un mes, subsistiendo a base de las pocas monedas que encontraba y la comida que buscaba entre la basura. Hasta que una noche especialmente fría, en la que se sentía demasiado cansado y desanimado para dar un paso más, se recostó sobre unas escaleras que daban a una taberna y se quedó dormido.

En su sueño también había un estofado removiéndose, pero en vez de ir camino de la panadería se había quedado en casa, atrapado en el incendio junto con su familia. Las llamas los envolvían por todas partes y el techo estaba a punto de caer. El humo negro inundaba sus pulmones y el aire resultaba tan abrasador que hacía imposible respirar. Pataleando en su cuna, una enrojecida Amelia Grace dejaba escapar un chillido que llegaba hasta las vigas ardientes. Su madre alzaba a su hermana, intentando reconfortarla, pero ¿qué consuelo podía darle cuando estaban a las puertas de la muerte? De repente, un ángel oscuro

descendía en la estrecha habitación, envolvía a los cuatro con sus alas negras y los sacaba volando de aquel infierno en llamas hacia la seguridad del cielo, Gavin no sabía muy bien cuál.

Se despertó rodeado de un aroma a colonia, cuero y tabaco, como si estuviera dentro de una exuberante nube aromática, y sintió unos fuertes brazos alzándole. Abrió los ojos y miró directamente al curtido semblante del ángel de sus sueños. Pero su salvador no era una criatura celestial, sino un hombre de carne y hueso que ya había superado la mediana edad. Perdiendo y recuperando a ratos la consciencia, tenía el vago recuerdo de haber sido introducido en un carruaje con almohadillados asientos de cuero y transportado hasta una casa señorial situada en una calle silenciosa, cuya puerta de entrada era negra y estaba decorada con un llamador con la forma de la cabeza de un león. Más tarde, se enteró de que su benefactor no era otro que el primer ministro William Gladstone y que la casa a la que le llevaron estaba en el número diez de Downing Street. Dos semanas después, completamente recuperado y bien alimentado, dejó la residencia presidencial y tomó un tren rumbo a Kent, a Roxbury House.

Con el sudor empapando sus axilas, observó al hombre que estaba de espaldas detrás del director, contemplando a través de la ventana los jardines exteriores. Era alto, de hombros anchos; llevaba una chistera y un sobretodo. Tenía las manos enguantadas a la espalda y una de ellas rodeaba la muñeca de la otra. ¡Sin duda se trataba del primer ministro!

Gavin contuvo la respiración mientras su «visita» se daba la vuelta lentamente hacia él. Pendiente de mantener los hombros bien erguidos, alzó la vista, esperando encontrarse con la frente alta y los ojos hundidos que recordaba del año anterior. Pero la desilusión que se llevó hizo que el alma se le cayera a los pies. El furibundo rostro, parcialmente oculto por las sombras que proyectaba la chistera, no pertenecía al amable primer ministro sino a un desconocido.

El director se unió al visitante junto a la ventana.

—Aquí el amigo St. John es el padre de tu madre. Te ha estado buscando durante todo este año y ha venido para llevarte a casa.

El pánico se apoderó de Gavin, amenazando con licuarle las entrañas. Su madre apenas había hablado de su progenitor, pero cuando lo hacía siempre usaba la palabra «tirano» para referirse a él.

—Pero... no qu...quiero un ab...abuelo. No qu...quiero irme. Aquí ten...tengo amigos.

«Tengo a Daisy.»

El director le miró con ojos amables y negó con la cabeza salpicada de canas.

—El Señor tiene un plan para ti, Gavin, como lo tiene para cada uno de nosotros. Confía en él y ábrete a tu luz interior.

—¡Suficiente! —El señor St. John cruzó el despacho en dos grandes zancadas y le clavó sus duras manos en los hombros. Gavin sintió aquellos dedos enguantados como si fueran garras—. Puede que seamos extraños, pero compartimos la misma sangre. Soy tu abuelo, y he removido cielo y tierra para encontrarte. Te guste o no, te vienes conmigo a Londres.

¡A Londres! A Gavin se le encogió el corazón con la sola mención de la capital, un lugar que asociaba con nauseabundos olores y caras odiosas, con estrechos callejones y vías atestadas de gente, con fuego y gritos, y el repugnante hedor a carne quemada.

—Pero no qu...quiero irme a Lo...Londres.

«No quiero irme contigo.»

Revolviéndose para zafarse de las garras de aquel completo extraño, empezó a andar marcha atrás, en dirección a la puerta, urdiendo un extravagante plan en su cabeza. Siempre había sido muy rápido. Si confiaba en su velocidad y corría hasta donde el aliento y las piernas se lo permitieran, escondiéndose donde pudiera, ¿se olvidaría su abuelo de aquella idea y se marcharía de allí sin él?

El señor St. John enarcó sus espesas cejas y lo miró fijamente con sus helados ojos grises. Al ver aquella mirada acerada, Gavin supo que su abuelo no era de la clase de hombres que dan su brazo a torcer así como así.

—Veo que has heredado el deplorable temperamento irlandés de tu padre —dijo el anciano avanzando hacia él—. Pero también llevas la sangre de los St. John, y si tengo que golpearte con una vara de abedul y moldearte con mis propias manos como si fueras un maldito trozo de arcilla para que vivas conforme a tu abolengo, juro por Dios que lo haré.

El director se interpuso entre ellos.

—Amigo St. John, su nieto ha sufrido demasiadas pérdidas este último año. ¿No podría permitirle al menos despedirse de sus amigos? Esa pequeña, Daisy, es como una hermana para él.

St. John rechazó la petición con un movimiento de mano.

—Le agradecería que recordara que es «señor» St. John, y aunque estoy en deuda con usted por haber alimentado y vestido a mi nieto durante todo este tiempo no toleraré ninguna intromisión. A partir de ahora, el futuro de este muchacho es un asunto familiar que no le concierne en absoluto. Encárguese de que haga su equipaje y esté listo para marcharse de aquí en una hora.

Dicho esto, se abrió camino a empujones y salió con aire resuelto al pasillo, dejando tras de sí el sonido de sus pasos resonando sobre el suelo.

El director se volvió hacia Gavin. Su rostro perfectamente afeitado reflejó simpatía y... pena, o eso creyó él.

—Sé que tu abuelo parece un hombre duro, Gavin. Pero Dios está en su interior, al igual que en cada uno de nosotros. Deja a un lado tu apego por todo lo terrenal y confía en que todo saldrá bien.

¿Confiar en que todo saldría bien? Gavin no sabía si romper a llorar como un histérico o soltar una amarga carcajada. ¿Acaso el que sus padres y hermana murieran abrasados en un incendio había sido voluntad del Señor? ¿O a qué se debía que solo él hubiera sobrevivido porque no había suficiente estofado? ¿A una intervención divina o a una simple casualidad? No le gustaba imaginarse al Creador como un caprichoso titiritero, pero si todo aquello había venido amparado por la mano de Dios, ¿a qué otra conclusión podía llegar?

A Gavin le escocieron los ojos por las lágrimas acumuladas; sin embargo, no se molestó en parpadear para contenerlas.

—Si tengo que regresar con él a Londres, entonces preferiría estar muerto y enterrado junto a mi auténtica familia en el cementerio.

El director abrió los ojos alarmado.

—¡Gavin! —dijo con el tono más duro que jamás le hubiera escuchado—. No tientes al Señor con un juramento como ese.

A continuación, suavizó su expresión y extendió una mano con la intención de apoyarla sobre el hombro de Gavin, pero a él no había nada que pudiera reconfortarle, así que se alejó de un tirón y salió disparado hacia la puerta con un único pensamiento en mente: «Tengo que encontrar a Daisy».

Y la encontró, en el desván, sentada en el suelo polvoriento, con la cabeza apoyada sobre las rodillas. En cuanto entró, la niña alzó la vista y él se dio cuenta de que había estado llorando. Pues sí que habían volado las noticias.

—He oído que te han adoptado.

Maldita sea, le habría gustado ser el primero en contárselo. Dispuesto a no mostrarle su pesar, negó con la cabeza.

—No ha sido exactamente una adopción. Por lo visto tengo familia, o al menos un abuelo. Ha venido para llevarme de vuelta a Lon... Londres. —Incluso en ese momento, cuando ya había superado la primera impresión, le resultaba imposible no trabarse con la tan temida palabra.

Daisy se levantó de un salto y se lanzó sobre él.

—Gav, llévame contigo —imploró, abrazándole las piernas—. Hazlo, por favor. Seré más silenciosa que un ratón y tan buena como el pan, te lo prometo. Tu horrible abuelo ni siquiera sabrá que estoy allí.

Gavin sintió como una gota de sudor descendía por su mejilla y desaparecía entre el cabello trigueño de ella.

—Tú siempre eres buena, Daisy. De hecho eres la mejor niña del mundo. Tan pronto como me instale, te escribiré para enviarte mi dirección y contarte cómo me va, así que deberás practicar mucho la escritura para poder hacer lo mismo.

Ella enterró la cara en su torso e hizo un gesto de negación con la cabeza.

—No quiero que solo nos escribamos. Quiero que estemos juntos como ahora.

Con suma delicadeza, retiró sus pegajosas manos de él. Después hurgó en el bolsillo y sacó el pañuelo envuelto que le hubiera gustado darle más tarde, y que contenía su parte de dulce hurtado de la noche anterior. Abrió el envoltorio, sacó un trozo pequeño de una barra de menta y lo metió en la boca de la niña. Con la vista fija en ella, intentó memorizar cada detalle de aquel adorable y pequeño rostro: los ojos verdes sesgados hacia arriba, la insolente naricilla que se erguía ligeramente en la punta y su encantadora boca triste con las comisuras hacia abajo y el carnoso labio superior. Cuando se dio cuenta de todo el amor que sentía por ella y la pérdida tan enorme que estaba a punto de experimentar, se le encogió el corazón.

Mascando el dulce, Daisy alzó la vista y le miró con sus enormes y conmovedores ojos.

—No te olvidarás de mí, ¿verdad, Gav?

Él volvió a anudar el pañuelo y lo colocó sobre la palma de la niña.

—Nunca, Daisy, ni en un millón de años. Y no importa lo mucho que nos cueste o lo difícil que sea, porque algún día, de alguna manera, volveremos a estar juntos.

A ella comenzó a temblarle el labio inferior. Lo miró otra vez, con las pestañas rebosantes de lágrimas.

—¿Lo juras?

Gavin asintió. El nudo que tenía en la garganta crecía a tal velocidad que apenas pudo pronunciar palabra.

—Lo juro.

«En lo bueno y en lo malo,
por siempre jamás,
pase lo que pase,
permaneceremos juntos
como una familia de verdad.»

Capítulo 2

¿Qué tal, monsieur?
¿Qué vida es esta que tus pobres amigos
han de solicitar tu compañía?

WILLIAM SHAKESPEARE
Como gustéis

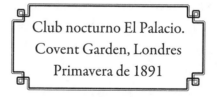

Club nocturno El Palacio.
Covent Garden, Londres
Primavera de 1891

in lugar a dudas aquel había sido un mal día. No el peor de sus veintinueve años de vida —el día del incendio detentaba aquel honor—, ni tampoco podía compararse con el trauma que sufrió el segundo peor día de su vida, cuando su abuelo se presentó de repente en el despacho del director de Roxbury House y lo separó de Daisy y de todo lo que había llegado a querer. Para ser precisos, y la precisión era una de las cualidades que había conseguido que Gavin Carmichael se convirtiera en uno de los abogados más prestigiosos de Londres a tan temprana edad, aquel se había convertido en el tercer peor día de su existencia.

El tercer peor día y todavía se sentía como si estuviera caminando sobre las brasas del Infierno, si bien no en el mismo centro, sí en uno de sus aledaños. El Limbo, el primer círculo de Dante, describía a la perfección su estado de ánimo. «¡Oh, vosotros, los que entráis, abandonad toda esperanza!» o algo parecido rezaba la inscripción de entrada. «Abandona toda esperanza de encontrar a Daisy» era justo lo que ponía en el informe del detective que había contratado y que acababa de recibir ese mismo día.

A pesar del predominio del color escarlata en su decoración, El Palacio no podía considerarse un lugar infernal, sino simplemente vulgar. Como muchos de los clubes nocturnos que crecían como hongos por toda la ciudad, era lujoso al rimbombante estilo reminiscente de los mejores burdeles: una entrada con columnas adornada con estatuas de yeso, lámparas de colores y celosías doradas, nada de lo cual tenía otra función aparente que la de añadir más adornos a la ya de por sí recargada decoración. Una vez dentro, tras una larga espera con sus amigos Harry y Rourke, no pudo evitar fijarse en las gruesas alfombras, las paredes cubiertas de espejos y los resplandecientes cristales de color de las ventanas. Una escalera de caracol conducía a la planta baja, donde estaba situado el auditorio. Filas de mesas cubiertas con manteles blancos rodeaban un escenario semicircular enmarcado con unas cortinas carmesíes y doradas, y una enorme araña de gas —que según se decía estaba compuesta por veintisiete mil piezas de cristal tallado— coronaba el techo. Sin embargo, todo aquel pomposo esplendor no conseguía disimular la ordinariez del lugar, del mismo modo que una corbata y una levita no podían transformar a un carnicero en un caballero.

«Te has convertido en un auténtico esnob, Gavin.» Aquel pensamiento hizo que se sintiera culpable y tremendamente triste. Primero

porque era verdad, y segundo porque sospechaba que el esnobismo era algo más o menos irreversible. Aun así, no pudo refrenar los recuerdos de la infancia que acudieron a su mente: las manos delgadas y agrietadas de su madre, el modesto piso de tres estancias que los cuatro llamaban hogar, aquel frío que le helaba hasta los huesos y le golpeaba sin misericordia el rostro todas las mañanas de invierno, cuando salía de la cama para encender la estufa con los dedos tan agarrotados que apenas era capaz de prender el fósforo.

Sin embargo, no fue hasta después del incendio cuando supo lo brutal que podía ser el invierno. Huérfano y sin un techo bajo el que cobijarse, había dormido en los bancos de un parque y en los estrechos huecos que había debajo de algunas escaleras, con papel de periódico metido entre sus ropas para protegerse del frío. La noche en que Gladstone lo descubrió y lo sacó de la calle había estado a punto de morir congelado. Roxbury House, con su cocina enorme y acogedora, sus pasillos limpios y sus pastizales verdes y exuberantes, le había parecido un paraíso de opulencia. Aunque si en ese momento volviera atrás en el tiempo, dudaba que llegase a satisfacer sus actuales estándares.

Aquello le puso realmente furioso, porque nunca había sido así. No, ese esnob orgulloso y arrogante no era él, sino el hombre que su abuelo había hecho de él.

«Al final sí que has conseguido moldearme como si fuera un maldito trozo de arcilla, abuelo», se dijo a sí mismo, tomando otro sorbo del champán horrible y dulzón que servían en el club, como si aquello pudiera borrar quince años de amargo pesar.

Harry, ahora conocido como Hadrian St. Claire, se inclinó sobre la mesa y le miró.

—Gav, ¿te encuentras bien? —En su afán por cortar lazos con su oscuro pasado, el fotógrafo había adoptado un nuevo nombre cuando abrió su estudio en la Parliament Square, años atrás.

—Estoy perfectamente. ¿Por qué lo preguntas? —replicó, no porque lo estuviera, sino porque en sus circunstancias presentes, ¿qué otra cosa podía contestar?

Hadrian se encogió de hombros, pero continuó mirándolo fijamente, sin pestañear.

—Es que me ha parecido que estabas en otro mundo. —Aunque no estuviera detrás de su cámara, su amigo era demasiado observador para la comodidad de uno, o al menos para la de él.

Sentado a su otro lado, Rourke les sirvió más vino.

—El único propósito de esta salida es hacer que te olvides de buscarla, aunque solo sea por esta noche, y que te diviertas un poco. Han pasado quince años, Gav. Lo más seguro es que Daisy se haya casado y haya formado su propia familia. Una familia de verdad, como siempre quiso, y no la variopinta cuadrilla de huérfanos que formábamos en el orfanato. Por lo poco que sabemos, hasta podría estar mu...

El ceño fruncido de Hadrian dejó al escocés a medias, pero Gavin entendió perfectamente lo que había querido decir. Muerta. Daisy podría estar muerta.

Hizo un gesto de negación con la cabeza.

—No puedo darme por vencido. Ella está allí fuera, en alguna parte. Puedo sentirla.

De hecho, durante todos esos años había habido veces en las que se había despertado creyendo escuchar un sollozo, y había estado seguro de que no se trataba de un sueño, sino del lamento de una angustiada Daisy en algún lugar de este vasto mundo. Incluso en ocasiones, le había dado la sensación de que gritaba su nombre. Otras veces se le aparecía en sueños, no como una niña, sino como una mujer hecha y derecha. Una mujer que lo miraba con sus heridos ojos verdes y su boca generosa. «Lo prometiste, Gavin. Me lo juraste.»

El año anterior había hecho lo imposible por encontrarla. Hasta sus amigos le habían dicho más de una vez que aquella búsqueda raya-

ba la obsesión. Tenían razón, aunque no esperaba que lo entendieran. A pesar de que los cuatro miembros del Club de Huérfanos de Roxbury House habían sido amigos íntimos, Daisy y él habían compartido un vínculo especial, una conexión que trascendía los límites físicos del tiempo y del espacio.

El detective que había contratado pertenecía a una de las mejores agencias de Londres, pero solo había conseguido seguir la pista de Daisy hasta Dover, en la primavera de 1877. Por lo visto, un matrimonio de actores la había adoptado poco después de que él abandonara Roxbury House. Se llamaban Robert y Florence Lake, y viajaban con una pequeña compañía teatral que se había detenido en Dover para una representación que duró un par de semanas. Después de aquello, el rastro de Daisy se volvía muy difuso y el detective no creía que pudiera descubrir nada más de ella.

Rourke se hizo con el programa del club y leyó en voz alta las actuaciones de la noche, haciendo especial hincapié en la primera línea.

—Si hay alguien que pueda hacerte olvidar a niñitas perdidas, esa es Delilah du Lac. A juzgar por el bosquejo que han dibujado, es un auténtico bombón.

Gavin miró con poco entusiasmo el programa. Antes, mientras había estado esperando de pie en la cola del dosel de entrada, le había dado tiempo a estudiar con detenimiento el cartel a tamaño natural que habían colgado en la fachada del club. Si era cierto lo que decía el promotor, *mademoiselle* du Lac acababa de llegar de Francia y poseía el rostro de un ángel, la voz de un ruiseñor y un cuerpo acorde con la tentadora bíblica de la que había tomado el nombre. Pero ni el dibujo a color de una voluptuosa pelirroja con demasiadas plumas y poca ropa había conseguido despertar su interés.

Aun así, a nadie le gustaba ser un aguafiestas, y sus dos amigos ya lo habían aguantado bastante en los últimos tiempos. De modo que sacó la botella de champán envuelta en una servilleta de la cubeta de hielo

y llenó hasta arriba sus copas, dispuesto a divertirse y a olvidarse de sus preocupaciones como si fuese lo último que tuviera que hacer antes de morir. A continuación, alzó su vaso y propuso un brindis:

—Por la señorita Delilah du Lac, por que salga a escena y nos seduzca con su canto de sirena.

Sus dos amigos se unieron al brindis y le contestaron con un «di que sí» y «ese es el espíritu, hombre».

Dejó a un lado su melancolía y se pasó buena parte de las dos horas siguientes diciendo a Hadrian y a Rourke, al camarero con blazer blanco, y en general a cualquiera que le estuviera escuchando, lo bien que se lo estaba pasando. Pidió crema de guisantes y manitas de cerdo, porque era lo que sus amigos estaban tomando, aún sabiendo que la langosta empanada y las patatas *baby* le hubieran sentado mucho mejor, y cuando se terminó el champán ordenó, al igual que sus compañeros, una pinta de cerveza negra, seguida de una botella de vino blanco.

Sin embargo, toda aquella jocosidad estudiada no era más que una farsa, una treta. Le dolían el estómago y la cabeza; en cuanto a su corazón, nunca lo había tenido más vacío. En un momento dado, se aventuró a mirar a Rourke y a Hadrian, que disfrutaban dichosos de lo que quedaba de la que debía ser su tercera botella de la bazofia que servía la casa. Con dos puros colgando en las comisuras de sus bocas, parecían dos hombres completamente despreocupados. Cómo les envidiaba. No la habilidad de Hadrian con una cámara de fotos o el talento innato de Rourke para hacer dinero, sino la forma que tenían de saborear el momento y disfrutar de la vida.

Pero para él no era tan fácil.

Por mucho que lo intentara, no podía divertirse y dejarse llevar por el espíritu del lugar, porque la realidad era mucho más dura que tomarse una mala cena o beber cerveza amarga. Como siempre, el defecto, la falta, empezaba y terminaba con él. Había perdido algo en su interior, y fuera lo que fuese, no podía recuperarlo, al igual que tampoco podía encontrar a Daisy. Confiar en que sería capaz de olvidarse de todo en un club nocturno lleno de humo de Londres le pareció absurdo, como si el Todopoderoso le estuviera gastando una broma cruel.

Pero no tan cruel como tener que aguantar otro chiste malo del cómico con traje de rayas diplomatic que en ese instante se pavoneaba sobre el escenario. Gavin se volvió un poco, estudiando las mesas que había a su alrededor, y vio que el verdadero espectáculo no estaba teniendo lugar sobre las tablas, sino entre el público; en concreto, con el púgil de enormes bíceps y calva rasurada que estaba flanqueado por dos voluptuosas rubias maquilladas en exceso y con mucho escote que había presentado al camarero como sus «sobrinas». Las mujeres miraron embobadas a Gavin, pero en cuanto se dieron cuenta de que habían captado su atención, se sonrojaron y empezaron a reírse tontamente. Llevaban elaborados sombreros llenos de flores de seda y plumas; uno de ellos incluso tenía un canario falso con dos botones negros como ojos. El púgil, mientras tanto, con cara de pocos amigos, dejó de beber su tercera jarra de cerveza negra y gritó al maestro de ceremonias del auditorio que espabilara y les trajera de inmediato a Delilah du Lac.

Gavin estaba más que de acuerdo en eso último. Ya había tenido bastante con la atroz parodia del marido tunante que recibía su merecido a manos de su ingeniosa esposa, el italiano que tocaba música golpeando un martillo sobre un instrumento construido con huesos y el hombre de media edad, vestido de mujer, que representaba el papel de la viuda Twankey. De pronto, el *gong* del maestro de ceremonias y el cambio de escenario que se produjo detrás del telón de terciopelo anunciaron un nuevo acto que fue presentado, como siempre, como el más «asombroso», «estupendo» y «maravilloso» que jamás hubieran visto.

Una hora después —que calculó no por las manecillas del reloj sino porque le había dado tiempo a beberse otra pinta de cerveza—, y tras otra jarra vacía más, la misteriosa señorita du Lac todavía no había hecho acto de presencia. El maestro de ceremonias debía de ser bastante astuto, pues estaba claro que no iba a anunciar su actuación estrella hasta bien entrada la velada y sabía cómo mantener a una audiencia expectante mientras les sacaba el máximo dinero posible. Gavin sacó su reloj de bolsillo y confirmó que ya era medianoche. Delilah du Lac tendría que arreglárselas con un admirador menos.

Echó hacia atrás su silla y se puso de pie. En ese momento todo pareció dar vueltas a su alrededor. Había bebido demasiado. La mañana siguiente vendría acompañada de un buen dolor de cabeza y una boca pastosa, una justa retribución por abandonarse alcohol, trasnochar tanto y pretender ser alguien que no era.

Se agarró al borde la mesa, esperando que nadie se diera cuenta de que estaba intentando mantener el equilibrio.

—Vais a tener que perdonarme, pero debo atender una reunión a primera hora y no creo que le preste muy buen servicio a mi cliente si me presento medio dormido. —Tuvo que felicitarse a sí mismo por haber pronunciado aquella frase medianamente bien.

Hadrian frunció el ceño y le tiró de la manga.

—No puedes marcharte después de llevar esperando toda la noche. Hemos venido precisamente para ver a Delilah du Lac. Seguro que está a punto de salir.

—Por una vez le doy la razón a Harry —comentó Rourke, limpiándose la boca con el dorso de la mano—. Llevamos horas esperando echar el ojo a esa mujer, al igual que los demás. Si ha conseguido llenar un sitio como este, es más que probable que tanta espera haya merecido la pena.

Gavin tenía sus dudas. Seguro que se trataba de otra bailarina de salón más, demasiado emperifollada y maquillada y con escasa ropa. Llevaba viendo tal coro de ellas esa noche que no creía que Delilah du Lac fuera a marcar la diferencia con aquel grupo común, demasiado común, de muchachas.

Hizo un gesto de negación, pensando en la comodidad de su nuevo colchón.

—Ya me las apañaré para llegar a casa. Vosotros quedaos. Mañana espero que me detalléis todos y cada uno de los encantos de la dama. Pero yo me retiro por hoy y...

—Damas y caballeros, nos complace presentarles al ruiseñor de París, la musa de Montmartre, la voz de Calais, la adorable, la sublime, la espléndida señorita Delilah du Lac. —El anuncio del maestro de ceremonias empezó justo cuando Gavin daba el primer paso hacia la salida.

Mientras escuchaba cada una de aquellas palabras pronunciadas de forma rimbombante y pomposa, como si fueran su propia sentencia de muerte, contuvo un gruñido. Si hubiera decidido marcharse un segundo antes... Ahora solo tenía dos opciones: quedarse allí hasta que terminara la actuación o comportarse como un absoluto grosero y abandonar el club. Y por mucho que le gustara la última, no estaba en su naturaleza ser descortés con ninguna mujer, incluso aunque la mujer en cuestión no fuera precisamente una dama. De modo que arrastró su silla y se sentó en el mismo instante en que se abría el telón.

Las luces iluminaron a un pianista con cara de niño sentado delante de un piano de cola que llevaba unos tirantes de un verde brillante y una chistera de copa muy alta. Un instante después, la iluminación se deslizó ligeramente hacia la izquierda, enfocando la silueta de una joven alta y esbelta que apoyaba un pie en un banco para mostrar el arco de una pierna perfectamente contorneada. Llevaba varias plumas en sus rizos color canela, un corsé que le realzaba el pecho y una falda a rayas con volantes que le llegaba a la altura de las rodillas. Antes de iniciar su actuación, empezó a deslizar su mano enguantada desde el tobillo hasta el muslo, alzando un poco más la falda con ese gesto.

—Buenas noches, caballeros. O como diríamos en París, *bon soir*. —Cuando acarició con un dedo el liguero negro que rodeaba su muslo

de piel blanca como la leche, Gavin se unió al jadeo colectivo que soltó la audiencia masculina del salón.

Entonces Delilah bajó su elegante pie al suelo y se dio la vuelta para ponerse de cara al público. En ese momento, Gavin entendió el porqué del alboroto que se había montado en torno a aquella cantante. A diferencia de las otras coristas que habían actuado a lo largo de la noche, la cara de esta parecía de auténtica porcelana china, con rasgos delicados, excepto por sus exuberantes labios; su cuerpo era ágil y de largas piernas, y tenía unos senos generosos aunque sin ser excesivamente grandes.

—Bueno, bueno, parece que esta noche nos acompañan caballeros muy elegantes —comentó ella, dirigiéndose al pianista—. ¿Quieres que les demos un pequeño anticipo de lo que está por venir? ¿Algo dulce o picante? —Mirando hacia las filas de mesas que se disponían junto al escenario, alzó la voz y preguntó—: ¿Qué prefieren primero, amigos? ¿Lo dulce... o lo picante?

Acompañó la palabra «picante» con un contoneo de caderas que consiguió que al segundo siguiente los espectadores prorrumpieran en un sonoro grito de «¡picante, picante!».

Delilah sonrió y deslizó una mano sobre el hombro del pianista.

—¿Has oído, Ralphie? Picante entonces.

El pianista asintió con la cabeza y empezó a deslizar los dedos por las teclas de marfil, tocando el principio de una melodía que Gavin reconoció como la descarada canción de *¡Oh! Señor Porter*. Delilah agarró una boa escarlata de su asiento, se la colocó alrededor de su blanca garganta y se fue hacia el frente del escenario con aire despreocupado, sin que la luz dejara de seguirla en todo momento. Cuando llegó justo al borde se detuvo, y Gavin pudo captar un atisbo de su aroma, una especiada mezcla de jazmín, menta y almizcle que consiguió elevarse por encima del humo de los puros.

A continuación, ella se humedeció los labios y empezó a cantar:

Oh, señor Porter, ¿qué puedo hacer?,
quiero ir a Birmingham, pero me han traído a Crewe.
Lléveme a Londres tan rápido como pueda,
¡oh, señor Porter, ¡qué boba que soy!

La letra resultaba insinuante pero no excesivamente subida de tono. Cualquier matrona de la burguesía o joven doncella podía cantar la misma canción desde el taburete del piano de su salón ganándose, como mucho, alguna que otra ceja enarcada de sus invitados. Pero la atrevida sensualidad de Delilah transformaba aquella canción en algo abiertamente sexual; la pasión con que miraban sus ojos sesgados, el adorable puchero de sus recién humedecidos labios rojos, las pausas perfectamente estudiadas y sugestivos guiños conseguían que la más inocente de las palabras tuviera un sentido mucho más lujurioso.

La música cambió a la melodía, más suave, de un número de *La ópera de los mendigos,* y Delilah entreabrió sus labios rojos para cantar: «¿Puede el amor ser controlado por los consejos? ¿Obedecerá Cupido a nuestras madres? Aunque mi corazón estaba congelado como el hielo, se deshizo ante su llama».

Estaba claro que Delilah du Lac sabía cómo ganarse a la audiencia. Al pronunciar la palabra «corazón» se había llevado las manos entrelazadas a la altura de su pecho izquierdo, dejando entrever aún más la suavidad de la hendidura de su escote. Y al cantar «llama» colocó sus delgados brazos por encima de la cabeza y contoneó el torso y las caderas, pareciendo mercurio líquido al son de un fuego danzante. Su bamboleo era más hechizante que el péndulo de cualquier hipnotista.

Gavin la miró fascinado. Era una profesional a la hora de obtener el ambiente propicio en el escenario para encandilar al público, y a él. Porque lo estaba consiguiendo, y era muy buena. Tanto, que hubo un momento en que creyó que solo lo estaba mirando a él, a su rostro. Sus cejas impecablemente delineadas se alzaron y sus labios esbozaron una

ligera sonrisa. Él le devolvió la mirada, pero no se fijó en sus pechos o en sus piernas, sino que clavó la vista en sus ojos. Durante unos frenéticos segundos, sintió la intensidad de su mirada como si entre ambos se hubiera producido un contacto físico. Su corazón respondió latiendo a más velocidad y percibió los primeros indicios de excitación. De golpe, le pareció que él y Delilah du Lac eran los únicos que estaban en aquel club abarrotado, como si la sonrisa de sus labios de rubí solo estuviese dirigida a él.

Gavin se centró en su boca, demasiado ancha para lo que en ese momento se estilaba aunque tan sensual que bien podía imaginarse a sí mismo mordisqueando, lamiendo y saboreando el néctar de aquellos labios durante horas y horas sin ni siquiera cansarse. Pero cuando se percató de que el labio superior era como si estuviera viendo una imagen del inferior en un espejo, algo mucho más poderoso que la lujuria lo golpeó de lleno.

Lo reconoció.

La última vez que había visto esa boca triste con las comisuras hacia abajo también había estado embadurnada de rojo, pero no de maquillaje, sino por el trozo de caramelo de menta que le dio. El dulce que se suponía debía mitigar la amargura de su despedida.

¿Daisy? Gavin parpadeó un par de veces, preguntándose si el exceso de humo y bebida, junto con el ansia por encontrar a su amiga, habían conspirado contra él para nublarle la visión y enredar en su memoria. Seguro que el alcohol estaba inundando su sistema sanguíneo a un paso vertiginoso, porque estaba convencido de que la mujer objeto de las intensas miradas de los allí presentes era la encarnación adulta de su amiga de la infancia.

Sudando copiosamente, se recostó en la silla y se aflojó el nudo de la corbata. Delilah du Lac. Daisy Lake. *Lac* y *Lake* significaban lo mismo, aunque en distintos idiomas: «lago». Todo ese tiempo había estado buscándola por toda Inglaterra, cuando Daisy estaba en Francia. Había sido un imbécil por no pensar en aquella posibilidad. En cuanto al detective que había contratado, tomó nota mental para despedir a ese incompetente al día siguiente.

—Muy bien, muchachos —anunció Delilah/Daisy—. Os he dado un poco de picante. Vayamos ahora con una pizca de dulce.

El pianista entendió la señal y fue aminorando el ritmo de la música hasta transformarla en una balada sentimental que Gavin reconoció como *After the Ball*. Delilah se detuvo en medio del foco de luz y empezó a cantar aquella conmovedora canción que hablaba del amor perdido por un malentendido y el exceso de orgullo. Si a esas alturas a Gavin le quedaba alguna duda, esta quedó disipada en cuanto vio la expresión de nostalgia que adoptó ella y la familiar pureza de su voz. Una voz que, aunque ahora era la de una mujer adulta, y no la de una niña, tenía una similitud demasiado obvia como para pasarla por alto.

Delilah y Daisy eran las dos caras de una misma mujer. Los años habían transformado el cuerpo de la muchachita en el de una mujer; sin embargo, debajo de todo aquel maquillaje todavía subyacía el rostro con forma de corazón, y la promesa de terminar convirtiéndose en una belleza se había hecho realidad.

Bajó la mirada hasta las largas piernas enfundadas en medias negras de redecilla y recordó los rumores que sus amigos le habían comentado a lo largo de la velada: «Tiene una legión de amantes. La última vez que el príncipe de Gales estuvo en París la invitó a una cena privada. Su talento en el escenario palidece si se compara con el que demuestra entre las sábanas». En aquel momento apenas prestó atención, pero ahora cada descripción obscena era como un tambor repiqueteando en sus oídos, como un cuchillo clavándose en su corazón.

Observó a Hadrian y a Rourke. ¿Qué diantres les pasaba? ¿De verdad no la reconocían? ¿No sabían quién era?

La balada terminó y aparentemente tocaba de nuevo lo picante. La música aceleró el compás y cambió a una melodía burlesca más atrevida

de cuyo título no se acordaba muy bien. Delilah se pavoneó al ritmo de la canción de un lado a otro del escenario, intercalando patadas altas y rápidas con lentos y sugestivos movimientos. Mientras la miraba con la boca abierta, Gavin sintió cómo le daban un codazo en el costado.

Se volvió, justo para ver a su amigo Rourke sonriendo de oreja a oreja.

—Como se mueva la mitad de bien en la cama, entonces su reputación sí que estará bien merecida, ¿no crees?

Haciendo acopio de todas sus fuerzas para parecer lo más controlado posible contestó:

—Es parte del espectáculo, ella se debe al público. Estoy seguro de que fuera del escenario es otra persona completamente distinta.

Los efectos del alcohol estaban empezando a disiparse, reemplazados por la embriaguez mucho más intoxicante de una primitiva lujuria animal. Le parecía que cada uno de sus sentidos vibraba de una forma hasta ahora desconocida, como en una necesidad constante, la sensación de que Daisy, en su actual encarnación de Delilah, era una maestra en el arte de la excitación.

Rourke le lanzó una mirada escéptica, pero fue lo suficientemente inteligente como para no discutir con él.

—Estoy centrado en cierta heredera menuda. Y sospecho que aunque lady Kat sea tamaño bolsillo, en cuanto me deje calentarle la cama despertaré en ella a una mujer tan lujuriosa que no me dejará tiempo para pensar en coristas, ni siquiera en las que se mueven tan... bien.

«Corista.» Gavin se estremeció ante la palabra. Sí, eso era precisamente lo que Delilah/Daisy era.

Hadrian soltó un bostezo que disimuló con el dorso de la mano.

—A mí tampoco me veas como rival. Reconozco que es un bocado de lo más sabroso, pero echo mucho de menos mi cama y a mi mujer.

Rourke soltó un bufido.

—Lo que viene a significar que Callie lo convertiría en un *castrato* si le pilla mirando a otra.

Hadrian no se molestó en negarlo.

—Estoy casado, y por la forma de hablar de Rourke parece como si se hubiera comprometido, pero a ti, Gavin, no hay nadie que te impida hacer lo que te venga en gana.

Rourke asintió con la cabeza.

—Claro. Si tener una aventura con una corista es lo que necesitas para dejar atrás tu melancolía, entonces adelante, amigo.

—No estoy interesado en una aventura —comentó él mientras miraba a Daisy regresar a la zona donde se encontraba el piano. Ya estaba dándole vueltas a cómo se las iba a apañar para estar a solas con ella.

Sabía que tenía que contárselo a Hadrian y a Rourke —no iba a ocultarles algo como aquello indefinidamente; al fin y al cabo también eran amigos de ella—, pero tras un año peinando Inglaterra de cabo a rabo se tenía más que merecida una reunión privada. Tan pronto como terminara la actuación, se escabulliría entre bambalinas y encontraría la manera de dar con su camerino. O puede que le enviara a un camarero con una nota, invitándola a unirse a su mesa para tomar una copa de champán. Sí, así era como se hacían esas cosas. Estaría encantado de tomarse otra botella entera de esa bebida nauseabunda si con ello conseguía estar a solas con ella.

Rourke interrumpió sus pensamientos propinándole una palmada en la espalda.

—Entonces, ¿qué me dices, Gav? Después de todas tus reticencias, ¿no te alegra que no aceptáramos un «no» por respuesta y te trajéramos aquí?

Gavin ni lo dudó por un instante.

—Sí, Patrick. Puedo decir con toda sinceridad que no hay ningún otro sitio en el que más me gustara estar en este momento.

Capítulo 3

El muchacho que amo está en el palco,
el muchacho que amo me está mirando,
ahí está, ¿no lo veis?,
saludándome con un pañuelo,
tan feliz como un petirrojo cantando sobre un árbol.

The Boy I Love Is Up in the Gallery.
Canción que popularizó MARIE LLOYD.

a canción que estaba cantando terminaba con un intenso *in crescendo* que hizo que Daisy tuviera que aferrarse al piano para recobrar la respiración. Segundos después, pasó un brazo por los hombros del pianista y dijo en voz alta.

—Maestro, por favor, para el número final sorpréndanos con algo medio picante y medio dulce a la vez.

Cada noche concluía su actuación eligiendo a un miembro del público para que subiera al escenario con ella y deleitarle con su número más seductor. Esa noche había decidido terminar con *A Little of What You Fancy*, que había popularizado la leyenda del teatro musical Marie

Lloyd. Como sucedía con cualquier canción, lo que realmente marcaba el tono de la misma no era la letra en sí, sino la intención que se le diera al interpretarla. Una sonrisa sugerente, una ligera oscilación de hombros o caderas, o una simple inflexión en la voz, podían transformar la más comedida de las melodías en una balada subida de tono. Todo lo hacía en beneficio del espectáculo, pero el público parecía creérselo, tal y como mostraban las cuantiosas propinas que recibía después.

Desde el principio, se había fijado en un hombre de pelo oscuro muy apuesto que estaba sentado con sus amigos en una de las mesas que había frente al escenario. Un auténtico caballero, había pensado, pero también alguien que se parecía bastante a una persona a la que había querido mucho en el pasado y a la que había perdido, Gavin Carmichael, el huérfano al que había idolatrado siendo niña. De hecho, durante un breve instante había creído que era él de verdad, pero muy pronto desechó esa idea, pensando que era más producto de su deseo de volver a verle que de un aparente parecido físico. Además, la aureola de seguridad en sí mismo que irradiaba, la facilidad con la que parecía charlar con sus compañeros de mesa y la forma que tenía de mirar a los ojos a todo el mundo, incluida a ella misma, le dijeron que era imposible que aquel hombre fuera el dulce muchacho tartamudo de hombros caídos que recordaba.

Al igual que Gavin, la mirada solemne de aquel caballero le dio a entender que era una persona seria, no del tipo al que le gustara que lo sacaran al escenario y le rodearan el inmaculado cuello de la camisa con una boa de plumas como si le estuvieran echando el lazo... Pero precisamente la idea de poder dar un pellizquito a esa aristocrática nariz y ruborizar sus mejillas de altos pómulos era lo que más la tentaba.

Desde el foso de la orquesta sonó un redoble de tambor, su señal para bajar las escaleras del escenario y elegir a su «víctima» de esa noche.

—Necesito un voluntario entre el público —anunció, esbozando su sonrisa más sensual—. ¿Quién de todos estos elegantes y fornidos caballeros será el escogido, mhh...?

Como era de esperar, montones de manos se elevaron hacia el cielo acompañadas de gritos de «aquí, cariño» o «¡a mí!, ¡elígeme a mí».

Frunció los labios de forma juguetona, poniendo el puchero que sabía por experiencia podía volver loco de deseo a cualquier hombre.

—¡Caramba, fíjate! —continuó—. ¡Tengo un montón de galantes voluntarios entre los que escoger! Mi pobre cabeza está empezando a darme vueltas.

Se dio unos golpecitos con el dedo en el lunar pintado que tenía al lado de la boca y fingió mirar a todos y cada uno de los espectadores, deteniéndose de vez en cuando en algún par de ojos anhelantes o sonriendo a algún que otro rostro sonrojado. Pero en todo momento supo quién iba a ser el elegido: el arcángel con el pelo oscuro de ojos tristes y solemnes, y labios hermosos. Tenía que ser suyo, aunque solo fuera durante el breve lapso que duraba una canción.

—Creo que será... ¡usted! —Señaló con el dedo en dirección a su apuesto objetivo y después lo torció, llamándole para que se uniera a ella en el escenario.

Como si fuera un ciervo adulto enfrentándose al rifle de su cazador, el hombre la miró durante unos segundos sin moverse ni un ápice. Uno de sus sonrientes amigos le dio un pequeño golpe en el costado, pero lo único que consiguió fue que pareciera recobrar el conocimiento y mirase por encima de su hombro, como si el elegido estuviera en la mesa de detrás. Daisy contuvo una sonrisa y contó mentalmente hasta cinco. Al llegar a cuatro, él volvió a girarse hacia ella, la miró horrorizado y, sin levantarse de la silla, movió la cabeza de un lado a otro esbozando un silencioso «no».

«Es tímido», pensó ella, «qué encanto». Después de dos semanas ininterrumpidas soportando a brutos que la devoraban con los ojos, e incluso a algún que otro atrevido que intentó manosearla, la idea de tener que convencer a un hombre para que subiera al escenario le resultaba de lo más estimulante. Y mientras observaba cómo el rubor

iba ascendiendo por las mejillas de su objetivo sintió una oleada de calor entre los muslos. Algo que la asustó de verdad, porque, aunque su número era abiertamente sexual, cuando actuaba intentaba distanciarse al máximo de su cuerpo. La mayoría de las veces se despegaba por completo de su yo físico, como si fuera una titiritera manipulando a una muñeca, una muñeca que se llamaba Delilah. Todos los juegos y bromas que gastaba a su público masculino eran mero teatro. El atractivo de su actuación residía en la habilidad que tenía para convencer a todos y cada uno de los hombres del auditorio de que estaba loca por ellos, pero en realidad nunca sentía el más mínimo deseo mientras actuaba... Hasta ahora.

Gavin vio a Daisy descender por las escaleras con el corazón latiéndole a toda velocidad y las palmas de las manos sudándole profusamente. La luz la siguió mientras iba directa hacia él, y por mucho que estuviera deseando verla, formar parte de aquel número no entraba dentro sus planes.

—*Bon soir*, caballeros —les saludó ella en cuanto se puso a la altura de su mesa—. ¿Alguno de ustedes habla francés? Al fin y al cabo, es la lengua del amor.

Aunque se dirigió a ellos en plural, a Gavin no le pasó desapercibido que sus ojos no se apartaron ni un segundo de él. «Dios, Daisy.»

Rourke comentó que Gavin podía hablar cualquier idioma que se imaginara y le sugirió divertido que comenzaran con el latín. Los presentes sonrieron abiertamente y él y Hadrian se hicieron a un lado para hacerle sitio.

Daisy puso sus delgados brazos en jarras y anunció a la audiencia:

—Creo que nuestro guapo amigo es un poco tímido. ¿Lo eres, corazón? —Sin dejar de mirarle, se inclinó sobre la mesa, mostrando de lleno su escote, y se lamió seductoramente los labios con un gesto lento y cargado de intención que enardeció por completo el miembro de él. A continuación se enderezó y se dirigió en voz alta a las otras mesas—:

Vamos, amigos, este elegante caballero necesita algo de coraje. Animémosle un poco, ¿de acuerdo?

Numerosos abucheos y silbidos recorrieron el club. Desde detrás, alguien gritó «mequetrefe» mientras otra voz añadía «vaya un tipo con suerte». Pero Gavin estaba demasiado centrado en su bella torturadora como para prestar demasiada atención a lo que decían.

A duras penas consiguió apartar la vista de ella y miró a sus amigos.

—Ve tú mejor, Patrick. Te va mucho más ser el centro de atención que a mí.

—Ni lo sueñes. —Rourke extendió la mano y le dio otra palmada en la espalda—. Esta es tu noche. Un poco de diversión no te matará.

Mortificado, Gavin se dirigió a Hadrian.

—¿Harry?

El fotógrafo negó con la cabeza y levantó ambos pulgares en señal de aprobación.

—No puedo, compañero. Si Callie se enterara, me la cortaría en rodajas como si fuera un salchichón. Y aunque no lo hiciera, ya tuve mi buena cuota de coristas en mis tiempos de calavera. Si te sirve de ayuda, finge que estás en medio de un juicio, delante de un juez y un jurado. Pase lo que pase, ¡da la talla!

Gavin iba a empezar a decirle que no le importaba lo más mínimo estar a la altura cuando se encontró con una boa de plumas en la boca. Delilah se había colocado detrás de su silla y le estaba deslizando las manos por los hombros, metiéndolas por debajo de su camisa y acariciándole hasta detenerse justo en la cinturilla. A continuación, con las yemas de los dedos apuntando hacia abajo, le susurró al oído:

—O te vienes conmigo al escenario o termino mi número aquí mismo. ¿Qué decides, *chéri*?

La amenaza consiguió que Gavin se pusiera de pie al instante. Con el rostro rojo como la grana, dejó que ella le rodeara el cuello con la boa y que la usara como correa para guiarle hasta el escenario. Subió a la

tarima en medio de un sonoro coro de aplausos mientras dos corpulentos tramoyistas colocaban una silla dorada perpendicular al halo de luz.

—Ponte cómodo, amor —dijo ella, dándole un empujón con ambas manos en el pecho. En cuanto cayó en la silla percibió un atisbo del fresco aroma a menta que desprendía su aliento, el sabor de sus caramelos favoritos cuando era pequeña.

Entonces, como Dalila seduciendo a Sansón o Salomé bailando para Herodes, ella empezó a girar alrededor de él al compás de la música, moviéndose con el único propósito de seducirle. Luego se paró de frente y se fue aflojando muy despacio, dedo a dedo, los guantes largos hasta el codo que llevaba. Cuando terminó, se llevó la mano izquierda a la boca y tiró de la prenda con los dientes, en un lento e insinuante *striptease*. Gavin inhaló una profunda bocanada de aire, esperando que la audiencia no notara su erección, tal y como sí debía de estar notando ella.

Ella volvió a inclinarse sobre él, sujetando el respaldo de la silla con ambas manos. Sus turgentes pechos quedaron a escasos centímetros de su boca y aquellos penetrantes ojos verdes se clavaron en él de tal modo que sintió como si le estuvieran marcando a fuego. Bajo la tenue luz del escenario, la piel de ella, tan blanca y ligeramente humedecida por el sudor, brillaba como si estuviera hecha de perlas.

—Caballeros, creo que le está gustando —sentenció ella, volviendo la cabeza para dirigirse al público—. ¿Y a ustedes?

Todos los allí presentes asintieron estrepitosamente, y Gavin sospechó que no era el único que tenía el miembro duro. Las monedas comenzaron a caer sobre el escenario como si de granizo se tratara y cuando una de ellas le golpeó en el muslo, Delilah le acarició la dolorida zona y canturreó un «pobrecito» lo suficientemente alto como para que lo escuchara todo el mundo. Lo siguiente que supo fue que la tenía sobre su regazo, o mejor dicho, sentada a horcajadas sobre él, con una pierna a cada lado de la silla. Ella le puso de nuevo las manos sobre los hombros y contoneó su trasero. Su sensual sonrisa le dijo que estaba sintiendo cada centímetro de su endurecido miembro.

Sin embargo, al segundo siguiente, algo debió de suceder, porque le miró con los ojos y la boca abiertos y su sonrisa se esfumó.

—¿Gavin?

Él asintió. Tenía la boca demasiado seca para hablar, pero se las arregló para pronunciar una respuesta.

—Sí. Sí, soy yo.

En ese momento se olvidó de que estaba sobre un escenario y de que era un reputado abogado en una posición un tanto comprometedora —podría decirse que hasta humillante—, con una boa de plumas alrededor del cuello y una erección pujando por salir de sus pantalones. Sintiendo como si su sangre se hubiera transformado en lava, echó hacia atrás la cabeza, colocó las manos sobre las voluptuosas caderas de ella y dejó que siguiera bailando sobre su regazo al son de la música.

Daisy también se echó hacia atrás y él supo que su repentina dificultad para respirar y el temblor de sus muslos no formaba parte del número. Ahora que ella sabía quién era, también estaba experimentando aquel sentimiento tan intenso, poderoso y erótico que hacía que la lujuria palideciera en comparación.

La música continuó ascendiendo hasta alcanzar el punto culminante. Sus miradas se encontraron. Ella parecía arrepentida, cuando no avergonzada.

—Es el final. Yo... Lo siento —susurró.

Antes de que pudiera preguntar por qué lo sentía, Daisy se arqueó hacia atrás y Gavin se encontró con los muslos separados de ella a la altura de los ojos y una pequeña porción de rosada y húmeda carne asomando fuera de su ropa interior de seda. De pronto, ella se dio la vuelta y se las apañó para ejecutar una voltereta sin darle una patada en la cara. Una vez volvió a estar de pie, se situó de cara al público y con un diestro movimiento tiró del cordón de su prenda íntima.

Esta cayó en dos mitades, revelando la escasa tira negra de encaje que había debajo.

El público se puso de pie al unísono y en medio de silbidos, aullidos y atronadores aplausos el dinero volvió a caer en el escenario, aunque en esta ocasión eran billetes de una libra en vez de monedas. Daisy paseó con garbo de un extremo a otro de las tablas, deteniéndose de vez en cuando para agacharse a recoger el dinero y aprovechar para mostrar su exquisito y apretado trasero.

Con las manos llenas, se encaminó hacia la zona en la que estaba el piano y dejó caer un montón de monedas sobre la tapa.

—Nuestro voluntario se ha portado muy bien. Se merece algo dulce, ¿no crees, Ralphie?

El pianista aceptó con un fuerte asentimiento de cabeza.

—Sí, señorita du Lac, parece que necesita «algo» que solucione su «problema».

Daisy guiñó un ojo de manera llamativa para que la pudieran ver todos y se dirigió hacia Gavin, que seguía sentado en la silla. Después apoyó las manos sobre sus hombros y lo miró largo y tendido a los ojos.

—¿Te apetece algo dulce, cariño?

«¿Gav, me has vuelto a traer algún dulce?»

Gavin abrió la boca para contestar que no necesitaba que le recompensaran con ninguna canción, pero antes de que pudiera hacerlo ella lo agarró por el cuello de la camisa y aplastó la boca contra la suya. Inmerso en un océano de menta y aplausos, él se levantó de la silla, le rodeó la esbelta cintura con los brazos y la levantó del suelo para poder besarla mejor.

Desde la distancia, escuchó una voz masculina que le gritaba: «Así se hace, amigo. Date un buen revolcón con ella».

Aquella grosería le trajo de vuelta a la realidad. Se separó de ella y miró por encima de la cabeza de Daisy para encontrarse con una horda de rostros salivando.

Y ahí fue cuando recordó dónde estaba y quién era.

—¡Suficiente! —Se quitó la levita, cubrió los hombros de Daisy con ella y la miró a los asustados ojos—. Esto es por tu propio bien.

Y sin mediar más palabra, la alzó en brazos.

—Bájame ahora mismo, pedazo de imbécil.

Pataleando furiosamente y golpeando el ancho pecho de su captor, Daisy no podía dejar de pensar en lo que acababa de pasar. Obligado o no, Gavin había conseguido cambiar las tornas a la situación. Sí, había tomado el control de la audiencia —*su* audiencia—, al igual que el de su cuerpo, y ahora sus hombros y torso estaban encerrados entre un pecho duro y musculoso y unos sólidos y fuertes brazos.

—Ni hablar. —Esquivando sus golpes, comenzó a sacarla de allí.

—Pues si no me dejas acabar el número puede que terminemos despedazados.

No estaba exagerando. En el auditorio se había formado un auténtico caos. Echando un vistazo por encima del enorme hombro de Gavin, vio mesas caídas, sillas estrellándose contra las paredes y espejos, y clientes saliendo disparados hacia la salida o enzarzándose en una pelea mano a mano. Varios hombres encolerizados intentaban acceder al escenario y el que parecía el líder de todos ellos, uno con cuello de toro, amenazaba con romper uno a uno todos los huesos del que les había aguado la fiesta. Gracias a Dios, los amigos de Gavin, que parecían estar hechos de un material más duro que el resto de encopetados ingleses, se habían levantado de sus sillas y estaban usando los puños para detener la embestida.

Daisy volvió la cabeza justo para ver cómo la mano de un corpulento tramoyista se interponía en su camino. A continuación, esa mano se transformó en un puño.

—Bájala —ordenó el hombre.

Gavin apretó los dientes e hizo un gesto de negación.

—Hazte a un lado.

El puño salió volando pero Gavin bloqueó con destreza el golpe y propinó un enorme puñetazo en la bulbosa nariz del hombre, que cayó hacia atrás, salpicándolo todo de sangre.

Gavin extendió su ensangrentada mano y retiró el telón para meterse entre bambalinas. Después volvió la cabeza para poder mirarla.

—¿Por dónde?

En ese momento su camerino era de lejos el lugar más seguro.

—Ve hacia la izquierda y sigue hasta el final del pasillo. Es la primera puerta que encontrarás a tu derecha, la que tiene una estrella —explicó, sintiendo un absurdo ramalazo de orgullo—. Pero antes bájame.

Él dudó durante un instante, aunque terminó accediendo. En cuanto se vio con los pies en el suelo, lo agarró de la mano y le guió a través del húmedo y mohoso corredor.

La parte trasera del club era una zona escasamente amueblada, un lúgubre laberinto de estrechos y oscuros pasillos. Las tuberías de gas y agua eran visibles en los sucios y bajos techos y los suelos estaban cubiertos de mugre. Cuando llegaron a la puerta de su camerino, escucharon unos pasos que los seguían. Con el corazón a toda mecha, ella llevó la mano al pomo e intentó abrirla, pero entonces se acordó de lo mucho que solía atascarse aquella puerta combada. La última vez que había intentado abrirla sin ayuda se había dislocado el hombro.

—Maldita sea.

Los pasos cada vez estaban más cerca, casi los tenían encima de ellos.

—Hazte a un lado. —Gavin alargó el brazo, abrió la puerta con brusquedad y la empujó dentro, antes de entrar él.

Una vez en el interior del angosto cuarto, ella echó el pestillo y ambos se apoyaron contra la descascarillada pared. Durante los siguientes segundos, permanecieron uno junto al otro; con sus respiraciones, rápidas, como único sonido perceptible en la estancia.

Entonces, él volvió la cabeza para mirarla.

—Has hecho una gran actuación —dijo. El tono cínico que usó le indicó a Daisy que no era un cumplido.

No iba a dejarse intimidar tan fácilmente, al fin y al cabo no necesitaba su aprobación, no después de tantos años, así que alzó la barbilla y respondió con un escueto «gracias». Después clavó los ojos en él, buscando las similitudes con el niño que había conocido y las diferencias del hombre en que se había convertido. Llevaba el pelo más corto, pero seguía teniendo esa espesa mata de ondas de color negro azulado, aunque ahora con algunas canas tempranas en las sienes. Su cara era más delgada de lo que recordaba, sus ojos seguían poseyendo ese intenso azul claro que siempre le hacía pensar en cielos primaverales. La boca también parecía más fina, o como poco menos dada a la risa, y la nariz resultaba algo más prominente, más dura, y también más arrogante. Algunas tenues líneas de expresión se habían abierto camino en su frente y en las esquinas de sus ojos, se imaginó que producto de las preocupaciones del pasado, pues no podía tener más de treinta años.

«Dios, se ha convertido en un hombre muy apuesto.»

Ya no llevaba la boa alrededor del cuello, debía de haberla perdido cuando salieron corriendo entre bastidores. El sudor por el esfuerzo realizado corría por ambos lados de su cara, pegando la camisa a aquel torso tan musculado que no contenía ni un gramo de grasa. ¡Qué alto era! A pesar de que llevaba unos zapatos con unos tacones bastante altos, la coronilla le llegaba a la altura de sus hombros. Acostumbrada a mirar a los ojos a los franceses, estar tan cerca de un hombre con el que tenía que alzar la vista para verle el rostro, y no cualquier hombre, sino Gavin, el héroe de su infancia, su amor de adolescencia, hacía que se sintiera vulnerable, temblorosa y completamente fuera de lugar.

De pronto, las comisuras de su boca se alzaron ligeramente, demostrando que no se le había olvidado del todo cómo sonreír.

—En lo bueno y en lo malo, ya lo creo.

Escuchar el principio de aquel juramento hizo que estuviera más cerca de las lágrimas de lo que había estado en años. Lo que su corazón anhelaba acababa de caer del cielo en su regazo... Pero con una década y media de retraso. Qué cruel era el destino.

—Gavin, ¿qué estás haciendo aquí?

Él alzó sus oscuras cejas.

—Yo pensaba preguntarte lo mismo.

Daisy se fijó en una gotita de sudor que salpicaba un lateral de su vigoroso cuello y sintió la absurda necesidad de limpiársela con la punta de la lengua.

Unos puños empezaron a golpear al otro lado de la puerta y las voces altas y graves que escucharon les trajeron de vuelta al presente.

—Señorita du Lac, ¿se encuentra usted bien? ¿Hace falta que llame a la policía?

Daisy reconoció la voz del encargado de utillería, Danny. No lo conocía, pero parecía un tipo decente y sonaba más preocupado que enfadado, así que se volvió hacia la puerta y contestó también en voz alta.

—No será necesario, Danny. He tenido un pequeño malentendido con un antiguo compañero, pero ya lo hemos solucionado.

—Haz las paces con tu amante en tu tiempo libre, Delilah —exclamó una voz mucho más profunda y contrariada. Maldición, era el maestro de ceremonias, Sid Seymour, propietario del club—. El auditorio está hecho un desastre. Menos mal que el comisario es amigo mío, porque si no nos cerrarían el local por alteración del orden público. Y recuerda, todas las pérdidas y arreglos correrán por tu cuenta.

¡Qué sinvergüenza! Daisy se mordió el labio inferior mientras hacía un cálculo mental de los posibles daños. Uno solo de esos espejos

chillones que colgaban de la pared costaba una pequeña fortuna, al menos para ella. El único consuelo que le quedaba era que no la había despedido. Eso ya era algo. Aun así, tendría que estar bailando el cancán hasta que tuviera ochenta años para pagar todo aquello. Y aunque al final la situación no fuera tan mala, el que le descontaran dinero del sueldo significaba que ese mes no solo lo pasaría mal ella, sino todos los seres queridos que había dejado atrás, en París.

Gavin abrió la boca para hablar, pero ella le puso un dedo sobre los labios y negó con la cabeza, instándole a que permaneciera en silencio. Volvió a dirigirse a la puerta.

—¡No me vengas con esas, Sid! Estas dos últimas semanas has ganado un dineral a mi costa, no te creas que no lo sé. Y para la miseria que me pagas, bien podría irme al Grecian.

Según el representante de Daisy, el Grecian on City Road era más un salón de espectáculos que un club nocturno en el que se servían cenas, pero tenía su buen número de espectadores, y por el mismo dinero solo tendría que hacer una representación por noche, en vez de dos.

La amenaza surtió efecto.

—Anda, sal de tu camerino y hablamos.

Ni loca abriría la puerta y entregaría a Gavin a los matones profesionales que sabía estarían esperando junto con Sid.

—Mañana, Sid. Si quieres que vuelva para la primera representación de la tarde, será mejor que me vaya a casa y descanse un poco.

Esperó hasta que los pasos se desvanecieron, confirmando así que se habían marchado, y se volvió para enfrentarse de nuevo a Gavin.

—Espero que estés contento —le recriminó, apuntándole con un dedo en la cara—. Me quedan solo dos semanas para terminar mi contrato aquí y gracias a ti tendré suerte si consigo pagarlo todo. Lo más seguro es que termine debiéndoles dinero.

Por primera vez desde que la sacó del escenario, Gavin no pareció tan seguro de sí mismo.

—Tengo toda la intención de compensar al club por todos los daños ocasionados.

Buenas intenciones. Quienquiera que hubiera inventado la frase de que el camino al infierno estaba lleno de ellas tenía que haber sido alguien muy sabio, seguro que una mujer. Y Daisy hacía muchos años que no se creía las promesas de los hombres. Una no alimentaba a su familia a base de promesas o sueños rotos.

En ese instante necesitaba poner algo de distancia entre ellos, así que se quitó los zapatos y cruzó el estrecho camerino en dirección al biombo de metal que usaba como vestidor, un pequeño lujo que se había traído desde Francia y que le habían regalado sus padres adoptivos la noche que debutó en un escenario de verdad. Estaba pintado con margaritas, en honor a su nombre —en inglés *daisy* significa margarita—, y hacía que la estancia pareciera menos oscura de lo que en realidad era. Además, le daba la sensación de que era importante tener algo familiar cerca cuanto todo lo demás le resultaba, si no extraño, como si formara parte de un sueño lejano.

En cuanto se deslizó detrás de la mampara se quitó la levita con la que él le había cubierto los hombros y la colocó en la parte superior.

—Al final no me has dicho qué estás haciendo aquí —insistió.

A pesar de que ya no llevaba la prenda encima, todavía se sentía envuelta en su aroma, una combinación de cuero, perfume especiado y almizcle, muy masculina y absolutamente deliciosa.

Notó como él se acercaba al otro lado del biombo.

—¿Me creerías si te dijera que me apetecía divertirme un rato escuchando una canción con una pinta de cerveza en la mano?

Ella se rió por lo bajo.

—No. Y no te molestes, pero no me parece que seas del tipo al que le vayan los musicales.

A pesar de que tenía pegadas algunas plumas a la piel y de la camisa un tanto sudada y arrugada, todavía mantenía su porte aristocrático, ese aire de que, por mucho que se ensuciara, siempre tendría un aspecto elegante.

—¿Debo tomármelo como un cumplido?

Sus miradas se encontraron justo en el momento en que ella dejó caer su corsé detrás del biombo y liberó sus pechos. Tomó una profunda bocanada de aire, la primera desde aquella mañana.

—Tómatelo como quieras.

Notó cómo él le miraba los hombros desnudos y sonrió para sus adentros. Daba igual que fueran viejos amigos encontrándose tras un largo período de tiempo o unos completos extraños viéndose por primera vez. No importaba que ella fuera Daisy o Delilah. Él la deseaba con desesperación. Lo malo era que ella también lo hacía. Aprovechándose de la cobertura que le daba el biombo, se rozó los pezones con los dedos, imaginándose que era él quien lo hacía con sus enormes manos. Oh, no era justo. Qué gran jugador debía de ser Dios. El primer hombre que realmente la excitaba era el único que no podía tener porque no confiaba en sí misma. Si solo fuera un desconocido en vez de un amigo de la infancia que le había hecho tanto daño.

—En ese caso, ¿te creerías si te digo que acabo de sufrir una... decepción, y que Harry y Rourke creían que necesitaba divertirme un rato?

Daisy seguía con las manos sobre los pechos, tenía los pezones erectos como dos dardos.

—¿Te refieres a una decepción amorosa? —Tan pronto como la última palabra salió de su boca se odió a sí misma por lo desesperada que debía de haber parecido al hacer una pregunta como aquella.

Gavin no contestó, pero su silencio y el que no abriera la boca para negarlo fueron suficiente respuesta. «Alguna mujer lo ha herido», pensó, molesta por la irracional punzada de celos que sintió. No sería el primero ni el último que acudía a un club para olvidarse de un amor fallido, y se dedicaba a ahogar sus penas en el alcohol y a comerse con los ojos a mujeres semidesnudas.

Sus miradas volvieron a encontrarse una vez más y a ella se le olvidó hasta respirar.

—Lo creas o no, he venido aquí esta noche por pura casualidad... o suerte, como prefieras verlo —le escuchó decir, sintiéndose como si estuviera sumergida en las profundas aguas de un mar azul.

El espacio que le dejaba el biombo era apenas más grande que el de un armario y ella estaba desnuda excepto por la tira de cuero que apenas cubría su zona íntima. Además, a pesar de la separación que había entre ellos gracias a la mampara, la cercanía de Gavin estaba actuando como un potente afrodisíaco. Recordando la maravillosa calidez y dureza de la prominencia que había sentido bajo su trasero cuando estuvo sentada a horcajadas sobre él, se llevó una mano hacia el pubis, separó sus labios vaginales y deslizó un dedo en su interior.

«Dios mío, estoy húmeda por él. Si ahora mismo me lo pidiese, le dejaría hacer lo que quisiera. Me apoyaría sobre mis manos y rodillas en este sucio suelo y permitiría que me hiciera lo que se le antojara.»

Ruborizada por sus pensamientos, se inclinó para quitarse las ligas.

—¿Los hombres que te acompañaban eran Rourke y Harry? —Había estado tan concentrada en Gavin durante la actuación que apenas se había fijado en sus amigos.

—Sí. Ambos están viviendo en Londres, de momento. Harry tiene un estudio fotográfico en Parliament Square y Rourke se pasa el tiempo entre su casa de Hanover Square y su castillo de las Tierras Altas.

—¿Rourke tiene un castillo? —Se desabrochó la liga derecha y desenrolló la media hacia abajo, con cuidado de no romper la costosa seda.

Gavin asintió.

—Compró acciones del ferrocarril y logró hacerse con una auténtica fortuna... Con varias en realidad.

Así que Patrick había terminado prosperando. No debería sorprenderla. Siempre había sido un tipo listo, pero... ¿un castillo?... Aquello era demasiado.

—¿Y tú a qué te dedicas, además de a ser rico y holgazanear?

Se dio cuenta demasiado tarde de lo amarga que había sonado su voz, y se asombró de que, después de quince años, todavía le doliera tanto su traición. Creía haberlo superado hacía mucho, otra de las muchas mentiras que se había dicho a sí misma.

—En realidad soy abogado.

Eso sí que la pilló por sorpresa. Recordaba haber oído al hombre rubio de la mesa —Harry lo más seguro— decir algo sobre jueces y jurados, pero en ese momento ni se le había ocurrido que pudiera ganarse la vida con eso. Se había imaginado que era indecentemente rico o que vivía de sus expectativas, como la mayoría de los hombres jóvenes de alta cuna.

—¿En serio?

—Sí, de verdad.

Se dejó llevar por su lado malvado y arrojó su ropa interior negra de seda por encima del biombo. Cuando vio que iba a parar sobre el hombro de Gavin soltó una sonora carcajada.

—¡Esta sí que es buena! Y dime, ¿tienen los abogados el hábito de secuestrar a artistas en medio del escenario y golpear a los tramoyistas, o solo estamos obligados a cumplir las leyes los del pueblo llano?

En cuanto observó cómo su rostro se teñía de rojo recordó lo fácil que resultaba hacer que se ruborizara cuando era un niño y le reconfortó ver que algunas cosas no habían cambiado. Al menos no tanto.

—Puedo decirte con toda sinceridad que eres la primera persona a la que he secuestrado.

Ella sonrió en contra de su voluntad. Puede que se hubiera vuelto un poco altivo, pero todavía tenía sentido del humor.

Él se quitó la prenda del hombro y se la devolvió.

—Esperaré hasta que estés visible.

Aún desnuda, alcanzó la bata negra de seda que había dejado colgada en la pared y se la puso. Después, salió de detrás del biombo mientras se ataba el cinturón.

—Ya estoy visible... o al menos todo lo visible que me gusta estar.

Él se la quedó mirando, recorriéndola con los ojos de arriba a abajo hasta terminar en su cara. Preguntándose qué era lo que podía encontrar tan chocante, bajó la vista. La bata no llegaba hasta el suelo, pero sí por debajo de las rodillas, cubriéndole más de lo que hacía el traje que había usado durante la representación. ¿Acaso era el escote en pico lo que encontraba tan censurable? Ella no lo veía especialmente atrevido, pero tampoco era la persona más adecuada para opinar sobre ese asunto.

Sí que era cierto que la zona más sensible entre sus muslos estaba palpitando a causa de un doloroso anhelo. Temerosa de que él pudiera leerle los pensamientos con solo mirarla, como hacía cuando eran niños, se acercó al tocador. Una vez estuvo de espaldas a él, sacó la borla con la que se aplicaba el maquillaje de su polvera y se limpió el sudor del busto.

—Bueno, ¿qué quieres preguntarme?

—Supongo que tengo curiosidad por saber dónde demonios te has metido durante estos quince años —contestó él.

Capítulo 4

Sí, sí, anda. Será gracioso.
Pero no te enamores muy en serio,
ni tampoco juegues tanto al amor
que luego no puedas enrojecer y retirarte con honra.

WILLIAM SHAKESPEARE, Celia
Como gustéis

Daisy dejó caer la borla, se puso de espaldas al espejo y se encogió de hombros.

—Francia. Sobre todo París, aunque he viajado a algunas otras zonas cuando no estábamos en plena temporada.

Durante todos esos años, Gavin se había imaginado un millar de veces cómo sería su reencuentro, pero nunca pensó que sería así. Sin dejar de mirarla, apenas podía dar crédito a la amargura que destilaba su voz y al descaro con el que se comportaba. Ya fuera Delilah o Daisy, la mujer que acababa de empolvarse el pecho delante de él, con una bata que dejaba al descubierto sus largas piernas, era una completa extraña, y él ya se sentía lo bastante estúpido sin necesidad de reve-

larle todas las vicisitudes por las que había pasado para encontrarla. Además, todo indicaba que la amiga de su infancia no tenía ningún deseo de que la encontraran o, por lo menos, de que él lo hiciera. Pero después de todos esos años de búsqueda no iba a abandonar tan fácilmente. No sin escuchar primero de su boca quién era y cómo había terminado convirtiéndose en... aquello.

—¿Cómo diablos acabaste en París?

Colocándose delante del espejo de cuerpo entero, Daisy se quitó las plumas y horquillas que llevaba en el pelo, agradecida de contar con una excusa que evitara tener que mirarle a la cara.

—Fui adoptada por una pareja mayor de actores, Bob y Flora Lake. Durante un tiempo, estuvimos viajando con una compañía de teatro local, pero cuando esta quebró los Lake decidieron que continuar interpretando a Shakespeare significaba morirse de hambre y que la mejor oportunidad que tenían para seguir ganándose la vida actuando era ir a París y unirse a una de las compañías musicales tan populares en ese momento.

Gavin estuvo a punto de darse una palmada en la frente. Aquello explicaba por qué había perdido su rastro en Dover.

—Así que te fuiste de un orfanato cuáquero de los campos de Kentish a París, la capital cultural de Europa. Un cambio así tuvo que costarte mucho, ¿no?

Iba a hacerle más preguntas —cómo le había ido en París, si se había acordado de él...—, pero la mirada glacial que le dedicó desde el espejo hizo que se abstuviera.

Daisy sonrió con tal frialdad que a Gavin le dio la sensación de que por sus venas corría agua helada en vez de sangre.

—Supongo que sí, pero soy una superviviente. Como bien has dicho, ha habido muchas cosas que me han costado mucho a lo largo de toda mi vida. —Se volvió para mirarle, soltándose la larga melena, que le llegaba por debajo de los hombros—. Aunque en mi caso, ser una marimacho me ayudó bastante. Todas las veces que trepé a árboles y salté verjas con vosotros fortalecieron mis piernas, y mis patadas eran las más altas de todas las coristas.

Subió una pierna para demostrarlo, apoyando el pie desnudo en un banco, pero no en la misma posición que había adoptado en el escenario. Gavin no pudo evitar fijarse en su perfecto muslo blanco y tragó saliva, sintiendo como si el aire hubiera abandonado sus pulmones para ir directamente a otras partes de su anatomía que estaban empezando a agrandarse y a palpitar. De niños, Daisy fue lo más parecido que tuvo a una hermana pequeña. Desde el primer momento en que puso sus ojos en ella, hacía más de quince años, siempre intentó cuidarla y protegerla. Aparte de ese sentimiento protector, apenas había pensado en ella como un miembro del sexo opuesto. Pero ahora, esas largas piernas que había visto mover con garbo durante su actuación y el generoso busto que asomaba por encima de su bata le dijeron que era una mujer adulta... y muy deseable.

Daisy decidió bajar la pierna en ese preciso instante, haciendo que la bata de seda volviera a su lugar y que Gavin pudiese respirar de nuevo.

—Me dijeron que tenía una buena voz, así que a medida que fui creciendo pude ir haciendo más actuaciones en solitario.

—Tienes una voz preciosa —comentó él, porque era verdad y porque tenía el presentimiento de que no solía recibir muchos cumplidos de hombres que no tuvieran una intención sexual oculta.

—Gracias.

Ella bajó la mirada en un repentino ataque de timidez, consiguiendo que las puntas doradas de sus larguísimas pestañas proyectaran una sombra sobre sus altos pómulos. Esa pose más recatada le recordó a la niña que una vez fue, esa muchacha dulce aunque llena de desparpajo, y tuvo la esperanza de que debajo de esa coraza de maquillaje, plumas y seda todavía quedara algo de la Daisy de antaño.

Entonces ella volvió a mirarle y continuó hablándole de su pasado.

—También representé algún que otro papel en lo que los parisinos llaman *opera-comiques*. Ya sé que no se consideran obras teatrales serias, pero algo es algo, o al menos eso pensaba. —A Gavin no le pasó desapercibida la mirada de anhelo que puso cuando dijo aquello.

Como abogado, la intuición a veces le funcionaba como un arma infalible, sobre todo en aquellos casos en los que un testigo cambiaba de pronto su declaración o el letrado de la parte contraria aportaba una prueba de última hora.

—¿Lo que de verdad te interesa es actuar en serio? —preguntó en ese momento, dejándose llevar por su instinto.

Daisy abrió los ojos sorprendida, un gesto que solía hacer de niña cuando él le llevaba algún caramelo de limón o de menta.

—Es lo que más deseo en este mundo. Aquello para lo que siento que he nacido. —Dudó un instante y luego continuó—: La razón por la que regresé a Inglaterra, a Londres, fue para labrarme una carrera como actriz.

Había vuelto por motivos profesionales, no por él. Aunque sabía que era absurdo que se sintiera decepcionado, no pudo pasar por alto la punzada de dolor que le produjo su confesión. Si el mundo fuera perfecto, ella le habría revelado que se había pasado todo ese tiempo buscándolo.

—¿Has hecho ya alguna audición?

Daisy volvió a dudar, aunque terminó negando con la cabeza.

—Oí que el Drury Lane iba a abrir esta temporada con *Como gustéis*, pero cuando acudí para hacer una prueba el director de escena me rechazó. Por lo visto no contaba con las credenciales... apropiadas.

—Conozco al director del teatro, Sir Augustus Harris. Podría hablarle de ti.

No podía borrar el pasado de Daisy, ni tampoco regresar atrás en el tiempo y evitar que su abuelo lo encontrara, pero la falta de contactos de su amiga en Londres era un obstáculo que se veía más que capaz de superar. Ya había ayudado a uno de sus amigos, Hadrian, cuando llegó a

la ciudad hacía unos años, y aunque le había llevado un tiempo asentar su negocio, el estudio fotográfico en Parliament Square estaba yendo viento en popa.

—¿Conoces al director del Drury Lane?

Aquello pareció impresionarla, y a él le dio la sensación de que lo miraba con otros ojos.

—Ambos somos socios del Garrick. —Vaciló durante unos segundos, preguntándose cuantas explicaciones requería la situación—. El Garrick es un club privado para caballeros, dedicado a proveer un lugar de encuentro a los actores y a todos los que aman las artes y las letras.

A Daisy se le esfumo la sonrisa.

—Sé lo que es el Garrick, Gavin. No soy tan simplona.

Maldita fuera, estaba liándolo todo.

—Lo siento. No quería decir que... Como has estado viviendo en el extranjero pensaba...

—En el extranjero, en París, la capital cultural de Europa, como bien has dicho.

Por primera vez en toda la velada, Gavin no solo sonrió, sino que lo hizo abiertamente.

—*Touché*. En todo caso, siempre hay una primera persona que termina echándote una mano, ¿no? ¿Por qué no dejas que esa persona sea yo, alguien en quien confías, un viejo amigo?

—¿Somos amigos, Gavin?

En el pasado, le habría bastado con mirarla a los ojos y saber qué era lo que estaba pensando; ahora era incapaz de descifrar el significado de la expresión de aquel rostro maquillado.

—Una vez lo fuimos. Me encantaría que volviéramos a serlo.

El brillo que habían tenido sus ojos hacía unos segundos se disipó y lo miró con recelo, o al menos eso le pareció a él.

—No nos hemos visto en quince años. ¿Por qué ibas a preocuparte por mí?

Él dudó; quería contestarle con total honestidad, aunque no le apetecía sacar a colación aquella dolorosa parte de su pasado.

—Puede que no seas consciente de ello, pero cuando llegué a Roxbury House me ayudaste muchísimo. La mayoría de los huérfanos se reían de mi tartamudez, y sin embargo tú hiciste todo lo posible por ponerme las cosas fáciles, obligándome a participar en los juegos y negándote a que me quedara sentado y me limitase a observar. Incluso nuestras pequeñas reuniones teatrales me sirvieron de terapia. Ahora que soy yo el que puedo ayudarte, ¿por qué no me dejas devolverte el favor?

Sabiendo lo acomplejado que se sentía con su tartamudez, que se hacía más pronunciada cuando se sentía el centro de atención, ella le había dado el puesto de director, de modo que pudiera estar entre bastidores pero siendo parte activa del juego.

Daisy le había comprendido como nadie lo había hecho jamás.

Concertar una audición era lo mínimo que podía hacer por ella. No era un reformador social como William Gladstone, pero era plenamente consciente de la ayuda que Daisy necesitaba. Desde que habían entrado en aquel camerino, se notaba que todas las cosas escandalosas que había dicho y aquel comportamiento descarado eran un grito de socorro. El maquillaje hacía que pareciese mayor de lo que realmente era —si sus cálculos no fallaban, debía de tener veinticuatro años— y bastante más dura, y deseó con todas sus fuerzas que usara alguna de las muchas cremas y lociones que tenía encima del tocador para quitárselo. En cuanto desapareciera esa máscara, estaría encantado de posar la palma de la mano sobre su fría y limpia mejilla.

Daisy negó con la cabeza. Debajo de la estridente pintura, parecía una niña desconcertada.

—No sé, Gavin. Después de todos estos años nunca esperé volver a verte, ni mucho menos terminar en deuda contigo. No creo que esté... bien.

Lo cierto era que no había previsto que pudiera rechazarle.

—No puedes se... seguir como hasta ahora...

Daisy se puso visiblemente tensa y Gavin supo que había cometido un grave error.

—¿Y qué problema hay con que siga como hasta ahora, como acabas de decir? A fin de cuentas, he cuidado bastante bien de mí misma y de...

Cerró la boca al instante, tal y como solía hacer cuando era pequeña y estaba a punto de desvelar algún secreto. Como era de esperar, Gavin se preguntó de qué podría tratarse, pero se abstuvo de presionarla. La vida que ella había llevado hasta entonces no era de su incumbencia, sin importar lo mucho que a él le hubiese gustado que lo fuera.

Sin embargo, abrirse paso por entre toda aquella descarada autosuficiencia y testarudo orgullo estaba resultando mucho más difícil de lo que en un primer momento pensó.

—Maldición, Daisy, eres mucho mejor que todo esto, y ambos lo sabemos.

—¿Tú crees? —Abrió un cajón del tocador y sacó una botella de ginebra—. ¿Te apetece un trago?

Completamente horrorizado, hizo un gesto de negación.

—No, gracias.

—Como quieras. —Abrió la botella y bebió un buen sorbo.

Esa fue la gota que colmó el vaso.

—Daisy, quiero que dejes este lugar esta misma noche. Quiero que vengas conmigo a casa.

—¿A tu casa?

—No solo esta noche, sino todo el tiempo que quieras.

La inicial mirada de sobresalto de Daisy desapareció. A continuación tomó otro trago e hizo a un lado la botella.

—¿Me estás pidiendo que me mude a vivir contigo, Gavin? Porque reconoce que es un poco repentino. —Frunció los labios como si estuviera reprimiendo una sonrisa.

Con la cara completamente roja, se apresuró a convencerla.

—Serías mi invitada. Tengo un apartamento cerca de Inns of Court. Es bastante espacioso y no suelo pasar mucho tiempo allí. Estarías sola casi todo el día y podrías entrar y salir a tu antojo.

—Todavía me quedan dos semanas para terminar la gira. Si no cumplo con lo estipulado en mi contrato Sid podría demandarme. No creo que lo hiciera, pero seguro que no vería ni un penique de lo que me debe.

—No te preocupes por eso. Soy abogado, ¿recuerdas? Los contratos pueden romperse.

—Aunque se pudiera, todavía tengo que vivir, comer y pagar el alquiler, y tengo... obligaciones en París que no puedo... obviar.

¿Obligaciones? Gavin no le dio mucha importancia a cómo había sonado aquello ni a la intensidad con la que lo dijo, pero refrenó su curiosidad —o más bien los celos— en vez arriesgarse a perderla.

—Te asignaré un estipendio para que puedas hacer frente a cualquier... obligación que tengas aquí o en el extranjero. Solo tienes que decirme cuánto necesitas.

—No lo sé. Nunca... nunca he vivido con nadie... con un hombre.

—Entonces prueba durante un mes. Si ves que no puedes soportarme, te ayudaré a encontrar un alojamiento más adecuado.

Un alojamiento que él pagaría, se imaginó ella. Toda aquella charla sobre dinero hacía que Daisy se sintiera como si de pronto hubiera entrado una corriente de aire frío en el camerino, lo que le resultó extraño, porque cuando un hombre le ofrecía una suma de dinero solía venir acompañado de una radiante calidez. Pero el hombre que tenía delante de ella y que se ofrecía a mantenerla no era cualquier hombre. Era Gavin, y la idea de recibir de él dinero o cualquier otra cosa como pago le producía una intensa sensación de pérdida.

A pesar de todo, ¿cómo podía rechazar la oportunidad que le estaba ofreciendo, sobre todo cuando ya no podía pensar en ella sola? Lo que llevaba tanto tiempo siendo un sueño —y bastante inverosímil— se había transformado en una posibilidad real, ¡y en menos de una hora! Eso sí que era un milagro, un cuento de hadas, algo tan increíble que le daban ganas de pellizcarse para comprobar que no estaba soñando.

Una a una, Gavin había ido echando abajo todas sus objeciones hasta que no le dejó otra opción que responder con un «sí».

—Muy bien, Gavin, si estás seguro de que esto es lo que quieres y de que no voy a ser un estorbo...

—Lo estoy. Estos días casi no estoy en casa. Apenas coincidiremos.

Ella le acompañó hasta la puerta.

—En ese caso, acepto. Pero no esta noche. Me gustaría limar asperezas con Sid, si puedo. Le debo cuanto menos eso. Y necesitaré unos días para recoger mis cosas.

—Por lo menos déjame acompañarte a casa para saber que has llegado sana y salva.

Su «casa» actual eran unas habitaciones deprimentes encima de una panadería judía en Whitechapel; no era el mejor de los vecindarios, pero el alquiler resultaba asequible y la comida gratis, siempre que a uno no le importara seguir una dieta a base de pan y dulces. Se había hecho amiga de la mujer del panadero y esta le daba todo lo que no habían vendido en el momento del cierre.

Hizo un gesto de negación, puesto que no quería que él viera las paupérrimas condiciones en las que vivía.

—Puedo apañármelas sola.

Y esa decisión no solo obedecía a su orgullo. Todavía se acordaba de las recurrentes pesadillas que Gavin solía sufrir sobre edificios de apartamentos, cazuelas al fuego vacías y una cuna siendo pasto de las llamas. En Roxbury House, sus gritos a veces eran tan fuertes que se oían en el dormitorio de las niñas, en el ala opuesta del orfanato, y se imaginaba que mientras no pusiera un pie en el East End mantendría a raya a aquel demonio interior, así que no quería ser la causa de que tuviera que enfrentarse a sus fantasmas del pasado.

—Supongo que querrás recuperar esto. —Le devolvió la levita.

Una vez que la tuvo en su poder, Gavin metió la mano en el bolsillo interior del pecho, sacó un montoncito de tarjetas de visita de color crema y le dio una de ellas.

—Avísame cuando estés lista para mudarte.

Después se quedó dudando en la puerta. Seguro que toda la cerveza y el champán que había consumido durante la velada todavía fluía por sus venas, porque se vio a sí mismo volviéndose hacia ella y extendiendo la mano para acariciarle el pelo. El mechón canela que tomó entre sus dedos era más que sedoso; parecía tener vida propia y danzar al son de la luz que iluminaba la estancia, proyectando una miríada de tonos rojizos y dorados combinados para formar una única tonalidad roja.

Pero no, no era el pelo de Daisy el que danzaba en su mano. Era su mano la que no dejaba de temblar.

—Te has cam... cambiado el color.

Metió la mano en el bolsillo ipso facto. Ojalá su tartamudez pudiera desaparecer tan fácilmente. Aunque apenas le había supuesto un problema a lo largo de la noche, ahora que estaba empezando a pasársele el efecto del alcohol había regresado, y más pronunciada que nunca.

Daisy hizo un gesto de indiferencia, haciendo que la bata se le deslizara un poco más por el hombro.

—El rubio apagado no es el color más adecuado para un escenario.

Él no lo recordaba apagado, sino como una viva mezcla entre el trigo y la miel y con un aspecto bien cuidado, pero no se molestó en corregirla.

—Tú también te lo has cambiado. —En esa ocasión fue ella la que alargó la mano y le acarició un mechón durante un instante—. Ahora lo llevas más corto.

Cierto. En aquella época los rizos negro azulados le habían llegado por encima de los hombros, una indisciplinada mata de pelo que el ayuda de cámara de su abuelo consiguió domar gracias a unas tijeras y una generosa cantidad de aceite de macasar. Cuando Gavin volvió a mirarse en el espejo de pie apenas se reconoció y se sintió como una oveja recién esquilada. ¿Fue ahí cuando empezó todo? ¿Cuando comenzó a perder su verdadero yo?

El rostro de Daisy adoptó una expresión lejana.

—Recuerdo que te llegaba hasta los hombros. Era negro azulado como las alas de un cuervo y tan suave que nunca me cansaba de tocarlo. Una vez hasta me dejaste peinarte y trenzártelo, bajo amenaza de muerte si se lo contaba a Harry o Rourke.

«Te habría dejado hacerme todo lo que quisieras, absolutamente todo. Igual que te dejaría ahora mismo.» Incluso en aquellos días, en que sus caricias eran del todo inocentes, esos suaves dedos sobre su pelo le hicieron sentirse maravillosamente bien.

Ella volvió a extender la mano y él se puso tenso, preguntándose dónde y cómo podría tocarla en el presente.

—Entonces, señor Carmichael, ¿tenemos o no tenemos un trato?

Gavin dejó escapar el aire que había estado conteniendo, aliviado y molesto al mismo tiempo. Qué práctica sonaba, tan diferente a la dulce niña que recordaba. ¿Le había pasado lo mismo que a él? ¿También había terminado desapareciendo?

Tomando la rosada mano entre la suya, le dio un ligero apretón, sintiendo la calidez de su piel.

—Sí, señorita Lake. —De ningún modo la llamaría por su nombre artístico. Jamás—. Tenemos un trato.

En cuanto la puerta del camerino se cerró detrás de Gavin, Daisy se sentó en la banqueta sintiéndose como si le hubieran extraído cada gota de energía que le quedaba en el cuerpo, dejando tan solo una concha vacía y carente de sentimientos.

¿En serio había estado de acuerdo en irse a vivir con él? Acostarse con un hombre era una cosa, vivir bajo su techo y conforme a sus reglas era otra. Aún no había comunicado a Sid sus intenciones y ya se sentía como un pájaro enjaulado. Por muy adornada que viniera la jaula —la promesa de Gavin de una generosa cantidad (un «estipendio», lo había llamado él), comida y alojamiento gratuitos era una imagen tentadora—, no dejaba de ser una jaula, que era precisamente lo que él le estaba ofreciendo.

El plazo de un mes era su tabla de salvación. Uno podía pasar por cualquier cosa si conocía de antemano el punto final, y en ese caso no le preocupaba que Gavin incumpliera su promesa. Además, cuando él le había asegurado que podría entrar y salir a su antojo le había creído. Se notaba que el amago de secuestro que había protagonizado en el escenario no era propio de su carácter, ya que, a pesar de la nueva entereza y confianza en sí mismo que mostraba, no parecía haber cambiado en los quince años que llevaban sin verse. Reconocía que lo había provocado, incitándole más allá del aguante de cualquier hombre normal, pero no le daba la sensación de que fuera el tipo de persona que tratara de imponer su estatus y poder a toda costa. Estaba claro que compartir la cama con él no le supondría ningún sacrificio.

Si acaso, lo que sí le daba miedo de verdad era que terminara gustándole demasiado.

Hubo un tiempo en que Gavin había sido su mejor amigo, su confidente, su héroe... pero de eso hacía muchos años. Aunque tuviera una versión más madura del rostro del niño que una vez fue, el hombre de porte aristocrático que acababa de tener frente a ella y que no había podido ocultar la censura en cada sílaba que había pronunciado con su perfecto acento no era el mismo muchacho dulce y dispuesto que recordaba, del mismo modo que ella tampoco era ya la niña que lo miraba con adoración con la que había jugado en el granero y los prados de Roxbury House.

«Nunca te olvidaré, Daisy, ni en un millón de años. Y no importa lo mucho que nos cueste o lo difícil que sea, porque algún día, de alguna manera, volveremos a estar juntos.»

¡En lo bueno y en lo malo!, se habían dicho. Tenía nueve años la última vez que lo vio en el desván del orfanato, y se había creído cada palabra que había salido de su boca. Pero en cuanto aquel engreído de St. John le reclamó, la expulsó de su vida del mismo modo que un cirujano extirpaba un tumor. Ni siquiera le envió una carta o contestó a las muchas que sí le mandó ella. De camino a Dover, incluso había desplegado todas sus dotes de persuasión para convencer a los Lake de que hicieran una parada en Londres para ver si podía encontrarlo y despedirse de él. Ansiosos por ganarse el amor de la niña, sus padres adoptivos habían aceptado, aunque solo fuera para apaciguarla.

A pesar de que tenía nueve años y era la primera vez que pisaba la capital, no le resultó muy difícil localizar la residencia de los St. John. El abuelo pertenecía a la clase alta, y todas las personas con semejante estatus tendían a congregarse en el moderno barrio oeste. Por descarte, había seguido la pista al abuelo de Gavin hasta Park Lane. Después de aquello, solo tuvo que pedirle a los Lake que hablaran con los jardineros y el personal de servicio de la zona para dar con la dirección exacta. Cuando se aventuró a llamar a la puerta principal de la mansión con sus temblorosos nudillos, fue recibida por un mayordomo que hablaba como si tuviera algo raro en la boca y que le informó de que el «señor Gavin» no estaba en casa, sino en la escuela.

Con los ojos llenos de lágrimas, garabateó la dirección que tendría en París en un trocito de papel y se lo entregó. Una vez en Francia, escribió varias cartas más; en esa ocasión las envió directamente a la escuela de Gavin, pero él nunca contestó, ni siquiera una mísera línea. Tras dos años sin recibir respuesta alguna, dejó de esperar y abandonó toda esperanza de volver a estar juntos. Sin embargo, durante años siguió planeando todas y cada una de las palabras que le diría si algún día acababan reencontrándose, pero cuando lo tuvo cara a cara, confinados en su estrecho camerino, no fue capaz de recordar ni una sola letra de su elaborado discurso.

De hecho, cuando lo reconoció y se dio cuenta de quién era, estuvo a punto de caerse al suelo de la impresión que se llevó.

Era demasiado práctica para creer en los milagros, y la experiencia se había encargado de transformarla en una cínica, demasiado como para pensar que la casualidad pudiera jugar a su favor. En el fondo no había esperado volver a verle nunca, y mucho menos en un club nocturno de una sórdida zona de Covent Garden.

Pese a lo maquillada que iba y al cambio de color de su pelo, Gavin parecía haberla reconocido primero. Desde niño había mostrado un talento innato para leer el alma de las personas, sobre todo la suya, y nunca había podido engañarle como hacía con Harry o Rourke o con sus profesores.

En Roxbury House había sido su amigo, su confidente, una especie de hermano. Nunca hubo nada romántico entre ellos, pero verle de nuevo la había afectado profundamente, y no desde un punto de vista fraternal. Si era honesta consigo misma, y no siempre era el caso, tenía que admitir que Gavin llevaba protagonizando sus más secretas fantasías desde hacía años.

Recordaba a un muchacho alto y delgado, de huesos largos, con unos incipientes hombros anchos y unas manos grandes y gentiles. Tenía un alma de poeta, un alma a la que ella había podido contar sus problemas y con la que había compartido todos sus sueños. Pero ahora aquel adolescente larguirucho se había convertido en un espléndido espécimen masculino. El sobrio traje que llevaba era el complemento perfecto para su viril belleza, sus amplios hombros no eran producto de ningún relleno artificial, y los pantalones de estambre de lana, cortados por manos expertas, se ceñían a la perfección a sus estrechas caderas y apretados glúteos. Cuando la alzó en sus brazos y la sacó del

escenario, lo hizo como si no pesara más que la boa de plumas, y mientras forcejeaba con él fue más que consciente de la sólida musculatura que poseía y de su delgada aunque fuerte complexión. Cuando volvió a acordarse de lo fácil que le resultó doblegarla, no pudo evitar que un suspiro escapara de sus labios.

Desde el momento en que lo vio sentado, tan erguido y formal en la mesa de la primera fila, quiso acercarse a él y desabrochar los botones dorados de su levita uno a uno, para deslizarla lentamente por aquellos anchísimos hombros y deshacerse de la almidonada camisa blanca que había debajo.

Dejó de lado aquellos pensamientos y se centró en lo importante. Gavin había regresado a su vida dispuesto a ayudarla a conseguir lo que más ambicionada en ese mundo, lo que su corazón realmente anhelaba. Se había ofrecido a echarle una mano para que se convirtiera en una actriz de verdad. Le estaba dando la oportunidad que siempre había soñado, una respuesta a la plegaria que casi había renunciado alcanzar. Hubiera sido una estupidez dejarla pasar, ¿verdad? Cuando firmó su actual contrato, no había caído en la cuenta de que El Palacio estaba en el corazón del distrito teatral de Covent Garden, y estar tan cerca del teatro —del auténtico teatro— y a la vez tan lejos era algo que le desgarraba por dentro.

Por supuesto que no era ninguna tonta, al menos no del todo. Y aunque Gavin había sido su confidente y protector, su hermano mayor en todos los sentidos excepto en el de no llevar la misma sangre, ahora era un hombre hecho y derecho. No se le había pasado por alto la protuberancia de sus pantalones cuando se frotó contra él en el escenario ni todas las excusas que había encontrado para tocarla cuando estuvieron en el camerino. No, el dulce y entrañable muchacho que recordaba se había convertido en un hombre adulto, y si algo le habían enseñado los años pasados en Francia era que todos los miembros del sexo masculino estaban cortados por el mismo patrón.

Estaba completamente segura de que antes de una semana estarían acostándose juntos.

Gavin se encontró a Rourke y Harry esperándolo en una de las pocas mesas que quedaban en pie y sobre la que todavía había una botella de *whisky* y tres vasos tirados sobre el manchado mantel. A excepción de un hombre mayor de origen africano que estaba barriendo los cristales del suelo, eran los únicos que quedaban en el club.

—Me habéis esperado. —Se acercó hasta sus amigos, escuchando el crujir que hacían sus pies al pisar los vidrios esparcidos en el suelo—. Si os hubierais ido no os lo habría tenido en cuenta.

Harry, que llevaba una servilleta empapada en alcohol alrededor de los nudillos ensangrentados, alzó la vista y le guiñó un ojo.

—En lo bueno y en lo malo, ¿recuerdas?

Así que no era el único que se acordaba de aquel viejo juramento. Se fue hacia una silla y se acomodó en ella.

Sentado a horcajadas sobre otra silla a la que solo le quedaban tres patas, Rourke le sonrió de oreja a oreja.

—¡Por Cristo bendito, Gav! Has tardado un buen rato. Espero que haya merecido la pena. —A juzgar por los restos de sangre seca de sus labios, debían de habérselos partido.

—Sí que la ha merecido. —Mirando a sus dos amigos, anunció—: La he encontrado.

Rourke se volvió hacia Harry y puso los ojos en blanco.

—Se ha dado un revolcón con una corista y ahora cree que se ha enamorado.

Harry meneó la cabeza.

—De ser así, entonces tenemos que sacarte más a menudo... O pensándolo bien, mejor que no. —Bajó la vista hacia sus hinchados nudi-

llos. Obviamente estaba pensado cómo iba a explicarle a su mujer el estado de sus manos, así como la mejilla magullada y la camisa desgarrada.

Gavin hizo un gesto de negación.

—No es lo que estáis pensado. Solo hemos estado hablando.

Rourke alzó la cabeza al instante y le miró con el ceño fruncido.

—Pues vaya una pérdida de tiempo.

—Es Daisy. Nuestra Daisy. —Al ver sus miradas de preocupación se apresuró a tranquilizarlos—. Vuelvo a repetir. No es lo que estáis pensando. No estoy borracho. No mucho. Ni tampoco estoy delirando. Delilah du Lac es Daisy, o más bien el nombre artístico con el que se hace llamar.

Sus dos amigos lo miraron estupefactos; a diferencia de él, no habían tenido la media hora pasada para asimilarlo.

—¿Lo dices en serio? —preguntó por fin Hadrian.

—¿Estás seguro? —añadió Rourke.

Gavin asintió dos veces.

—Sí.

—En ese caso, ¿te importa si le pregunto dónde demonios se ha metido todos estos años? —Rourke siempre había sido el más escéptico de los cuatro.

—Hasta hace un par de semanas ha estado viviendo en Francia con la pareja que la adoptó. Ha venido a Londres para hacerse actriz, una actriz de verdad. Le he prometido que usaré todos los contactos que tengo para conseguirle una audición en *Como gustéis* en el Drury Lane, pero primero tengo que ver cómo puede romper el contrato que tiene firmado. Lo más probable es que haya algún resquicio que lo permita, aunque sospecho que este es uno de esos casos en los que el soborno surte más efecto que la ley.

Daisy había insistido en limar asperezas con Sid, como ella misma había dicho, aunque a él el dueño del club no le parecía un hombre abierto a razones. El dinero, o más bien el soborno, sería la opción más

viable. Echó un vistazo al auditorio, haciendo un listado mental de los daños causados. Por lo menos una cuarta parte de las mesas y sillas habían quedado reducidas a astillas, y de la mayor parte de los espejos solo quedaban los marcos vacíos.

Se dirigió a Rourke. A fin de cuentas era el que más entendía de negocios de todos ellos.

—¿Cuánto crees que puede costar reemplazar toda esta porquería?

Sus dos amigos intercambiaron una mirada con una sonrisa en la cara.

—Si fuera tú, no me preocuparía por nada de eso —contestó Harry.

Gavin negó con la cabeza. Le había dado su palabra a Daisy y por Dios que la mantendría.

—He prometido hacerme cargo de los gastos; de lo contrario, será como si le estuviera sirviendo a Daisy en una bandeja de plata a ese hombre.

A pesar de la gravedad de la situación, Rourke parecía estar divirtiéndose de lo lindo.

—No te preocupes, sé de buena tinta que no se le va a pedir a nadie que pague nada.

—¿Estás diciéndome que el propietario ha decidido perdonar la deuda? —Cuando había oído hablar a Daisy con el tal Sid no le había parecido que fuera un tipo de lo más comprensivo.

—Eso mismo —confirmó Harry.

Sus dos amigos intercambiaron otra mirada e inmediatamente después se echaron a reír.

—¿Qué os parece tan gracioso? —quiso saber Gavin, preguntándose si no estarían más borrachos de lo que aparentaban.

Harry se secó las lágrimas que inundaban sus ojos con el dorso de la mano y sacudió la cabeza.

—Rourke acaba de comprar el club hace unos minutos. Todo el club.

Capítulo 5

Prefiero a un bufón que me haga reír
a una experiencia que me entristezca.

WILLIAM SHAKESPEARE, Rosalinda
Como gustéis

Dos días después, Gavin estaba sentado con Rourke y Hadrian en lo que hasta hacía pocos días había sido su estudio. Su otrora gata salvaje, *Mia*, se estiró en el brazo de su asiento y él extendió la mano para acariciar su suave pelaje blanco y negro. Sin dejar de mirar el reloj de pared, escuchó a sus amigos contarle por segunda vez cómo Rourke se había hecho con El Palacio.

Por lo visto, tras dejar el camerino de Daisy, Sid salió hecho una furia y se presentó en el auditorio, intentando que sus matones se llevaran a sus dos amigos al callejón de al lado para darles una buena paliza. Entonces Rourke se ofreció a comprar el club para evitar llegar a las manos. Al principio, Sid creyó que el escocés estaba o borracho o tirándose un farol —o ambas cosas—, pero cuando Rourke sacó un portabilletes con cien libras como adelanto, junto con su tarjeta de

presentación y un pagaré firmado por el remanente, que cobraría al finalizar la semana, Sid cambió de parecer. En vez de ordenar que le dieran una paliza, mandó que sacaran parte del contenido del bar y sirvieran unas copas para cerrar el trato.

—Si puedo comprar un castillo en las Tierras Altas de Escocia, ¿por qué no voy a tener mi propio palacio en Londres? —comentó Rourke con una sonrisa de oreja a oreja, haciendo honor a la broma que tenían entre ellos sobre que el escocés acumulaba propiedades con la misma facilidad con la que otros acumulaban pelusa o calderilla en sus bolsillos.

Pero en ese momento, la única propiedad que a Gavin le interesaba era su apartamento. Con la ayuda de sus dos amigos, se había pasado todo el día anterior transformando su estudio en una pequeña escuela de teatro. Hasta había llegado a guardar en unas cajas todos sus textos legales y universitarios, excepto los imprescindibles, para hacer sitio en las estanterías a la gran cantidad de volúmenes teatrales que había adquirido a toda prisa, comedias y dramas de maestros literarios europeos: Shakespeare e Ibsen, Wilde y Pinero, Chéjov y Zola. Aunque nada de Gilbert y Sullivan. Para él, el teatro musical estaba tan solo un peldaño por encima de los vulgares bailes de vodevil que había tenido que contemplar la otra noche. Y si algo tenía claro era que Daisy valía demasiado como para encasillarse en ese tipo de papeles absurdos. Su transformación de corista a actriz dependía de que ella también lo tuviera.

Tomando un trago de un vaso de *whisky*, Rourke sacudió su pelirroja cabeza.

—Delilah du Lac y nuestra pequeña Daisy son la misma mujer. Todavía me cuesta creerlo.

Gavin tiró de los puños de su camisa y clavó la vista en la puerta de entrada al estudio. Daisy podía llegar en cualquier momento y la idea de volver a verla le estaba poniendo nervioso. Ella se había negado a que le echara una mano con la mudanza, alegando que no tenía muchas pertenencias. No había sido grosera en dicha negativa, aunque sí

tajante, dejando claro que podía ocuparse perfectamente de los asuntos que tenía pendientes con su promotor sin que nadie la ayudara. Tal despliegue de independencia hizo que Gavin se preguntara si no estaba intentando ocultarle algún secreto o la existencia de otra persona, pero decidió dejar a un lado aquel pensamiento exasperante. Aunque hubiera otro hombre de por medio, no tenía ningún derecho sobre ella; al menos ninguno que pudiera ejercer por el momento.

—Delilah du Lac es un personaje musical, una ficción —replicó Gavin con más solemnidad de la que pretendía—. Ahora que Daisy va a tener una auténtica carrera teatral podrá usar su propio nombre o algún otro que le encontremos y que sea mucho más adecuado.

Hadrian y Rourke intercambiaron una mirada. Sin decir nada, Hadrian se fue hacia el aparador, destapó una licorera de cristal que contenía *whisky* y sirvió tres dedos del líquido ambarino en un vaso.

¿Por qué no te tomas un trago y te relajas un poco? —ofreció, volviéndose hacia él.

A Gavin no le gustaba ni un ápice pensar que su nerviosismo resultaba tan palpable, pero debía de serlo, por lo menos para sus amigos.

—No, gracias —contestó, haciendo un gesto de negación. Quería tener la cabeza bien despejada cuando su «invitada» llegara.

Hadrian se encogió de hombros y se quedó el vaso para sí, dándole un sorbo.

—Nuestra Daisy siempre quiso pisar los escenarios, aunque me atrevo a decir que, comparado con París, encontrará Londres un poco insulso. Con que solo sean ciertos la mitad de los rumores que circulan sobre ella, seguro que ha hecho muchas más cosas que levantar las piernas con el cancán.

Una intensa ira atravesó su cuerpo con la misma velocidad que un rayo partiendo un apacible cielo veraniego en dos.

—No creo que deba preocuparme lo que estás intentando dar a entender.

Hadrian dudó, pero su mirada no titubeó.

—No estoy dando a entender nada. Lo único que quiero decir es que seguro que ya ha tenido algún protector, quizá varios. Puede que las primeras representaciones de la tarde de los salones de baile de París vayan dirigidas a las familias burguesas, pero cuando el sol cae sobre Montmartre, ¡*oh la la!*. El Moulin Rouge es conocido en la capital francesa como un mercado del amor.

«Tiene una legión de amantes. La última vez que el príncipe de Gales estuvo en París la invitó a una cena privada. Su talento en el escenario palidece si se compara con el que demuestra entre las sábanas.»

Gavin se había pasado los últimos días recordando una y otra vez dichos rumores. Por mucho que quisiera creer que eran meras exageraciones, el comportamiento que mostró Daisy en el escenario, así como en su camerino, no resultaba muy alentador. Aun así, seguía aferrándose a la esperanza de que todo se debiera a que estaba representando un papel.

—No sabía que habías estado en París —replicó con brusquedad.

La burla dio en el blanco. La cara de Hadrian se tiñó de un intenso rojo y su amigo agarró el vaso con más fuerza.

—No hace falta viajar al extranjero para vivir la vida o reconocer las cosas como son. Cualquier mujer con los... «atributos» de Daisy y su profesión atrae un montón de miradas masculinas, y no todas desagradables. Precisamente el otro día di con una foto de Sarah Bernhardt, tomada por el fotógrafo Félix Nadar. Ahí tienes un claro ejemplo de una actriz francesa de éxito que empezó su... eh... carrera como cortesana. Los franceses no estigmatizan ese tipo de «acuerdos» como nosotros. Por Dios, Gavin, con una educación como la que ha debido de recibir Daisy no esperarás que la muchacha siga siendo virgen, ¿verdad?

Gavin se levantó al instante de su asiento, haciendo que *Mia* saltara a toda prisa y saliera corriendo en busca de refugio.

—¿Estás queriendo decirme que es una vulgar ramera? —preguntó entre dientes sin apartar la vista de su amigo—. ¿Te importaría desdecirte de ese último comentario?

—Tómatelo con calma, Gav, seguro que no quería expresarlo de ese modo. —Rourke se interpuso entre ambos y le agarró del brazo. Cuando vio aquellos dedos rodearle el bíceps, se dio cuenta de que tenía el puño cerrado, sin duda con la intención de estampárselo a Harry en la cara.

«Dios, ¿qué me está pasando?»

De los tres, siempre había sido el más tranquilo, el pacificador, el santo, y ahora un simple comentario sobre el más que probable pasado de Daisy había conseguido que estuviera a punto de emprenderla a golpes con uno de sus dos mejores amigos. Aquello hizo saltar su alarma interior.

Retrocedió un paso y se zafó de Rourke.

—Lo siento. No sé qué me ha pasado. Verla después de todos estos años, tan igual y tan diferente a la vez, ha causado estragos en mi cabeza. Parece que soy incapaz de tener un pensamiento coherente.

Hadrian alzó el vaso en señal de paz.

—No te preocupes, Gav. Una mujer puede volver del revés la mente de un hombre. Cuando la maldita foto de Callie salió en los periódicos quise matar a todos los repartidores que se cruzaron en mi camino, y eso que fui yo quien la hizo. ¿No me digáis que eso no es irracional?

—A diferencia de Callie, parece que Daisy sí que se ha ganado a pulso su reputación.

Hadrian asintió.

—Bueno, tienes que admitir que va camino de hacerse famosa, o infame según lo mires, en dos continentes. No está mal para una huérfana nacida a los pies de un asilo parroquial para pobres. Bien por ella.

—Gracias, hombre. No puedo estar más de acuerdo.

Los tres se volvieron al oír esa voz. En el umbral de la puerta estaba Daisy, con un bolso de viaje colgando de su mano enguantada.

Gavin se obligó a apartar la vista de ella y centró su atención en Rourke y en Hadrian, que la miraban fijamente como si fueran los guardias de la reina del palacio de Buckingham en vez de dos amigos reuniéndose con un tercero. Porque en ese momento, para ellos ella no era «su» Daisy, sino Delilah du Lac, una celebridad cuya fama había traspasado el canal de la Mancha. Y aunque Hadrian estuviera loco por Callie y Rourke le hubiera echado el ojo a la adorable aunque quisquillosa lady Kat, no dejaban de ser hombres con la curiosidad propia de todo varón.

Cuando volvió a clavar la vista en la puerta se fijó en que detrás de Daisy se encontraba Jamison, su mayordomo, con la cara completamente roja. El enjuto sirviente, de unos cincuenta años, llevaba con él desde hacía un lustro, cuando Gav decidió abandonar la residencia de su abuelo y establecerse por su cuenta. Normalmente uno tenía que esforzase bastante para poder alterar la implacable calma del hombre, pero Daisy solo había tardado un par de minutos en lograrlo.

—Le ruego acepte mis disculpas, señor. Le pedí a la dama que esperase mientras la anunciaba pero en cuanto me di la vuelta...

—Le adelanté por el vestíbulo y me metí directamente aquí —terminó Daisy guiñándole un ojo—. Para ser sinceros, nunca se me ha dado nada bien esperar.

—No se preocupe, Jamison —dijo Gavin—. Si se encarga de prepararnos un pequeño refrigerio ya nos ocuparemos nosotros de entretener a la señorita Lake.

Daisy dejó caer su bolso en la puerta y entró en el estudio. Con un traje de montar de corte princesa verde esmeralda y un sombrero a juego adornado con flecos dorados parecía una mujer elegante y respetable, aunque con un poco más de estilo que las típicas damas inglesas. A excepción del ligero colorete que resaltaba la parte alta de sus pómulos

y un poco de color en sus generosos labios, hubiera podido pasar perfectamente por una belleza de la alta sociedad que regresaba de un viaje de compras de París. ¿De verdad había esperado verla a plena luz del día con todo el maquillaje que usaba en el escenario y vestida con falda corta?

Rourke se abalanzó sobre ella y le dio un abrazo de oso que la levantó del suelo.

—Dichosos los ojos. —Dejándola de nuevo en el suelo, se separó de ella unos centímetros—. Siempre supe que te convertirías en una belleza. Anda, muchacha, da una vuelta y deja que te veamos bien.

Acostumbrada a ser el centro de atención de los hombres, Daisy dio un paso atrás y ejecutó una perfecta pirueta sin ruborizarse lo más mínimo.

—Me alegra ver que no has cambiado nada, Patrick. Eres el mismo sinvergüenza encantador de siempre, aunque un poco más apuesto y alto de lo que recordaba.

Rourke sonrió de oreja a oreja. Cuando eran niños su falta de altura había sido un asunto delicado.

—Tienes razón, preciosa, solo que ahora soy un sinvergüenza con dinero, lo que la gente respetable llama «un hombre de negocios».

Daisy lo miró impresionada, y a Gavin no le pasó por alto cómo se fijó en el diamante que adornaba su lóbulo y las esmeraldas que llevaba el anillo que portaba en la mano derecha.

—Rourke ha hecho mucho más que montar un negocio. Es lo que se conoce como un magnate del ferrocarril... o un capitalista sin escrúpulos, como les gusta decir a los americanos —explicó, sintiendo una punzada de celos.

Daisy volvió a mirar a Rourke, que asintió con la cabeza.

—Sí, hacerme con sus acciones ferroviarias delante de sus arrogantes narices no es muy diferente a robarles los relojes y carteras, salvo que en el primer caso la ley no les deja que te ahorquen o te encierren de por vida.

Ahora Daisy se dirigió a Hadrian.

—Y tú debes de ser el guapísimo Harry pero con unos cuantos años más. Tienes tan buena planta como siempre, hasta me atrevería a decir que un poco mejor.

—Tienes mucha labia, querida niña, pero ya que me estás lanzando esos cumplidos los aceptaré encantado. Aunque ahora me llamo Hadrian. No eres la única que ha adoptado un nombre artístico —dijo, acompañando sus palabras con un guiño.

Viendo como los tres bromeaban con la habitual naturalidad *cockney*, Gavin se sintió como un extraño. Aunque había vivido los trece primeros años de su vida en el East End, nunca había formado parte de ese mundo. A pesar del trabajo menor que se vio obligada a aceptar, su madre siempre se había comportado como una dama y le había inculcado sus elegantes maneras y forma de hablar desde la cuna.

Recordando sus obligaciones como anfitrión, invitó a todo el mundo a tomar asiento.

—El té se servirá en unos minutos.

Daisy se sentó en el sofá, se alisó la falda y miró el vaso de *whisky* que Hadrian todavía sostenía en la mano.

—¿No tendrás algún jerez o un poquito de ese maravilloso *whisky*? Me encantaría tomar un trago.

Gavin se estremeció por dentro, pero como era de esperar Rourke anunció a voz en grito que una ronda de *whisky* le parecía una idea excelente, así que tomó nota mental de hablar con Daisy sobre ese punto más tarde y prefirió levantarse y servir las bebidas antes que avergonzarla delante de sus amigos.

Hadrian esbozó una amplia sonrisa.

—Veo que sigues queriendo hacer todo lo que hacemos los hombres.

—Sí, aunque mejor que vosotros. —Con el vaso en la mano, y de una forma nada decorosa para una dama, se bebió todo el contenido de un solo trago—. Salud, caballeros.

Los tres se rieron y brindaron al unísono. Gavin, sin embargo, se sentó muy tenso y se limitó a observarlos.

Cuando llegó el té, pensó para sí que aquello solo presagiaba otra situación incómoda. Sin embargo, y para su sorpresa, Daisy dejó de lado su vaso de *whisky* y sirvió el té sin que nadie se lo pidiera, cumpliendo con el ritual inglés de forma más que adecuada, por no decir experta.

—Y bien, muchachos, ¿qué os pareció mi actuación de la otra noche? —preguntó ella, sosteniendo en perfecto equilibrio la taza y el plato en su regazo.

De los labios de Hadrian y Rourke solo salieron cumplidos. Gavin, por el contrario, prefirió guardar silencio, preguntándose si ella estaba intentando tenderle una trampa. Después de aquello hablaron de todo un poco, incluida la primera proyección de imágenes en movimiento del mundo que había tenido lugar en Nueva York un año antes. Hadrian expresó en voz alta sus ideas sobre el papel que este nuevo medio podría desempeñar en el futuro del teatro y Daisy, como no podía ser de otro modo, defendió a ultranza la representación en vivo y en directo, aunque admitió sentir también cierta curiosidad sobre el tema.

Durante todo ese tiempo la conversación se desarrolló sin que Gavin aportara una sola palabra.

—Si me disculpáis, he prometido ir a recoger a mi mujer a su despacho —comentó Hadrian, dejando a un lado la taza y el plato y levantándose, dando así por finalizada la charla—. Estoy convencido de que estará rodeada de papeles, pancartas o alguna otra cosa de valía que harán que no se acuerde mucho de mí, pero yo sí que la echo de menos... y mucho.

Rourke también se levantó.

—Puede que tú tengas a tu mujer en el bolsillo, pero yo todavía tengo que echarle el lazo a la mía. Un pajarito me ha dicho que cierta gatita salvaje saldrá a cabalgar con su potranca esta tarde por Rotten Row, y tengo pensado dejarme caer por allí.

Tras decirse los consabidos adioses y ver cómo sus dos amigos salían en dirección al vestíbulo, Gavin y Daisy volvieron a sentarse. Ese era el momento que había estado esperando y temiendo a partes iguales. Ambos estaban solos.

A la luz del día, y sin toda esa pintura en la cara, parecía mucho más joven que la otra noche. Se la veía fresca y lozana, por no decir preciosa. Su rostro con forma de corazón era más atractivo que clásico, su adorable nariz seguía irguiéndose ligeramente en la punta y conservaba esos bonitos ojos verde jade sesgados hacia arriba, que se perfilaba con un lápiz oscuro para acentuarlos aún más.

Pero lo que más le atraía era su boca. Aquellos labios inundaban su mente con fantasías en las que probaba todas las formas posibles de besarlos. Comenzaría con una ligera caricia en una comisura para luego ir a la otra. Después, trazaría el tentador contorno de su carnoso labio superior con la lengua y le abriría los labios para profundizar más el beso y poder saborearla a conciencia. Pero entonces la fantasía avanzó y se imaginó a Daisy inclinada entre sus muslos, con esa ardiente boca deslizándose a lo largo de su endurecido miembro como si fuera una húmeda y aterciopelada vaina, mientras él le sujetaba la cabeza, enredando sus dedos en aquellos mechones color canela. Sí, había llegado el momento de terminar con ese agradable *tête-à-tête* imaginario. Esas cuatro semanas se le iban a hacer eternas.

Daisy tomó un sorbo de té y dejó la taza y el plato sobre la mesa.

—Si no te importa, me gustaría que me contaras algo más sobre nuestros amigos. He creído entender que Harry, quiero decir, Hadrian, está recién casado, ¿no?

Obligándose a poner los pies sobre la tierra, Gavin asintió.

—Se casó hace un año con la líder sufragista antes conocida como Caledonia Rivers. Hasta ese momento había sido una de las portavoces en el proyecto de ley para garantizar el voto a las mujeres en las elecciones nacionales.

Daisy se quedó pensativa durante unos instantes.

—Suena como si fuera una mujer muy respetable. Nunca me imaginé que nuestro Harry pudiera terminar con alguien tan solemne. En realidad nunca me imaginé que fuera capaz de estar con una mujer más tiempo del que podría tardar en meterse entre sus piernas.

Su franqueza le molestó más de lo que dejó entrever, pero le preocupaba sobre todo por su futuro. El éxito de lo picante había muerto con Nell Gwyne y la comedia de la Restauración, y aunque muchas de las actrices de moda de ese momento, como Sarah Bernhardt, no habían nacido siendo unas damas, se esperaba que al menos sí que se comportaran como tales.

Se dio cuenta de que no había tocado ninguna de las delicias que venían acompañando al té, una variedad de pastelitos, bollos y pequeños emparedados, así como un tazón de fresas con crema, estas últimas un lujo especial que se había concedido en honor a la recién llegada. No sabía si se debía a que era una de esas mujeres que se preocupaban por su peso o a que simplemente la selección no era de su agrado.

—¿Está todo bien? ¿Te apetece tomar otra cosa? —le preguntó.

—Oh, no, todo es perfecto. —Como si esa fuera la señal que necesitara, Daisy empezó a llenarse el plato con las fresas y varios emparedados. Quitó el pan a uno de ellos y se llevó a la boca el relleno de crema de pepino y eneldo. Todavía masticando añadió—: Parece que Rourke va detrás de una heredera. —Gavin tuvo que admitirlo—. Pero ¿no era rico?

—La familia de lady Kathryn Lindsey forma parte de la alta sociedad, aunque apenas tienen patrimonio. Rourke va detrás de su pedigrí, no de su dinero.

—¿De la alta sociedad? —Daisy soltó un resoplido—. Entonces será bizca y feucha.

Gavin tomó nota mental de incluir algunas lecciones básicas de modales en el programa que tenía preparado para Daisy.

—Más bien no —espetó, acompañando la negativa con un gesto de cabeza—. Puede que lady Kat no sea una belleza en sentido clásico, pero es lo suficientemente atractiva como para haber posado para Hadrian como modelo profesional y tiene una aguda inteligencia con su correspondiente lengua afilada. El único inconveniente es que, hasta ahora, parece que la dama no soporta mucho a Rourke.

Daisy frunció el ceño y se hizo con otro emparedado al que dio el mismo tratamiento.

—No me digas que esa zorra engreída no cree que sea lo bastante bueno para ella.

Gavin volvió a estremecerse al comprobar la facilidad con que pronunciaba vulgaridades como aquella.

—Si ese fuera el caso, nuestro amigo por una vez estaría dentro del mismo círculo que un buen puñado de los más reputados caballeros londinenses.

Daisy se metió otro relleno de pepinillo en la boca.

—¿Y cómo es eso?

—La dama simplemente no terminará con él... ni con ningún otro. Jura y perjura que el matrimonio solo es para los necios y que prefiere terminar sus días sirviendo en una casa que sometida a un hombre que se convierta en su carcelero amparado por la ley.

Esperaba que ella hiciera algún gesto de negación, pero en lugar de eso vio cómo inclinaba la cabeza hacia un lado y se quedaba con la mirada perdida.

—No puedo opinar en cuanto a lo de servir en una casa, pero sí que tiene razón con respecto al matrimonio. La mayoría de los hombres cuidan mejor de sus amantes que de sus esposas, y no siempre las tratan bien.

Aquella declaración no solo la hizo parecer una persona excesivamente hastiada para lo joven que era; además se notaba que era una velada referencia a los hombres que habían disfrutado de sus favores,

lo que le llevaba de nuevo a la deprimente cuestión de con cuántos hombres habría estado.

Daisy pareció salir de su ensoñación, se volvió hacia él y reanudó la conversación.

—El otro día no me acordé de preguntarte qué rama de la abogacía ejerces. Porque hay varias, ¿verdad?

La pregunta le pilló desprevenido. No se imaginaba que su profesión pudiera interesarle. Lo más probable era que quisiera seguirle la corriente o ser educada con él.

—La mayor parte de los casos que llevo son delitos graves que se dirimen en los tribunales de justicia. Agresiones de todo tipo, robos, malversación de fondos, ofensas contra la Corona, así como falsificación de moneda y algún que otro intento de asesinato, por si no tuviera suficiente.

—Qué maravilla —dijo ella con ojos brillantes—. Estoy muy orgullosa de ti.

Él se encogió de hombros, aunque el cumplido le trajo a la memoria al muchacho torpe que una vez fue.

—De vez en cuando tengo alguna satisfacción, pero normalmente se trata de un trabajo muy aburrido... y frustrante. La ley no es igual para todos. Los que tienen dinero lo usan para solucionar sus problemas, mientras que los pobres y la clase trabajadora sufren las peores penas por crímenes que generalmente obedecen más a la desesperación que a auténtica maldad. —Se detuvo—. Lo siento, ya estoy soltando discursos de nuevo.

Ella negó con la cabeza.

—De ningún modo, pero hablando de discursos, ¿te acuerdas del pequeño escenario que improvisamos en el desván de Roxbury House? —Daisy acompañó el recuerdo con una tenue sonrisa.

Gavin también sonrió.

—¿Cómo iba a olvidarlo? Teniendo en cuenta del poco material de que disponíamos para trabajar, unas cajas para transportar leche y ni una

sola herramienta, sin duda fue un milagro de diseño. Y con todo el ajetreo que siguió, me extraña que no terminaran descubriéndonos.

—Lo hicieron —admitió ella tras unos segundos de vacilación—. Esa miserable cotilla de Lettie Pinkerton nos encontró y amenazó con contárselo al director.

—¿La «cerdita» Pinkerton? —Dios, llevaba muchos años sin pensar en ella. En realidad, casi no se acordaba de los huérfanos de Roxbury House que no formaban parte de su grupo de amigos.

Ella asintió.

—Afortunadamente le gustaban más los dulces que los chivatazos. Con el contrabando de bollitos y tartas de limón que se traía Harry debió de ganar un montón de kilos ese último mes.

De modo que ni siquiera entonces se lo había contado todo.

Aunque no era igual que antes, esa conversación fluida entre ellos, compartiendo sus recuerdos, al menos los buenos, estaba resultando muy agradable.

Daisy centró su atención en las fresas con crema; debía de haber dejado lo mejor para el final.

—Esto está delicioso —dijo mientras se lamía un poco de crema de la comisura de la boca.

A Gavin le dio la sensación de que la temperatura de la estancia ascendía varios grados centígrados.

—Jamison encarga los bollos y los pastelitos a una panadería que hay cerca de aquí. Solo tienes que decirle cuáles son tus favoritos y los tendrás.

El plato que ella mantenía apoyado sobre sus rodillas se balanceó un instante. Daisy lo miró durante un buen rato antes de volver a hablar.

—¿Lleva mucho tiempo acostumbrarse?

—¿A qué?

—A ser rico. Roxbury House estaba muy bien, pero incluso allí teníamos que estudiar y encargarnos de algunas tareas. Nunca he tenido

sirvientes, aunque sí que pensé durante una temporada en entrar a servir en alguna casa.

—Creía que quedarte en un único sitio te parecería muy aburrido después de la vida nómada que has llevado. —Nada más terminar de hacer la pregunta se dio cuenta de que lo que de verdad quería saber era si una mujer como Daisy podría echar raíces en un solo lugar... y con un solo hombre.

Ella se encogió de hombros.

—La vida profesional de una bailarina es demasiado corta. La mayoría de las muchachas no siguen después de los treinta. Los días en que tengo más de una actuación me acuesto con los tobillos vendados con unas telas empapadas en aceite de mostaza para aliviar la inflamación.

Gavin nunca se habría imaginado que aquella profesión tan discutible requiriera semejante desgaste físico.

—No tenía ni idea.

Daisy se llevó otra fresa a la boca y le dio un mordisco. Sus labios se humedecieron con el jugo de la fruta, adquiriendo un aspecto aún más delicioso. La delatora protuberancia que estaba empezando a sentir en la entrepierna fue una advertencia a la que, por una vez, decidió no prestar atención. Fijándose en una gota que caía por la comisura de su boca, alargó la mano y se la limpió con el pulgar, como solía hacer cuando eran niños. Lo malo era que habían dejado de serlo hacía mucho. Ahora eran adultos, y la tensión ardiente que existía entre ambos inundaba la habitación de tal forma que resultaba imposible negarla. Le acarició con la yema del dedo la curva del labio inferior, trazando su contorno. ¡Cómo le hubiera gustado poder hacer eso mismo con la lengua!

Pero entonces se dio cuenta de lo que estaba haciendo y se echó hacia atrás, maldiciéndose a sí mismo por ser tan imbécil.

—Lo siento. No debería haber hecho algo así. No volverá a ocurrir.

Daisy hizo un gesto de negación. Tenía las mejillas encendidas, como si no se hubiera medio desnudado para él la otra noche.

—No, soy yo la que lo siente. Estoy liando las cosas demasiado. Me imagino que tenía más hambre de la que pensaba.

Por primera vez se paró a pensar en que aquel apetito voraz quizá se debiera más a la escasez que a la falta de modales. Estaba muy delgada, pero lo había achacado al ejercicio que hacía en cada actuación.

—Daisy, ¿cuándo fue la última vez que comiste?

Ella vaciló durante un instante. Después se llevó otra fresa a la boca.

—¿Por qué? Ahora mismo estoy comiendo.

—Sabes a lo que me refiero.

Ella volvió a encogerse de hombros.

—Se suponía que en el club tenían que darnos una comida al día, pero con los ensayos y otras excusas nunca lo hacían. Las habitaciones en las que he estado viviendo se encontraban encima de una panadería, así que he tenido pan y pasteles de sobra, pero la carne y la fruta fresca son más difíciles de conseguir... y mucho más caras.

Eso explicaba por qué le había quitado el pan a los emparedados y que los bollos y pastelitos no le hubieran apetecido demasiado. Había pensado que la repostería francesa la habría vuelto una melindrosa, pero de nuevo se había equivocado con ella. Tras dos semanas viviendo cerca de una panadería, tendría la sensación de estar ahogándose en masa pastelera.

—He puesto un anuncio en *The Times* así como en otros periódicos destacados en busca de un profesor de interpretación —comentó Gavin en un intento por desviar la atención de la incómoda situación en la que él mismo los había metido.

Esperaba que estuviera encantada con la idea, pero cuando se fijó en su expresión se percató de que estaba de todo menos contenta.

—¿Crees que necesito que me enseñen a actuar? —Se separó de él. Estaba roja como la grana.

¿Cómo podía contestar a una pregunta así sin ofenderla? Escogió cuidadosamente sus palabras y dijo:

—Cuando vayas a hacer una prueba solo tendrás una oportunidad, y quiero hacer todo lo que esté en mi mano para que vayas lo más preparada posible.

Estaba convencido de que su bagaje en el teatro de variedades no había sacado ni una décima parte de lo que podía ofrecer. Con un poco de ayuda, terminaría convirtiéndose en una actriz seria de éxito. Además, partía con una ventaja: se la veía muy cómoda sobre un escenario.

Sus palabras parecieron calmarla.

—Supongo que no es muy diferente a tomar clases de canto o danza.

Aliviado por haber conseguido pasar de puntillas sobre un asunto tan peliagudo tomó otro sorbo de té.

—Exacto.

—Bien, pues ya solo nos queda negociar los términos de nuestro acuerdo. —Abrió su retículo y sacó un lápiz y una pequeña libreta. Lista para escribir, alzó la mirada y añadió—: Me he dado cuenta de que ya que me voy a convertir en una mantenida, es mejor que establezcamos las cláusulas por adelantado.

Gavin la miró consternado.

—¿Mantenida?

Ella contestó con un brusco asentimiento de cabeza.

—Sé que escribir estas cosas puede parecer poco romántico, pero nos ahorrará mucho tiempo y quebraderos de cabeza cuando tengamos que separarnos y seguir cada uno por su lado. Veamos, me prometiste un estipendio para cubrir mis... obligaciones financieras, así como pagar los imprevistos que puedan surgirme. Por supuesto, a cambio esperarás que durante todo el mes que viva bajo tu techo me acueste contigo.

Gavin se sintió enrojecer.

—Al contrario, no espero nada semejante. No te propuse esto para convertirte en mi amante. Como te dije la otra noche, quiero que te consideres como mi invitada.

—¿Estás diciendo que no quieres acostarte conmigo? —preguntó sin dejar de mirarle. A él le dio la sensación de que parecía un poco herida.

Se removió en su asiento. Se sentía casi tan incómodo como cuando le obligó a formar parte de su actuación.

—Lo que yo quiera o no es irrelevante.

Daisy enarcó las cejas y siguió presionando.

—Entonces, ¿qué es lo relevante?

La temida tensión empezó a instalarse en su garganta.

—Lo relevante es... que uno se comporte en esta vida de forma ap...p...propiada y co...co...correcta. —Dios, apenas llevaba una hora con ella y volvía a ser el idiota tartamudo de su adolescencia.

Daisy echó hacia atrás la cabeza y se rió.

—Por Dios bendito, Gavin, te has convertido en un auténtico esnob. No es que me moleste acostarme contigo. —Lo miró de arriba abajo y él sintió un súbito calor en su interior, no solo por la vergüenza que estaba pasando sino por el deseo que se estaba apoderando de él—. De hecho no me importaría en absoluto.

—Da igual, lo nuestro es un acuerdo platónico.

—¿Platónico? —Ella frunció el ceño, como si estuviera descifrando cada una de sus palabras.

—Seremos amigos, buenos amigos, como siempre fuimos. No te presionaré para que hagas nada más.

Aquello pareció divertir a Daisy.

—Te aseguro, Gavin, que he tenido un buen número de hombres que decían ser «buenos amigos» míos y eso no les ha impedido llevarme a la cama.

Él no pudo evitar sacudir la cabeza. En serio, ¿qué más podía hacer?

—¿Siempre hablas con tanta... franqueza?

Daisy le respondió con una sonrisa despreocupada e hizo un gesto de asentimiento. Si había captado la censura que subyacía en su pregunta, la había ignorado.

—No tan a menudo como me gustaría. Al fin y al cabo, el objetivo de todo artista es agradar. No solo a la audiencia, sino al director de escena, al director de orquesta, al promotor... No tengo muchas oportunidades para expresar lo que realmente pienso.

—Te entiendo —comentó él. Y lo más extraño de todo es que era verdad. Aunque ambos pertenecieran a estratos sociales opuestos, él se había pasado la vida complaciendo a los demás: primero a su abuelo, y ahora a sus colegas y clientes, a los jueces y a los jurados, haciendo lo imposible por vivir según el legado de los St. John.

En realidad no sabía si sentirse halagado por su franqueza o molesto porque en la escala del respeto debía de encontrarse en algún peldaño entre los artistas y el conjunto de tramoyistas que se encargan de montar y despejar el escenario. Decidió decir esto último de la forma más sutil posible.

—Si en un futuro te animas a moderar tus comentarios, revistiéndolos con un poco de cortesía, te aseguro que no me importará en absoluto. Si te sirve de ayuda, finge que soy alguien «importante».

Daisy contestó haciendo un mohín. Un gesto que a Gavin le pareció tan seductor como adorable.

—Vaya, vaya, hoy estamos un poquito susceptibles.

—Quizá sea porque algunos llevamos levantados desde el amanecer, no como otros, que prefieren pasarse toda la mañana metidos en la cama. —Eso último era una velada referencia a la insistencia de Daisy en cuanto a que no llegaría antes del mediodía.

—Estoy segura de que ambos pasamos las mismas horas del día despiertos, pero yo sigo el horario teatral.

—Ahora mismo ya no estamos en el teatro.

Daisy le regaló una deslumbrante sonrisa que sacó a la luz el bonito par de hoyuelos que se dibujaban a cada lado de su barbilla.

—¿Ah, no, tesoro?, ¿Es que nunca has oído eso de que «el mundo es un gran teatro»?

Capítulo 6

Sí, y más bobo yo por estar en Arden.
Cuando estaba en palacio vivía en mejor sitio.
Pero el viajero debe amoldarse.

WILLIAM SHAKESPEARE, Parragón
Como gustéis

Ese mismo día, un poco más tarde, Daisy se encontraba en las habitaciones que había alquilado con todo el contenido de su armario extendido a sus pies. Había pagado el alquiler de todo el mes por adelantado y creía que lo más lógico era mantener la vivienda hasta ese plazo. De ese modo, si las cosas con Gavin no funcionaban tendría una vía de escape, un refugio, aunque en ese momento estaba deseando dejar atrás el penetrante olor a dulces y pan horneándose que desprendía la panadería.

En teoría, guardar las pertenencias que tenía intención de llevarse con ella no debía de suponerle mucho trabajo. Si Freddie y los Lake la hubieran acompañado, hacer el equipaje habría sido mucho más

complicado. Tanto daban los viajes que tuvieran que hacer o lo cortos que fueran, Flora siempre insistía en descargar los baúles, desembalar toda la porcelana y sacar toda la ropa y colgarla en los armarios o guardarla doblada en los cajones. Al finalizar el primer día de su llegada a cualquier sitio, no quedaba ningún baúl o caja a la vista. Sin duda, su querida Flora era una mujer extraordinaria.

Pero aquella era la primera vez que viajaba sola, y no había llevado muchos de sus efectos personales consigo. Aparte de su ropa, vestuario y cosméticos, que al fin y al cabo eran sus herramientas de trabajo, se había traído la preciada foto enmarcada de Freddie, una vieja muñeca de trapo de la que nunca se separaba y a la que siempre había llamado Lucille —no sabía muy bien por qué— y un peluche de un gato que Gavin le había regalado hacía mucho tiempo y del que seguramente no se acordaría.

Repasando mentalmente la tarde, tenía que reconocer que había pasado un día extraordinario. Era curioso como la vida podía tenerle a uno largas temporadas sin experimentar grandes cambios, y de repente, cuando menos lo esperabas, sucedía algo que te hacía dar un giro de ciento ochenta grados en un solo día.

Tras el tenso té, Gavin le había enseñado su casa, tal y como le prometió. A Daisy el lugar la había dejado con la boca abierta, y a pesar de su determinación de no ablandarse ante él no pudo evitar emocionarse. Él había prescindido de su despacho y lo había convertido en una biblioteca para sus textos teatrales. Que alguien, y encima un hombre, se tomara tantas molestias por ella era algo que la asombraba y cautivaba al mismo tiempo. Durante varios minutos lo único que hizo fue mirar a su alrededor con cara de pasmo y balbucear un «bien, muy bien» cuando Gavin señaló en dirección a sus nuevas estanterías con los libros encuadernados en cuero que contenían.

Lo que sí que la desconcertó, e incluso ofendió, fue que no quisiera acostarse con ella a cambio. Que un hombre se negara a tener sexo solo

para satisfacer sus escrúpulos le resultaba tan extraño como subirse a lomos de un elefante en vez de a un caballo, o acompañar el té con hormigas cubiertas de chocolate en vez de galletitas. A excepción de un par de amantes a los que de vez en cuando les apetecía recibir un buen azote, no estaba acostumbrada a ser la «agresora» en sus relaciones sexuales. Los hombres habían ido detrás de ella desde que se puso su primer par de tacones, así que no era de extrañar que se sintiera superada por la rareza de la situación... Aunque si era honesta consigo misma, tenía que admitir que cuanto más singulares eran las situaciones más atraída se sentía por ellas.

Si estuviera en su naturaleza conformarse, en vez de estar planificando su seducción, se sentiría afortunada de que él la quisiera para algo. Aunque no se encontraba precisamente en una situación financiera desesperada, le quedaba muy poco. Había tenido que vender todas las joyas que acumuló de sus acaudalados amantes para sufragar los costosos gastos médicos de Bob, su padre adoptivo. La tisis, o tuberculosis, como estaba empezando a llamársela, era una enfermedad cruel y muy cara de combatir. Los tratamientos incluían estancias periódicas en sanatorios en el campo, ya que se creía que el aire de la montaña resultaba sumamente beneficioso para estos enfermos. Como consecuencia de todo esto, había traído muy poco dinero para cambiar a libras esterlinas, y ya se había gastado la mayor parte.

Aun así, había hecho bien mudándose a Inglaterra. En el fondo de su corazón lo sabía. Si se hubiera quedado en París, se habría terminado convirtiendo en uno de esos artistas expatriados que, una vez pasados sus días de gloria, se pasaban sus horas libres en los cafés, gastándose sus míseros salarios en absenta y opio. Ahora que volvía a estar en suelo inglés, sus catorce años en París le daban un caché considerable. Además de El Palacio, existían innumerables clubes y salones de variedades en los que podía haber actuado. Había muchos sitios en los que dejarse la piel... Pero también mucho que ganar.

No había exagerado cuando le dijo a Gavin que la vida profesional de una bailarina era muy corta. Con las rodillas destrozadas y el espíritu quebrado las bailarinas retiradas podían dedicarse a enseñar, pero la mayoría de las veces terminaban dándose a la bebida. En cambio, una mujer sí que podía continuar con su carrera teatral toda la vida, ya que siempre había personajes, como lady Macbeth, que requerían actrices más maduras para interpretarlos.

Aspectos prácticos aparte, pisar los escenarios de Londres había sido su sueño desde que tenía uso de razón. Por eso, a pesar de los años y el daño que le había hecho, no podía sentir más que un profundo agradecimiento hacia Gavin por haber transformado su apartamento, y su vida, con el fin de complacerla. Tal vez estaba actuando más por culpabilidad que por amistad, pero fueran cuales fuesen los motivos para ayudarla no miraría el diente al caballo regalado. Cuando se acordó de cómo la había alentado cuando hacían sus pequeñas representaciones teatrales en el desván de Roxbury House, los ojos se le llenaron de lágrimas.

«¡Muy buena representación, cariño! Eres una actriz brillante, ¿verdad, muchachos?» La voz de Gavin, o mejor dicho, de una versión mucho más joven de él, resonó en su cabeza como si fuera un fantasma de otro tiempo y lugar.

Daisy se pasó una mano por el pelo, obligándose a volver al presente. No podía retroceder en el tiempo y cambiar el curso de los acontecimientos, nadie podía, pero estaba dispuesta a aprovechar todo lo posible el futuro.

Después de que Daisy se fuera para terminar de traer sus cosas, Gavin aprovechó la primera oportunidad que tuvo para hablar con sir Augustus. Gracias a una cita previamente concertada, se encontró con el director del Drury Lane en el salón para fumadores del Garrick.

Se sentaron en una mesa junto a una ventana con un par de vasos de *whisky* que empezaron a beber mientras dedicaban unos minutos a hablar de política y de lo difícil que era sacar a flote un teatro como el Drury Lane. Según sir Augustus, la aparición de tantos clubes y salones de variedades estaba afectando a la buena marcha del teatro.

En un intento por esquivar aquella cuestión tan espinosa, Gavin decidió ir al grano.

—Debe de estar preguntándose por qué le he pedido que nos encontráramos.

—Sí, he de admitir que siento cierta curiosidad —dijo el hombre.

Gavin se preparó mentalmente para empezar. Nunca se le había dado bien pedir favores, pero tuvo que recordarse que aquello era por el bien de Daisy, no suyo.

—A una querida amiga mía le encantaría hacer una prueba para la puesta en escena de *Como gustéis* que está preparando. —Al ver la expresión afligida que puso su acompañante se apresuró a añadir—: Tiene una amplia experiencia en el mundo del espectáculo en París, y ahora en Londres.

Sir Augustus frunció el ceño.

—¿Cómo se llama? Puede que haya oído hablar de ella.

Gavin vaciló un instante. Detestaba aquel nombre artístico y se había prometido no volver a llamarla así.

—Daisy Lake, pero en el mundillo la conocen como Delilah du Lac.

—¿No me digas? Pues claro que he oído hablar de ella, ¿quién no? —La leve sonrisa de complicidad que puso hizo que Gavin dudara de si solo se refería a la reputación de voz de ruiseñor de Daisy y a sus patadas altas de cancán o a más cosas—. Tengo entendido que estaba actuando en El Palacio antes de que cerrara.

—Sí —replicó él—. Pero como ya le he comentado tiene una amplia experiencia. Ha estado actuando durante mucho tiempo en el Moulin Rouge. —Esperaba que aquello jugara en su favor.

Sir Augustus meneó la cabeza.

—Da igual. Por la experiencia que tengo, esas coristas están todas cortadas por el mismo patrón: mucha apariencia pero poca sustancia. Necesito una actriz con tablas para el papel de Rosalinda, no una que solamente se vea bien en pantalones... Aunque esto último tampoco viene mal.

Gavin no había pensado en el papel de Rosalinda para Daisy, sino en algún otro menos importante.

—Le aseguro que no hemos pensado en un papel tan destacado para su primera incursión en el teatro, sino en algo más secundario. Incluso un papel con apenas texto, como el de la deidad Himeneo, sería un buen comienzo. —Se detuvo en cuanto se dio cuenta de que estaba a punto de ponerse a rogar.

—Está bien, veré si puedo hacerle un hueco en la lista de aspirantes. Las audiciones empiezan dentro de dos semanas. Ordenaré a mi secretaria que le envíe toda la información a su despacho. Le pediremos que recite un monólogo de memoria. Nuestro calendario para las pruebas es muy apretado. No tenemos tiempo que perder, así que más le vale a su amiga venir preparada, señor Carmichael.

—Lo estará, sir Augustus. Es bastante buena, y dentro de dos semanas lo será aún más. Estoy convencido de que se llevará una agradable sorpresa con ella.

Sir Augustus le lanzó una mirada escéptica mientras alzaba el vaso vacío en dirección al camarero para que le trajera otra bebida.

—Eso espero, señor Carmichael. Lo dudo, pero eso espero.

A la mañana siguiente, durante el desayuno, Daisy tiró el manual de dicción que ya odiaba sobre la mesa.

—¿Qué tontería es esta? Debería estar leyendo obras teatrales, no

libros de gramática acartonados... ¿Cuánto queda para que pueda ponerme a trabajar con un texto de verdad?

La actriz retirada que había contestado al anuncio de Gavin venía con unas credenciales muy buenas, tanto de Londres como de fuera de la ciudad. Gavin había preguntando en el Garrick y le confirmaron que, cuando estaba en activo, había sido una reputada profesional. El único inconveniente era que tenía que venir desde Surrey y necesitaba varios días para cerrar su casa de campo y preparar el equipaje. Mientras tanto, no quería que Daisy se quedara sin hacer nada. Al fin y al cabo, el tiempo era esencial si querían conseguir algo.

Días atrás, cuando tomaban el té, se había fijado en que su dicción no era todo lo buena que debería ser. Daisy tendía a comerse las «h» y las «r», aunque no en todas las palabras. Puede que se debiera a que se había criado en el extranjero, o quizá siempre había hablado así y él nunca se había percatado antes porque, en su momento, hablaba el mismo dialecto. Su abuelo le había quitado el acento *cockney* a base de varazos y algún que otro correazo, pero con ella lo harían de una manera mucho más suave.

Para su desgracia, la joven detestaba los manuales de dicción con tanta vehemencia que a veces se preguntaba si prefería los azotes. Durante sus lecciones vespertinas —ya llevaban tres—, Gavin se había dado cuenta de que Daisy compartía el defecto humano tan común de perseguir con tenacidad la perfección en las áreas en que ya sobresalía y dejar a un lado aquellas en las que necesitaba mejorar. Se podía pasar practicando con un libreto una y mil veces, hasta que conseguía interpretar todas las notas a la perfección; sin embargo, cuando llegaba el momento de pulir la cadencia de su acento *cockney*, junto con la tendencia que tenía a intercalar alguna que otra expresión francesa, enseguida se daba por vencida y quería terminar con todo.

—Ten paciencia, Daisy. No tienes la audición hasta dentro de dos semanas.

—¿Y qué me dices de ti, Gavin? ¿Siempre eres tan paciente?

Él captó el brillo de sus ojos y se puso a pensar seriamente en la respuesta.

¿Era paciente? La mayoría de sus conocidos y compañeros de profesión decían que tenía la paciencia de un santo y se cuidaba mucho de que solo sus amigos más íntimos supieran de la inquietud que subyacía bajo su fachada de aparente tranquilidad.

Todavía no le había contado a Daisy que había contratado a un detective para que la buscara, y en ese momento tampoco estaba seguro de si alguna vez lo haría. Porque, ¿qué sentido tenía? Daba la sensación de que para ella el pasado era eso mismo, pasado. Había dejado claro que había vuelto a Londres para actuar, no por él. Y haber dedicado una buena parte de su vida a intentar encontrar a alguien que parecía no querer ser encontrado hacía que se sintiera como un imbécil.

Aun así, no se arrepentía de haber terminado dando con ella. Quién podía saber si el Todopoderoso lo había organizado todo para que, al verla y saber de ella, por fin pudiera seguir con su vida. Su abuelo llevaba mucho tiempo insistiendo en que tenía que buscar una esposa. Y por mucho que le encantara fastidiar al hombre de todas las maneras posibles, debía admitir que la idea de tener a alguien esperándole por la noche cuando llegara a casa, cenar juntos y compartir cama no le desagradaba en absoluto. Hasta ahora había estado tan pendiente —más bien obsesionado— de encontrar a Daisy que apenas se había fijado en las jóvenes bellezas de la alta sociedad, pero puede que la cosa cambiara cuando terminara el mes que habían acordado. Además, ahora que el objeto de su obsesión había aparecido de la nada para demostrar lo bien que se las había arreglado sin él, era tiempo de pensar en el futuro, no solo en el de Daisy, sino en el suyo.

—No soy paciente por naturaleza —reconoció al fin—. Pero he tenido que aprender a serlo. Comprender el lenguaje jurídico requiere más constancia de la que te imaginas. —De hecho, solo esperar a que

los jueces y jurados dictaran sus veredictos le hacía sentir que pasaba la mitad de sus días de pie y la otra sentado.

—Oyéndote hablar, parece que no te gusta mucho.

Él se encogió de hombros.

—Es a lo que me dedico. Supongo que no me he planteado si me gusta o no.

—Pues deberías. —Daisy apoyó los codos sobre la mesa y se inclinó hacia él. Esa postura le trajo a la memoria la noche en que la vio actuar, cuando prácticamente había gateado sobre su mesa—. No me parece que seas muy feliz, ni siquiera un poquito. De hecho, te veo bastante tenso.

Gavin se puso rígido y sintió como si le estuvieran poniendo un espejo frente a la cara.

—No me conoces. No estás en posición de hacer juicios de valor sobre mi estado mental.

En vez de discutir el asunto Daisy le sorprendió diciendo:

—Entonces cuéntame algo de ti, algo personal.

—Daisy, estamos desayunando, no es el momento ni el lugar.

Ella fingió no haberle oído y continuó.

—Ya veo. Muy bien, empezaré yo.

—Daisy, no quiero...

—¿Te escandalizaría mucho si te contara que la noche que estuviste en El Palacio, cuando viniste a mi camerino, me toqué detrás del biombo?

—Sí, me escandalizaría. En realidad ya lo estás consiguiendo.

—Me pusiste húmeda antes de que me sacaras del escenario, y una vez que llegué allí me di cuenta de lo excitada que estaba. Tanto como lo estoy ahora.

—¡Daisy!

—¿Qué? ¿No me crees? Puedo enseñártelo, si quieres. —Empezó a empujar hacia atrás la silla, retirándola de la mesa.

—¡No!

—Llévame a tu habitación entonces, a tu cama. O puedes tomarme aquí mismo, encima de la mesa. No espera, con esto último podríamos dar un buen susto al pobre Jamison si entra, así que puede que tu cama sea el lugar más apropiado después de todo.

—No te voy a llevar a la cama ni a ningún otro sitio. Me voy a la oficina. De modo que termina el desayuno y la lección de hoy.

Daisy frunció el ceño.

—Gavin, no soy una niña a la que haya que decirle que se termine sus gachas de avena para que no se enfríen y que se cepille los dientes antes de irse a la cama.

—Entonces deja de actuar como una...

—¿Fulana? ¿O estás pensando en otro término como furcia, perdida... o puta?

Él se levantó de la mesa con brusquedad y se plantó delante de ella. Su reserva contrastaba con el rubor de su cara y la protuberancia que sobresalía de sus pantalones. Eso último hizo que Daisy sonriera y no perdiera las esperanzas. Estaba llegando a él. Era solo cuestión de tiempo.

—No entiendo por qué insistes en degradarte de ese modo cada vez que nos quedamos solos, y ahora mismo tampoco tengo tiempo para pararme a pensarlo. Por cierto, esta noche cenaré en mi club, así que quizá quieras dedicarte a seguir leyendo el manual de dicción y a preparar tu audición.

Viendo cómo abandonaba la estancia, Daisy tomó su taza, usando el borde para esconder lo que estaba segura debía ser una sonrisa a lo Dalila.

«No puedes alejarte de mí siempre, Gavin. Tal vez creas que puedes, pero no. Tarde o temprano terminarás cediendo, y entonces serás mío. Y después de que te haya dado un placer como jamás te han dado ni te darán, me marcharé y te dejaré sin mirar atrás, tal y como hiciste conmigo.»

Capítulo 7

¡Ah, qué dolor es ver la dicha con los ojos de otro!

WILLIAM SHAKESPEARE, Orlando
Como gustéis

Primera semana

aisy se pasó la semana siguiente leyendo el texto de *Como gustéis* de principio a fin, estudiando el resto de grandes obras teatrales que Gavin tenía en la biblioteca y practicando su dicción. Y entre tarea y tarea sacó tiempo para conocer mejor a la otra «hembra» que ocupaba la vida de Gavin: su gata, *Mia*. Al principio el felino se había mostrado cauteloso con ella, pero a Daisy siempre se le habían dado bien los gatos. Enseguida se dio cuenta de que le gustaba dormir en la zona a los pies de la cama de Gavin donde daba el sol. Acariciando el suave pelaje del animal, le explicó con voz tranquila que no iba a robarle a su dueño, solo a tomarlo prestado. En cuanto al asunto de la cama, aunque tenía pensado visitarla, no entraba en sus planes pasar toda una noche allí, de modo que estaba

convencida de que podían llegar a un acuerdo que las beneficiara a ambas. Aquella conversación, aderezada con unos trozos de salmón escalfado que hurtó a escondidas cuando Jamison no estaba pendiente, tuvo el efecto deseado. *Mia* dejó de bufarle cada vez que entraba en la habitación, e incluso en una ocasión la dejó acurrucarse junto a ella en el sofá.

Aunque fuera por medio de sobornos, estaba contenta de haber hecho una amiga.

Durante toda la semana, se había quedado asombrada de las horas que Gavin pasaba fuera de casa. Cuando no estaba recibiendo a alguno de sus clientes en el despacho o pleiteando en los tribunales, dividía su tiempo entre el Garrick y su club de esgrima. Y a pesar de que ella seguía manteniendo el horario teatral, cuando Gavin llegaba a casa por la noche ya llevaba dormida un buen rato. Por eso no podía deshacerse de la sensación de que la estaba evitando adrede.

Por lo demás, su acuerdo estaba funcionando a las mil maravillas. Hasta ese momento, Gavin había cumplido escrupulosamente lo prometido. A excepción de Jamison, que era tan silencioso como un fantasma, tenía el apartamento para ella sola durante todo el día y la mayor parte de la noche. Y si se quedaba corta de dinero, solo tenía que mencionárselo a su benefactor y aparecía más como caído del cielo. Además, si le apetecía salir de allí para dar un paseo o hacer cualquier otra cosa podía hacerlo a su antojo. Al final, su jaula dorada no estaba resultando ser tal. No tenía nada de lo que quejarse y sí mucho que agradecer. Aun así, no podía evitar sentirse sola. Echaba terriblemente de menos a sus seres queridos y a la actividad y alboroto de su antigua vida. Y últimamente también echaba más en falta a Gavin. De niños, en Roxbury House, habían sido inseparables, pero ahora que vivían bajo el mismo techo apenas lo veía. La semana anterior él le había dejado claro que no tenía intención de acostarse con ella. En ese momento estaba casi convencida de que solo la consideraba una amiga.

Así las cosas, cuando recibió la visita inesperada de Harry a mediodía se llevó una grata sorpresa.

En cuanto lo vio en el umbral de la puerta, se hizo a un lado para dejarle pasar.

—Harry, cuánto me alegro de verte, aunque me temo que Gavin no está en casa. No creo que vuelva hasta dentro de unas horas como poco.

—En realidad es a ti a quien quiero ver —comentó Harry ofreciéndole el sombrero—. No hemos tenido oportunidad de ponernos al día desde que regresaste. Espero que no estés muy ocupada.

—No mucho —replicó ella, poniendo los ojos en blanco—. Gavin no hace más que darme un manual de dicción tras otro. Como tenga que volver a recitar «la lluvia en Sevilla es una pura maravilla» una vez más me voy a volver loca.

Harry echó hacia atrás la cabeza y soltó una sonora carcajada.

—En ese caso, tomaré mi visita como una misión de rescate de lo más oportuna.

—Sí, por favor. —En ese momento atisbó la canosa cabeza de Jamison asomando por la despensa—. Gracias, Jamison, pero puedo ocuparme de mi amigo Harry sin ayuda.

El criado terminó de entrar en la estancia y la miró con ojos consternados.

—Pero, señorita...

—Nada de «peros», tesoro. —Lo despidió con un guiño, se agarró del brazo de Harry y le hizo pasar al salón, donde estaban desperdigados por el suelo y sobre el mobiliario todo tipo de obras y textos teatrales. Nunca había sido especialmente ordenada, y ahora que contaba con un espacio propio estaba aprovechándolo al máximo—. Lo siento —se disculpó, retirando un ejemplar de *Otelo* del sofá para que el fotógrafo pudiera sentarse—. Estoy segura de que todo este lío debe de disgustar mucho a Gavin. Tal vez sea esa la razón por la que pasa tan poco tiempo en casa.

Harry tomó asiento y negó con su rubia cabeza.

—Lo dudo. Por mucho que le guste ordenar el caos, creo que son otros asuntos los que le mantienen lejos de aquí.

—¿Te refieres a temas de trabajo? —Fue consciente de que intentaba sonsacarle información. Por lo visto, las ausencias de Gavin hacían más daño a su orgullo de lo que estaba dispuesta a admitir.

Harry vaciló antes de contestar.

—Bueno, uno no se convierte en un abogado de prestigio siendo un vago; un fotógrafo puede que sí, pero nunca un abogado —explicó, guiñándole un ojo.

Daisy tomo asiento en una silla frente a él.

—Querido Harry, no has cambiado ni un ápice. Es como si estos quince años no hubieran transcurrido y fueras a sacar unos dulces envueltos en un pañuelo de un momento a otro. Oh, hablando de refrigerios, supongo que debería pedirle a Jamison que nos traiga el té. Parece que es lo que se suele hacer en este país cuando se reciben visitas a estas horas.

Empezó a incorporarse, pero él alzó una mano para detenerla.

—No lo hagas. Al menos no por mí. No me considero una visita, sino un viejo amigo, y el té vespertino nunca ha sido una costumbre que haya seguido a rajatabla. No obstante, sí que me apetecería un *whisky*, si tienes.

Ella sonrió.

—Gracias a Rourke tenemos un suministro constante de *whisky* escocés. De hecho, me sorprende que quede algo de beber en Escocia.

Llenó dos copas, una con algo menos de cantidad para ella, y las sirvió.

Harry hizo girar el líquido ambarino dentro del vaso.

—Tú y Gav, y en menor medida Rourke, erais como cachorros de lobo viajando en manada. Siempre me sentí un poco extraño —confesó—. Viéndolo ahora, creo que por eso llegaba tarde a nuestras reu-

niones en el desván. Todos os quejabais, sobre todo Rourke, y aun así nunca empezasteis sin mí. Que me esperarais... bueno... me imagino que hacía que me sintiera especial, como si os importase.

A ella le hubiera gustado poder hablar así con Gavin, pero él se guardaba sus pensamientos y sentimientos para sí mismo.

—Oh, Harry, pues claro que nos importabas. Siento no haberme dado cuenta de cómo te sentías.

Él se encogió de hombros.

—No es culpa de nadie, solo las circunstancias que cada uno tenía en aquellos años. Vosotros tres erais más pequeños y todavía os podían adoptar, mientras que a mí me tenían como ayudante, algo de lo que estaba bastante agradecido, debo añadir. Después de un invierno sobreviviendo a base de verduras podridas y demás desechos que obtenía en el mercado de Covent Garden, estar en Roxbury House era como encontrarme en el Paraíso, especialmente la cocina.

Daisy asintió mientras recordaba los maravillosos aromas que desprendían las docenas de pasteles, tartas y hogazas de pan que el cocinero horneaba a diario.

—Roxbury House ha sido el único hogar que jamás he tenido y en el que más tiempo he vivido. Desde que los Lake me adoptaron no hemos permanecido en un mismo lugar más de unos cuantos meses.

Harry se inclinó hacia delante.

—Has tenido que conocer mucho mundo. Crecer en París tuvo que ser de lo más emocionante. Callie y yo tenemos intención de visitarlo tan pronto como mi mujer pueda hacer una escapada.

Ella hizo un gesto de indiferencia. Al haber pasado la mayor parte de su vida en la capital francesa la veía como otra gran ciudad más, no muy diferente a Londres.

—Algunas zonas son muy bonitas, otras no tanto. Vivimos sobre todo en un apartamento del barrio judío de la calle des Rosiers. Ocupaba una tercera parte del tamaño de estas estancias, y desde luego no

era tan espléndido como esto, pero había una preciosa pastelería justo en la esquina y el propietario nos regalaba el pan sobrante al finalizar el día. Supongo que la mayoría de los lugares terminan siendo lo que uno hace de ellos.

—Estar en el epicentro de todo ha debido de ofrecerte muchas oportunidades como artista. Circula el rumor de que el príncipe de Gales se pasa más tiempo en París que en Londres, sobre todo en los salones de variedades, relacionándose con bailarinas de cancán. Oh, Daisy, perdóname. Este último comentario sobraba.

Ahí estaba el pasado, asomando de nuevo su fea cabeza. Incluso hablando con un viejo amigo le resultaba imposible huir de él.

—No hay nada que perdonar, es lo que soy, o lo que he sido hasta hace poco.

Lo que omitió fue que había pasado una nada memorable noche con el heredero al trono de Inglaterra, o Bertie, como le llamaban todos sus allegados. Para cuando se fueron a la cama, él había bebido tanto que apenas hizo algo más que acariciarla, aunque ello no obstó para que la obsequiara con un buen regalo al día siguiente.

—Daisy, te aseguro que soy el último que podría juzgarte. Si supieras las cosas que he tenido que hacer, o que he estado a punto de hacer, para conseguir algo en esta vida... Bueno, da igual, es una historia sórdida que será mejor que te cuente otro día, pero baste decir que a veces el Todopoderoso nos da una segunda oportunidad, incluso a los réprobos como nosotros, en forma de una persona de corazón puro que nos ama lo suficiente como para vernos por lo que podríamos ser, y no por lo que somos.

—Estás hablando de tu mujer, ¿verdad? —Al ver que él asentía añadió—: Espero poder conocerla algún día, aunque no quiero importunarla con mi presencia o ponerla en la delicada situación de tener que recibirme. Por lo que Gavin dijo entiendo que participa activamente en la vida política.

Hadrian volvió a asentir.

—Así ha sido hasta hace poco, cuando dejó la presidencia de la Sociedad Londinense para el Sufragio Femenino. Ahora ha abandonado la primera línea pero continúa haciendo mucho entre bambalinas, no solo por los derechos de las mujeres sino por los más desfavorecidos. En cuanto a lo de importunarla con tu presencia, eso es una tontería. Callie es la mujer más compasiva y abierta de mente que he conocido. Se las apañó para ver más allá de mi oscura reputación, una reputación que me tenía más que merecida, no te quepa la menor duda.

—Para los hombres es diferente. A vosotros os está permitido que experimentéis todo lo que queráis en el terreno sexual; es más, se os anima a hacerlo. Sin embargo, una mujer que toma públicamente a un amante se convierte en una paria social. —Esperaba no haber parecido tan amargada como se sentía en realidad.

Su amigo sonrió de oreja a oreja y negó con la cabeza.

—Callie y tú tenéis mucho más en común de lo que te imaginas. Has hablado exactamente igual que ella.

—En ese caso, estaré encantada de conocerla. Incluso prometo hacer gala de mi mejor comportamiento para no avergonzar a Gavin.

En cuanto mencionó a su amigo en común, Harry se puso serio.

—Sabes, se preocupa mucho por ti. Siempre lo ha hecho, solo que antes te veía como a una hermana pequeña a la que proteger. Ahora que os habéis vuelto a encontrar, creo que es él el que corre el peligro de terminar con el corazón destrozado.

De modo que ese era el motivo de su «inesperada» visita.

—¿Te preocupa que no sea lo suficiente buena para él, que pueda herirle? —En realidad no era una pregunta.

El fotógrafo soltó un bufido.

—¿Que no seas lo suficientemente buena? Lo veo difícil. Si estás buscando a alguien que te ayude a buscar todas las razones por las que lo vuestro nunca podría funcionar, me temo que soy la persona equivo-

cada. Callie es una dama de nacimiento y está a un solo paso de poder ser calificada como santa. Podía haber conseguido un mejor partido que un antiguo carterista hijo de una prostituta, pero por la razón que sea me eligió a mí, y no pasa un día en que no agradezca que lo hiciera.

—¿Qué estás queriendo decirme?

—Que si de verdad te importa Gavin, no permitas que las diferencias económicas o de clases, o las opiniones de gente mezquina se interpongan en vuestro camino hacia la felicidad. Pero si solo quieres divertirte para después marcharte, él no es tu hombre.

Ella negó con la cabeza.

—No soy la clase de mujer que sienta la cabeza y es feliz quedándose en casa. Es cierto que podría fingir serlo durante un tiempo, después de todo soy actriz, pero al final bajaría la guardia y mostraría lo mucho que lo detesto, y antes de darnos cuenta estaríamos odiándonos el uno al otro. Eso es algo que no soportaría.

—No me parece que Gavin sea de esos hombres que quiere llegar a casa por la noche y que sus esposas les estén esperando con sus pipas y zapatillas en la mano. Lo único que te estoy diciendo es que no juegues con él, Daisy. Es demasiado bueno como para que lo usen de ese modo. Si lo que quieres es un juguete, un coqueteo casual, hay un buen número de calaveras en Londres que estarán encantadas de satisfacerte. Lo sé por experiencia. Antes de enamorarme de Callie yo era el peor de todos.

No le estaba diciendo nada que no supiera ya. Durante su viaje en barco, el capitán la había invitado a una cena privada en su camarote, y una vez en Londres Sid, el dueño de El Palacio, le había hecho una proposición indecente antes de que la tinta del contrato que habían firmado se secara. Por hache o por be, y sin ningún motivo en especial, rechazó a ambos. Aun así, el discurso de Harry sobre el amor y el matrimonio la estaba deprimiendo, aunque solo fuera porque la imagen que estaba relatando le parecía demasiado formal y convencional... y mortalmente aburrida. Como rezaba el viejo dicho, «la variedad es la

sal de la vida». Le alegraba mucho ver a Harry tan feliz y contento, y aunque no le importaba expresar su opinión sobre cómo terminaban ese tipo de historias, la cínica que llevaba dentro se abstuvo de comentar que Callie y él apenas eran unos recién casados.

Así que, en vez de echar a perder la dicha en la que parecía estar sumido su amigo, se limitó a decir:

—Los franceses ven el amor y el matrimonio desde una perspectiva diferente a la nuestra. No todos los amantes tienen que terminar casándose o permanecer juntos el resto de sus vidas, pero esas relaciones pasajeras también son igual de valiosas.

Harry enarcó una rubia ceja y la estudió con detenimiento durante unos segundos que le resultaron de lo más incómodos.

—¿Eso es lo que estás buscando en la vida? ¿Otra relación pasajera? —preguntó al fin. Al ver que ella no respondía continuó—: Enamorarte de la persona que te completa y que dicha persona te corresponda es la experiencia más extraordinaria de este mundo. Confía en lo que te dice alguien que ha tenido más encuentros sexuales de los que puede contar. No hay nada que se asemeje al amor verdadero. Nada.

Después de que Harry se marchara, Daisy decidió dar un largo paseo para meditar sobre lo acontecido. Varias horas más tarde se encontraba en medio del mercado de Covent Garden. De niños, el fotógrafo le había hablado de ese lugar una y mil veces, describiendo con todo lujo de detalles los puestos de frutas y flores y a los carniceros, panaderos y pescaderos. Como ese mismo día había vuelto a mencionarlo, tenía curiosidad por verlo por sí misma.

Por primera vez en su vida, y gracias a Gavin, podía comprar lo que quisiera sin tener que preocuparse por el dinero, pero no se le ocurrió nada que pudiera necesitar.

Inquieta, deambuló por el mercado dividido en cinco secciones: el área Row, el mercado de flores, la zona de la calle Russell, el Floral Hall y el mercado Charter. Harry no había exagerado en absoluto. Era enorme. Caminando entre las filas de puestos, se detuvo varias veces para adquirir algunos regalos para los seres queridos que había dejado en Francia: un paquete de higos secos, albaricoques y piña para Freddie; una navaja nueva para papá Lake, que ahora que tenía más tiempo libre se había aficionado a las tallas, y una brillante tetera de cobre para Flora, que, por lo que sabía, seguía usando la suya a pesar de que se le había roto la boquilla hacía casi un año.

Sosteniendo las compras envueltas en una mano, iba pensando en regresar a casa cuando una vieja gitana la llamó, haciéndole señas desde el otro lado del pasillo.

—¿Cuéntame, corazón, por qué estás tan triste? Ven con Madre y deja que te adivine el futuro. Seguro que es igual de bonito que esa cara tan preciosa que tienes.

Daisy no creía en las dotes adivinatorias. Además, aquella anciana de pelo gris, vestida con una holgada túnica adornada con estrellas y con un montón de collares y anillos extraños, no tenía un aspecto demasiado esotérico. En las riberas del río Sena solían instalarse muchos adivinos; un par de ellos incluso habían desvelado algunos de sus trucos, y por lo que entendió, el éxito de su trabajo no dependía tanto de leer las cartas del tarot o las líneas de la mano, sino de comprender la naturaleza humana.

A pesar de eso, la visita de Harry le había hecho sentirse sola, y también un poco perdida. Quería a Gavin, pero lo quería bajo sus términos. ¿Por qué no podía él olvidarse durante un tiempo de los principios tan altruistas que regían su vida y ser su amante como haría cualquier otro hombre?

Guiándose por un repentino impulso, cruzó el pasillo en dirección a la mujer.

Sentada detrás de un puesto cubierto de tela, lleno de hierbas secas, misteriosos frascos con líquidos turbios y barajas de tarot en venta, la gitana clavó sus acuosos ojos en ella.

—¿Qué es lo que te pasa, querida?

Daisy dudó durante un instante, pero después pensó: «¿Por qué no? Lo haré para divertirme un rato». Se inclinó hacia la anciana e inició su confesión.

—Tengo un amigo, un hombre con el que me he reencontrado después de muchos años. Quince, para ser más exactos.

La adivina silbó.

—Eso es mucho tiempo para permanecer separada de la persona a la que amas.

—¡Yo no he dicho que lo ame! —Al percatarse de que prácticamente se lo había gritado a la cara, bajó la voz y reconoció—: Aunque sí que estoy encaprichada de él. Mucho. Y creo que él siente lo mismo por mí. Me gustaría que fuéramos amantes.

La mujer encogió sus delgados hombros. A continuación, clavó la vista en el pasillo, como si estuviera buscando a su siguiente objetivo.

—Eso suena estupendo. Entonces, dime ¿dónde está el problema? —añadió.

—En que es muy terco y no va a acercarse a mí por miedo a terminar seduciéndome, lo que es completamente absurdo porque... bueno... porque ya he estado con otros hombres.

La gitana volvió a encogerse de hombros y Daisy tuvo la sensación de que existían muy pocas cosas que aquella anciana no hubiera visto u oído ya.

—¿Que una muchacha tan bonita como tú es incapaz de manejar a un hombre? ¡Bah! —Volvió la cabeza hacia a un lado y escupió—. Y ahora, pórtate bien y pon en la palma de Madre seis peniques, así podré darte el infalible hechizo que hará que todo hombre joven se meta en tu cama.

Daisy vaciló. Dudaba que usar sobre Gavin o ella una poción con un olor nauseabundo o llevar un amuleto de orina de sapo pudiera servir de ayuda, así que retrocedió un paso, dispuesta a excusarse y alejarse de allí cuanto antes. Sin embargo, la gitana debió de percatarse de sus intenciones porque la agarró de la muñeca al instante.

—Eres buena negociando, querida. Lo dejamos en cuatro, pero decídete rápido.

Justificando el coste, pues sabía que cuatro peniques era lo mínimo que se habría gastado si se le hubiera antojado comprar una cinta o un poco de encaje para ella, abrió la cartera, extrajo una moneda plateada y la dejo caer en la garra extendida de aquella bruja.

La gitana guardó el dinero en una pequeña talega de cuero y se recostó en su asiento. Después, cruzó sus huesudos brazos sobre el pecho y la miró de arriba abajo durante unos segundos, como si estuviera estudiándola.

—La próxima vez que puedas quedarte a solas con él, sírvele una bebida bien fuerte y una buena comida caliente que empiece con algunas ostras. Masajéale el cuello y los hombros, y pregúntale qué tal le ha ido el día. Si después de eso no consigues llevártelo a la cama, vuelve, búscame, y te devolveré lo que me has pagado. Te lo juro por Hécate.

Daisy la miró.

—¿Me estás diciendo que todo lo que necesito es darle de cenar? —¿De verdad podía ser tan fácil?

La mujer sonrió de oreja a oreja, mostrándole los pocos y deslucidos dientes que le quedaban.

—Para conquistar a un hombre se comienza por el estómago, querida. Es un truco tan viejo como Eva —repuso.

Capítulo 8

Los enamorados nos metemos en unos líos extraordinarios.
Y es que, así como todo lo vivo es mortal,
todo lo vivo enamorado se muere de tonto.

WILLIAM SHAKESPEARE, Parragón
Como gustéis

El reloj de la repisa de la chimenea marcaba las nueve en punto cuando Gavin entró por la puerta esa noche. Horas antes, Daisy le había enviado un mensaje por medio de su secretario solicitando el placer de su compañía, alegando que había algo que deseaba mostrarle. Asumiendo que querría que la ayudara con algún texto o recitarle un monólogo, hizo un esfuerzo especial por regresar a casa. En realidad, estaba demasiado cansado y desanimado para molestarse en ir a cenar a su club. Se sentía como un médico que acabara de certificar la muerte de uno de sus pacientes, aunque Jem Baker no estaba en la última fase de su dolor, sino que acababa de empezar su vía crucis. Por mucho que trataba de decirse que había hecho todo lo legal y humanamente posible por aquel muchacho, no podía

121

dejar de preguntarse si podría haber hecho más, o al menos haberlo hecho mejor.

Las pruebas contra Jem eran irrefutables: no solo le habían pillado in fraganti robando una casa sino que había confesado el delito. Gavin había apelado a la clemencia del juez basándose en la juventud del muchacho, apenas catorce años, y en que había sido su propio padre, un delincuente profesional, el que lo había forzado a robar. Pero aun así la sentencia fue dura: un año de prisión incomunicada, seguida de otros tres de trabajos forzados en una cárcel para adultos. Cuando Jem saliera, se habría convertido en un auténtico malhechor. Para él no habría ningún William Gladstone ni ninguna estancia en Roxbury House que lo salvara.

En el momento en que depositaba su maletín en el suelo, junto a la puerta, Daisy salió de la biblioteca para recibirle.

—Estaba practicando el monólogo de Jaime en *Como gustéis*, he oído pasos en la calle y me imaginé que eras tú. O eso esperaba —puntualizó, lanzándole una mirada cálida. Parecía ligeramente ruborizada.

—¿Dónde está Jamison? Hoy no es miércoles, ¿verdad? —Los miércoles el hombre se tomaba el día libre para visitar a su madre anciana.

—No, pero le he dado la noche de descanso. Espero que no te moleste.

Iba a empezar a preguntarle por qué, pero se dio cuenta de que le daba igual. Daisy estaba allí, y eso era lo único que importaba. En ese instante el resto del mundo parecía sobrar, ser pura redundancia. Con aquel simple aunque adorable vestido de seda verde pálido que resaltaba el intenso tono esmeralda de sus ojos y su sedoso cabello recogido en un moño suelto a la altura de la nuca, la joven era como un vaso de agua fresca para un hombre sediento.

—Estás encantadora —dijo, porque era cierto y porque necesitaba decir algo con desesperación. Cualquier cosa para romper el tenso silencio que en momentos como aquel siempre se interponía entre ellos. Esas ocasiones en que las sombras, la quietud y el mutismo caían como

la niebla de Avalon, susurrando todas las posibilidades prohibidas en las que podía terminar la noche.

Daisy lo miró con ojos cordiales.

—Pareces cansado. ¿Has tenido un día duro?

—Bastante. —Antes de quitarse el abrigo, le hizo un breve relato de los trágicos acontecimientos de la jornada.

—Conociéndote —dijo ella cuando concluyó—, estoy segura de que has hecho todo lo humana y sobrehumanamente posible para salvarlo.

Daisy se acercó y se quedó a un paso de distancia detrás de él. El aroma femenino inundó la mente de Gavin con fantasías de todas las maravillosas posibilidades que podían hacer realidad juntos. Después, ella apoyó las manos sobre sus hombros y las deslizó por sus brazos, llevándose consigo las mangas del abrigo y robándole el autocontrol como si estuviera blandiendo el cincel de un escultor. Él sabía que solo necesitaba inclinarse un poco hacia atrás para sentir los pechos de ella contra su espalda. Qué tentación más agridulce.

«Dios, Daisy.»

La joven le quitó con destreza la prenda, pero el roce de sus manos le sentó tan bien que le hubiera gustado que le llevara más tiempo. Apenas habían sido unos segundos, sin embargo era lo más cerca que había estado del paraíso en bastantes días.

Entonces ella se separó de él, y aunque el hechizo aún no se había roto del todo, sí que pudo volver a respirar.

—¿Mejor así?

Él empezó a contestar, pero cuando se dio cuenta de que no era una pregunta como tal asintió con una inclinación de cabeza. Aquello pareció satisfacerla, porque sonrió y se dio la vuelta para colgar el abrigo en el perchero del recibidor. Entonces Gavin se permitió el silencioso placer de observarla, de admirar su elegante espalda, su esbelta cintura, sus caderas perfectamente proporcionadas y ese voluptuoso trasero que no necesitaba relleno alguno.

De repente, Daisy se volvió hacia él con tal rapidez que lo pilló con la guardia baja.

—¿Te apetece algo de beber antes de cenar?

No solía quedarse en casa, pero había tenido un día infernal, y aunque había conseguido dejar atrás su trabajo, al menos hasta la mañana siguiente, la tensión y una deplorable sensación de haber fallado seguían con él, cargando sus hombros, su alma y su mente. Seguro que un buen trago le ayudaría a conciliar el sueño, y aunque no fuera nada más que por eso ya merecía la pena, sobre todo en noches como aquella, en las que, a pesar de estar exhausto, no dejaba de pensar una y otra vez en los «qué hubiera pasado si...». Sí, la somnolencia era lo más cercano a la paz que podía conseguir.

La siguió hasta el salón.

—Un vaso de *whisky* escocés sería más que bienvenido.

Daisy se dirigió hacia la licorera que había en el aparador y sirvió tres dedos en un vaso. Luego se dio la vuelta y le entregó la bebida con una suave sonrisa en los labios.

Cuando Gavin extendió la mano para alcanzar el *whisky* sus dedos se tocaron, haciendo que se imaginara lo sencillo que sería presionar aquella bonita palma rosada contra sus labios.

—Gracias. —Tras unos instantes de vacilación añadió—: ¿Quieres acompañarme?

Todavía le perseguía aquel recuerdo de ella bebiéndose a tragos la botella de ginebra que tenía en el camerino, pero durante la última semana no había dado ninguna muestra de ser una bebedora empedernida, ni siquiera de ser una simple bebedora.

Daisy negó con la cabeza.

—Hoy he encontrado en el mercado un extraordinario *Côte du Rhône*. El vendedor me recomendó que lo sirviera con un costillar de cordero, de modo que prefiero esperar a la cena.

Gavin, que estaba sentándose en el sillón, levantó la cabeza de repente.

—¿Tenemos costillar de cordero?

Ella lo miró orgullosa de sí misma.

—Acompañado de patatas asadas y judías estofadas con almendras. Y si cuando termines todavía te queda sitio en el estómago, también hay tarta de limón. Ah, y para empezar tenemos ostras, pero no te preocupes, son frescas. Las he comprado en el mercado esta misma tarde.

—No me preocupo —comentó él, mirando hacia la mesa del comedor, que estaba preparada para dos, adornada con un candelabro y un centro de flores silvestres—. Veo que has estado ocupada.

Daisy asintió.

—He ido al Covent Garden, el mercado del que Harry siempre hablaba, ¿te acuerdas?

Claro que lo hacía.

—Espero que no te encontraras con ningún carterista —repuso con un guiño. Cada vez se sentía mejor.

Ella hizo un gesto de negación.

—Nada de carteristas, solo una vieja gitana.

—¿Y te dijo algo interesante?

Daisy pareció dudar un instante, pero al final terminó encogiéndose de hombros.

—Nada importante. Las típicas tonterías sobre la fama, la fortuna... el amor verdadero.

Al percibir el tono de desinterés con que decía eso último, su estado de ánimo cayó en picado y se vio invadido por una profunda tristeza que no tenía nada que ver con la situación de Jem. Daisy no era una mujer que estuviera hecha para casarse —ella misma se lo había dejado bastante claro— pero, aunque lograra hacerla cambiar de opinión, ¿cómo demonios iba a conseguir que las cosas funcionaran entre ellos, una actriz carismática y un aburrido abogado? ¿Podría existir una pareja más gafada en todo Londres?

La sonrisa de Daisy empezó a desvanecerse.

—He de confesar que aunque he estado en el mercado he empleado parte del dinero que me dejaste para encargar la cena. Espero que no te importe.

—En absoluto. Prefiero pasar la velada hablando contigo que tenerte como una esclava sobre los fogones.

Aquello pareció hacerle gracia.

—Nunca se sabe, Gavin —dijo ella sin dejar de mirarle—. Puede que disfrutaras mucho teniéndome como... esclava. —Antes de que le diera tiempo a pensar en una réplica al comentario añadió—: Oh, fíjate, ya te lo has terminado.

Siguió la mirada de ella hacia la mano en la que sostenía el vaso. Pues sí que lo había apurado rápido. Rourke le llevaba trayendo *whisky* escocés desde hacía dos años, pero no conseguía recordar otra ocasión en la que se lo hubiera bebido con tanta facilidad. Antes de que pudiera decir si quería más o no, Daisy estaba a su lado quitándole el vaso.

Un minuto después lo tenía de nuevo en la mano. Lleno.

—Voy a servir la cena —dijo ella, abandonando la estancia.

Una hora después, ambos estaban sentados a la mesa con los restos de comida y la botella de vino medio vacía interponiéndose entre ellos. Gavin dejó los cubiertos al lado del plato y alzó la vista, completamente satisfecho.

—Todo estaba delicioso. Mucho mejor que cualquier comida de las que sirven en el club. Gracias. —En realidad, era incapaz de recordar la última vez que había cenado en casa. Pero por muy excelente que fuera la comida, lo que de verdad había hecho de aquella cena algo especial era su acompañante.

Daisy sonrió, la luz del candelabro proyectó un tenue brillo sobre su cara, haciendo que sus ojos parecieran más grandes y sus labios más lujuriosos.

—Me alegro de que te haya gustado. Yo he disfrutado sirviéndotela. —Al ver que se levantaba de la silla, Gavin quiso hacer lo mismo,

pero ella se lo impidió con un gesto de la mano. A continuación, se colocó detrás de él, apoyó las manos sobre sus hombros y dijo—: Necesitas un masaje.

Él empezó a negarse, pero la firme presión de sus manos le sentaba de maravilla y su fuerza de voluntad empezó a debilitarse muy pronto. Sus tensos músculos se relajaron considerablemente, el alcohol recorriendo sus venas le produjo un cálido placer, tenía el estómago saciado y los hábiles dedos de Daisy deshaciendo la tensión de su cuello y hombros hacían que pareciera que estaba tocando el cielo.

De pronto, ella se apoyó sobre él y le rozó el cuello con los labios.

—Te deseo, Gavin—susurró—. Quiero que hagamos el amor. ¿Tan mala soy? ¿No podrías deshacerte de tus escrúpulos y dejarte llevar por una vez? Hasta puede que te guste. A mí seguro que sí.

Por supuesto que le gustaría. Estaba loco por ella. Aun así, negó con la cabeza.

—Esto nunca funcionará.

—Lo hará solo si tú dejas que lo haga. —Ella deslizó una mano por su torso y descendió acariciándole hasta dejarla descansar en su muslo.

Gavin había tenido una erección prácticamente desde que se sentó a cenar, pero sabía que la mesa la ocultaría. Ahora, sin embargo, era imposible que ella no la notara.

—¿Por qué no dejas a un lado ese agudo cerebro que tienes y permites que te muestre lo bien que estaríamos juntos? —continuó Daisy, acariciando su miembro. El calor que irradiaba la palma femenina atravesó la tela de sus pantalones.

Él se puso de pie con tal ímpetu que la silla se cayó a un lado.

—Dios mío, Daisy. No te imaginas lo bien que me haces sentir.

—Déjate de palabras, Gavin, y demuéstramelo.

Enredó las manos en su suave cabello e inclinó la cabeza para besar aquella preciosa boca triste como había fantaseado hacerlo la semana anterior. Sabía a una mezcla de la hierbabuena que había servido con

el cordero y al especiado vino que bebieron. Ella gimió y se estremeció entre sus brazos, presionando el vientre contra su erección. Después alzó la pierna y apoyó el pie en el tablero de la mesa, de modo que la parte interior de su muslo se frotara contra la cadera de él. No hacía falta que preguntara. Sabía exactamente lo que quería de él.

Gavin le acarició el tobillo y ascendió hasta el muslo, maravillándose de lo sedosa y firme que podía ser su piel. Cuando continuó con su erótico sendero se dio cuenta de que no llevaba ropa interior y sintió los húmedos rizos contra la palma de la mano. Su hendidura estaba mojada y caliente, y olía a deseo. Durante un segundo, no hubo nada que deseara más en el mundo que hundir su rostro en aquel dulce y fragante punto, y lamerlo hasta hacerla perder el control, hasta convertirse en su amo y reclamarla como su esclava bien dispuesta. Introdujo un dedo en su interior y se embebió del gemido que obtuvo de ella por respuesta.

Daisy separó los labios de los de él y alzó la vista para mirarle. Sus ojos ardían salvajes y mostraba una expresión de absoluta necesidad. La perfecta boca entreabierta pronunció dos únicas palabras:

—Por favor.

Hacía mucho tiempo que Gavin no estaba con una mujer, aunque se imaginaba que todavía sabría lo que debía hacer. Volvió a penetrarla con el dedo al tiempo que deslizaba la lengua en el interior de su boca. Sin dejar de imaginarse el momento en que enterraría la cara entre sus muslos y lamería su vulva hasta que alcanzara el clímax, besó las comisuras de su boca, el hoyuelo que le salía en la mejilla, el punto detrás de la oreja en el que podía sentir su pulso. Inclinó la cabeza y la miró. Al contemplar el deseo escrito en su cara y sus ojos cargados de pasión, una oleada de orgullo masculino lo recorrió de la cabeza a los pies.

Cuando apartó la mano, ella soltó un jadeo de protesta. Al instante siguiente los frenéticos dedos de Daisy encontraron el botón de sus pantalones.

—Oh, Gavin, no puedo esperar más. Tengo que tenerte... aunque solo sea por esta vez.

«Aunque solo sea por esta vez.»

Aquello hizo que Gavin volviera a la realidad del mismo modo que si acabara de zambullirse en un lago de agua helada. Bajó las manos a los costados y se alejó de ella.

—Daisy, no podemos hacerlo.

—¿Por qué no? —Lo miró como si acabara de abofetearla—. ¿Es que no me deseas?

Percibió una sombra de dolor en su expresión y se apresuró a calmarla de inmediato.

—¿Desearte, Daisy? Ardo por ti. Eres la encarnación de todas las fantasías que alguna vez he tenido y de todas las que no me he atrevido a tener... hasta ahora. Pero no voy a tomarte así. Te quiero para siempre, no para una única noche.

Escuchar hasta qué punto la deseaba debió de alentarla, porque sacó a la Dalila que llevaba dentro y dio un paso hacia él.

—Podemos hacerlo tantas veces como quieras y en todas las posturas que desees en estas tres semanas. ¿Qué te parece? —preguntó, intentando tocarle el miembro.

Él le apartó la mano.

—Para ya.

Bajo la tenue luz de las velas, atisbó un destello de furia en sus ojos.

—Y si no quiero parar, ¿por qué tendría que hacerlo? ¿Por qué tendríamos que hacerlo? No somos unos niños. Somos adultos. Podemos darnos todo el placer que queramos.

Él se pasó una mano por el pelo.

—Somos amigos, buenos amigos. Te he traído aquí para ayudarte, no para convertirte en mi amante.

Daisy se encogió de hombros, como si se tratara de una simple diferencia semántica.

—Da igual que me llames tu amiga o tu amante. Me deseas, Gavin. Lo sé.

Era demasiado sensato para negar tal evidencia.

—No es tan sencillo.

—Lo es. Complicas demasiado las cosas. Te deseo, Gavin. Lo he hecho desde que fui lo bastante mayor como para saber lo que era desear a alguien, a un hombre. La vida es demasiado corta, o puede llegar a serlo, y si solo está en nuestras manos conseguir toda la felicidad que podamos, ¿por qué no hacerlo? No hay nadie a quien tengamos que rendir cuentas ni tampoco tiene que haber un después, no tiene por qué significar nada.

Estaba a punto de ceder, pero la última observación fue lo que le recordó por qué tenía que permanecer firme en sus convicciones. Daisy debía aprender que el sexo no era un arma ni un juguete con el que poder negociar. Era un regalo, un preciado regalo.

Negó con la cabeza y se dio media vuelta.

—Esa es la cuestión, preciosa. Para mí sí que significaría algo.

Horas más tarde, Daisy yacía despierta, repasando su intento de seducción frustrada y tocándose en la cama. Gavin debía de pensar que era una prostituta, ¿por qué no iba a hacerlo si había interpretado ese papel a la perfección? Lo cierto era que se le daba mejor seducir a los hombres que ser su amiga. En sus últimos intentos siempre había terminado en la cama de alguien, así que ¿por qué no saltarse todos los prolegómenos e ir directamente al meollo del asunto?

Pero Gavin no era como los hombres que había conocido en Francia. En realidad no era como ningún hombre que hubiese conocido antes. Si algo habían querido de ella los franceses o ingleses expatriados era mantener relaciones sexuales en diversos grados. Ya fueran unos

cuantos azotes en el trasero o un encuentro sexual completo, ninguno de ellos había mostrado después el más mínimo interés por sus sentimientos ni opiniones, y mucho menos por sus sueños. Gavin, por el contrario, siempre la había tratado como una persona, una amiga, una igual. Desde que le dijo que quería ser una actriz, había hecho lo imposible para que su sueño se hiciera realidad. Si todavía le quedara un ápice de decencia, debería aceptar su amistad como el regalo que era y aprender a no exigir más de lo que él estaba dispuesto a dar.

El único problema era que quería ser algo más que su amiga, y la creciente frustración que sentía estaba empezando a hacer que sus encuentros fueran cada vez más intensos. Al recordar el sabor y textura de aquella boca viril moviéndose sobre la suya, la firme presión de su palma y sus diestros dedos, empezó a acariciarse entre los muslos. Gavin tenía las manos más hermosas que jamás hubiera visto, anchas y de dedos largos. Verle hacer algo tan simple como untarse la tostada con mantequilla o escribir con su pluma conseguía que muchas veces estuviera a punto de deshacerse por dentro. Cerró los ojos y se acarició el clítoris con uno de sus dedos, imaginándose que era él el que lo hacía.

Aunque aquello no era en nada comparable con el peso de un hombre de carne y hueso empujándola contra el colchón mientras le hacía las cosas más deliciosas. Lo malo era que no quería a cualquier hombre. Quería a Gavin. Y después de lo sucedido aquella noche, ahora sabía que él también la deseaba.

Con lo que no había contado era con la obstinación del abogado, ni con su inquebrantable fuerza de voluntad. Era la persona más disciplinada con la que se había encontrado en su vida, y aunque eso solía ser más una virtud que un defecto, estaba harta. Si no cedía pronto terminaría tan loca como un animal en celo.

Continuó acariciándose hasta alcanzar el orgasmo, un orgasmo que vino acompañado de un gemido que amortiguó contra la almohada. Después cayó dormida. Tuvo un sueño muy erótico, fascinante e in-

tenso. Estaba con Gavin en una cama. Por alguna razón, sabía que era la primera vez que estaban juntos, aunque no tenía claro de quién era el lecho ni dónde estaba, pero el colchón era de plumas de ganso, suave aunque firme, y estaba cubierto de sedosas sábanas blancas. Gavin estaba recostado contra un montón de almohadas, con el torso desnudo; la sábana empezaba a cubrirle a partir de la cintura. Ella estaba sentada a horcajadas sobre él y le besaba en aquellos lugares que más le gustaban. Estaba deseando continuar más abajo.

—Oh, Gavin —murmuraba, profundamente dormida. Los sonidos que formaban el telón de fondo de su sueño se iban haciendo cada vez más violentos—. Oh, *chéri*, deja que te lleve al paraíso.

De la garganta de Gavin escapó otro gemido, esta vez más grave y gutural. Era parecido al que solía emitir un animal cuando quedaba atrapado en la trampa de un cazador. En realidad no era un sonido de placer, más bien dejaba entrever un profundo dolor y una agónica desesperación.

Daisy se incorporó de golpe. Tenía el sexo completamente húmedo y todavía palpitante. Los gemidos eran gritos, y no provenían del interior de su cabeza sino del otro extremo del pasillo. Completamente despierta, recordó las pesadillas que acosaban a Gavin en Roxbury House y deslizó las piernas por un lateral de la cama.

Desnuda, tanteó en la oscuridad en busca de una bata. La encontró a los pies del lecho y se la puso, atándose el cinturón mientras se dirigía a la puerta. A pesar de estar en medio de una presunta misión de rescate, su cuerpo no terminaba de volver a la normalidad, tenía el pubis híper sensible y los pezones enhiestos como si hubieran sido acariciados por unas manos invisibles.

Recorrió el pasillo en busca del dormitorio de Gavin. Hasta ese momento, apenas le había echado un vistazo. Alzó una titubeante mano, pero entonces se armó de valor y golpeó con fuerza con los nudillos en el panel de madera. Nada. Debía de estar dormido. Se dio media vuelta, dispuesta a regresar a su habitación, cuando otro gemido desgarrador le encogió el corazón. Volvió a recordar las pesadillas que tenía de niño y se preguntó si se trataría de lo mismo o si todas las cosas que había tenido que ver como abogado eran motivo suficiente para hacer sufrir a un corazón y a una mente tan compasivos. Fuera lo que fuese, tenía que salvarle, ayudarle, aunque solo fuera por esa noche.

La puerta no estaba cerrada y el pomo de cristal tallado giró perfectamente en su mano todavía húmeda. Avanzó un paso y dudó durante unos segundos. Hasta esa noche, siempre que había entrado en la alcoba de un hombre había sido o por invitación expresa o porque le habían dado indicios suficientes de que su presencia sería bienvenida. Pero la habitación en la que estaba a punto de entrar era el dormitorio de Gavin, territorio vedado. Y después de esa noche, más.

Al fin se decidió a entrar y cerró suavemente la puerta tras de sí.

—Gavin, soy yo.

La lámpara de la mesita de noche todavía estaba ardiendo y en su repisa descansaba un libro abierto junto con un par de gafas de alambre que nunca le había visto llevar. Debía de haberse quedado dormido mientras leía.

Gavin se sacudía en el centro de la cama, ensañándose con una almohada que sostenía entre los puños. De hombros anchos y constitución delgada, tenía unos brazos muy musculosos y un vientre perfectamente plano. Bajó la mirada hacia la sábana que cubría su cintura. Al igual que en su sueño, no llevaba nada para dormir, y las gotas de sudor que salpicaban su fibroso torso consiguieron que se olvidara hasta de respirar.

Se acercó a la cama e intentó quitarle la almohada.

—Gavin, es solo un sueño. Estás...

Antes de que pudiera terminar se vio alzada en el aire. Gavin giró con ella y la tumbó de espaldas al colchón, inmovilizándola con dureza bajo su cuerpo.

—¡Suéltame, desgraciado! ¡Suéltame!

—¡Para, Gavin! ¡Soy yo! ¡Daisy!

—¿Daisy?

Su nombre pareció romper la neblina en la que le tenía sumido aquella pesadilla, porque aflojó inmediatamente las manos con las que sujetaba a su presa y abrió los ojos al instante.

—Oh, Dios mío, Daisy, ¿estás bien? ¿Te he hecho daño?

La ayudó a incorporarse. Ella se sentó sobre la cama y se frotó las muñecas. Seguro que a la mañana siguiente tendría unas bonitas magulladuras de adorno, pero ahora se encontraba bien, al igual que él.

—Estoy bien. Tenías una pesadilla. Intenté despertarte pero no me oíste. ¿Era la del incendio, la misma que solías tener en Roxbury House?

Él se pasó una mano por el pelo humedecido por el sudor y la miró con ojos angustiados.

—Es como un condenado maleficio, como una serpiente al acecho esperando saltar sobre mí siempre que creo que por fin lo he superado. Puedo estar meses sin ningún episodio, y de pronto, sin ninguna razón aparente, regresa de nuevo. Y así una y otra vez. —Se tapó los ojos con las palmas de las manos—. Jesús, casi tengo los treinta. Seguro que creías que después de todo este tiempo había conseguido dejar atrás mi pasado y seguir con mi vida.

Una vida que no incluía a mujeres como ella, al menos no en la forma tan importante a la que Harry se había referido. Se tragó el nudo que se le había formado en la garganta y sugirió:

—Quizá si me contaras en qué consiste, escena por escena, y siempre que puedas soportarlo, yo pudiera ayudarte, ¿qué me dices?

Gavin se quedó pensativo unos segundos y después asintió.

—Supongo que no puede hacerme ningún daño intentarlo. —Se apoyó contra el cabezal de la cama y cerró los ojos—: Estoy de pie, afuera, observando impotente cómo arde el edificio. El aire está lleno de

134

humo. Un humo pesado que se me mete por la boca, abrasándome las fosas nasales y obstruyéndome la garganta. Dentro del edificio, un bebé, mi hermana, está gritando de dolor. Quiero ir con ella, con todos ellos, pero un vecino que ha logrado salir a tiempo me sujeta con fuerza. Entonces oimos un horrible estruendo, el techo se hunde y todo se viene abajo. A continuación la escena se vuelve extrañamente silenciosa pero puedo percibir cada sonido dentro de mi cabeza: el crepitar de las llamas que aún quedan, las campanas del coche de bomberos, el chorro de agua que sale por la manguera. Y el muy desgraciado sigue sin soltarme.

A Daisy se le inundaron los ojos de lágrimas. Gavin era un hombre demasiado bueno para sufrir un tormento perpetuo como aquel. No era justo que todavía siguiera así después de tantos años.

—Es a él a quién le gritas así. Nunca nos lo contaste de pequeños.

Gavin se pasó ambas manos por el pelo, retirándose los mechones que le caían por la frente.

—Sí. Llegó por detrás y me abrazó por la espalda con la fuerza de un oso. Dio igual lo mucho que le grité, rogué o amenacé, no me soltó.

—Entonces ese hombre, ¿te salvó la vida?

Él hizo un gesto de asentimiento.

—Nunca se lo agradecí. Lo único que quería era irme con ellos; si no podía salvarlos, al menos estar con ellos hasta el final. Si hubiera tenido la fuerza suficiente, habría podido tirarle al suelo y correr hasta las llamas.

—Si ese hombre te hubiera soltado, habrías muerto y el mundo... al igual que yo... habríamos sufrido una pérdida terrible. —No podía imaginarse un mundo sin Gavin, ni el vacío total que sentiría.

Él se volvió para mirarla y sacudió la cabeza.

—Dios. Debes de pensar que soy un endeble.

No podía soportar que siempre fuera tan duro consigo mismo.

—Gavin Carmichael, eres lo menos endeble que una persona puede llegar a ser. ¿No te das cuenta de que perder a tu familia te ha forjado de igual modo que un herrero lo hace con el metal, de que un suceso

tan trágico te ha convertido en el brillante abogado y buen hombre que eres ahora?

Sin pensárselo dos veces, recostó la cabeza sobre el hombro de él y apoyó la cara contra su pecho. El pelo de su torso le hizo cosquillas en las mejillas y el latido de su corazón la reconfortó. No estaba acostumbrada a estar entre los brazos de un hombre de ese modo. De hecho, había rehuido ese tipo de intimidad toda su vida. Pero al verse rodeada de la sólida calidez de Gavin, de su fuerza y virilidad, entendió por qué algunas mujeres solían hacer una costumbre de aquello.

Y él, en lugar de apartarla, la abrazó aún más.

—Seguro que al muchacho al que han mandado a prisión le consuela muchísimo mi buena reputación y brillantez legal mientras contempla la vida pasar a través de los barrotes de su celda.

Ella alzó la vista y le miró. Estaba compungido y con la mandíbula apretada.

—Oh, Gavin —dijo, negando con la cabeza—, desde que te conozco has estado salvando cosas... pájaros con las alas rotas, gatos tuertos... —«Y a mí. Sobre todo a mí»—. Pero a pesar de que ya has salvado a un montón de gente y de todo el bien que has hecho, no solo con los extraños, sino con tus amigos, no puedes hacerlo con todo el mundo. Nadie puede. —Al ver la confusión que mostraban sus ojos explicó—: Cuando Harry, perdón, quiero decir Hadrian, vino el otro día, me contó cómo le habías ayudado con su estudio fotográfico.

Él sacudió la cabeza, como si ayudar a un amigo a rehacer su vida fuera algo de lo más normal.

Al verlo tan desanimado y hundido, deseó poder besar ese ceño fruncido de «estoy preocupado por el mundo» que tenía, pero estaba claro que él no quería ningún beso, al menos no los de ella.

—Le presenté a algunas de las personas que más le convenían para que el negocio echará a andar —comentó, encogiéndose de hombros—, pero el éxito de su estudio se debe solo a él.

—Pues según él hiciste mucho más que unas simples presentaciones. No tenía dinero para un guardarropa adecuado y mucho menos para ubicar el negocio en Parliament Square.

—Hadrian siempre ha sido muy exagerado.

Daisy levantó la mano y le retiró un mechón de pelo húmedo que había vuelto a caerle sobre la frente.

—Al igual que otros tienden a ser demasiado modestos. Solo tienes que ver lo que estás haciendo por mí. Me has dado una oportunidad de oro. Hasta me has salvado la vida en cierta forma. Aunque al final no me den un papel, al menos podré mirar atrás y saber que lo intenté en serio.

Él se quedó mirándola durante un buen rato.

—No vas a fallar, Daisy. El otro día, cuando estabas recitando el soliloquio de Jaime de *Como gustéis*, no me viste, pero te estuve observando desde la puerta. Tienes un talento extraordinario. De verdad.

Apartó la mirada. Para ella la alabanza de Gavin era mucho más valiosa que el aplauso de toda una audiencia.

—De todos modos, con lo poco que mi ayuda pueda contribuir a tu carrera solo te estoy pagando parte de una vieja deuda que tengo contigo, no toda.

Ella se tensó contra él.

—¿Y qué deuda crees tener conmigo?

¿Sería posible que al final admitiera que hizo caso omiso de todas las cartas que le envió?

—Me devolviste la vida. Conseguiste que volviera a hablar y a relacionarme con la gente a pesar de mi maldita tartamudez. La forma en la que solías mirarme... hacías que me sintiera como si midiera tres metros de alto.

Daisy se relajó de nuevo y el corazón, que hacía unos instantes le latía desaforado, recobró su ritmo habitual. El dormitorio de Gavin en plena noche no eran ni el lugar ni el momento adecuados para abordar

el asunto de cómo la había expulsado de su vida y lo mucho que aquello le había dolido.

—Ayudarte me dio algo que hacer. Por primera vez sentí que podía ser buena en algo.

—Eres buena en muchas cosas. Cantar, bailar, actuar...

—Y no olvidemos en quitarme la ropa.

Gavin hizo una mueca de disgusto y abrió la boca dispuesto a hablar, pero al final la cerró sin decir nada.

Ahora que sabía que no le pasaba nada y que las cosas volvían a ser como antes entre ellos, o al menos tanto como deberían ser, Daisy comenzó a sentir los párpados pesados. Pero antes de quedarse dormida entre sus brazos, se incorporó para marcharse.

Una vez que estuvo sentada a un lado de la cama, se volvió para mirarle.

—¿Gav?

Medio dormido, él abrió un ojo.

—¿Sí, Daisy?

—Sobre lo que hemos hablado antes esta noche, ¿seguimos siendo amigos?

Los labios masculinos esbozaron una plácida sonrisa.

—Sí, Daisy, somos amigos.

Capítulo 9

Lástima que el bobo no pueda decir con cordura
las bobadas que hace el cuerdo.

WILLIAM SHAKESPEARE, Parragón
Como gustéis

Segunda semana

El día de la audición llegó antes de que pudiera darse cuenta. La primera quincena del mes pactado con Gavin había pasado como una exhalación. Jamás en toda su vida el tiempo había volado de esa manera.

Quieta en medio de las escaleras del teatro, bajo una llovizna primaveral, se despidió con la mano del carruaje de caballos en el que iba Gavin. Cuando el vehículo dobló la esquina y desapareció de su vista, se le puso el corazón en un puño. Tal vez debería haber cedido y dejar que la acompañara, como se había ofrecido a hacer, aunque entonces se habría arriesgado a volver a avergonzarle. Era cierto que no tenía el más mínimo inconveniente en sacarle los colores en la intimidad de su

casa, pero también era muy consciente de que el fastuoso mundo en el que estaba a punto de entrar era el lugar al que él pertenecía. Si alguien tenía que llevarse una decepción o avergonzarse por algo, esa era ella.

Lo que más temía no era fracasar y no conseguir ningún papel, sino que ese fracaso defraudara a Gavin. Durante las dos últimas semanas había hecho que su sueño se convirtiera en el de ambos, y aunque resultaba reconfortante tener a un compañero en esa aventura le preocupaba decepcionarle.

Abrigándose con la capa, respiró hondo y accedió a la columnata de la entrada. Una vez dentro, siguió las señales que la guiaban hasta el auditorio. Permanecer quieta debajo del techo abovedado con aquellas arañas de cristal eléctricas y de cara al escenario hizo que se sintiera minúscula en comparación con el enorme teatro, mucho más grande de lo que se podía imaginar desde el exterior. Gavin le había dicho que el Drury Lane tenía la capacidad de albergar a más de tres mil espectadores, pero hasta ese momento no se había imaginado lo formidable que podía ser. Incluso el Moulin Rouge, el lugar más prestigioso en el que jamás había actuado, parecía pequeño en comparación.

El director de escena que la había rechazado semanas antes se acercó a ella. Se fijó en que venía preocupado y que no pareció reconocerla. Mejor. Tablilla en mano, hizo un gesto a la docena de mujeres congregadas en un rincón de las escaleras que daban al escenario.

—Vaya hacia allí con el resto de candidatas. Y dese prisa. Vamos con mucho retraso.

En cuanto llegó al lugar que le habían ordenado, las candidatas dejaron de hablar. Una rubia alta y vestida de forma elegante que encabezaba la fila terminó con la conversación que estaba manteniendo con su compañera de al lado y se dirigió a Daisy.

—Bonita capa —dijo en voz alta, examinándola de la cabeza a los pies con sus hundidos ojos negros—. Me recuerda a una que tenía y que le regalé a mi criada el mes pasado.

El resto de mujeres se volvieron para mirarla, conteniendo a duras penas la risa.

Daisy sintió cómo se le enrojecían las mejillas, pero en vez de encogerse dentro de su capa e intentar pasar lo más desapercibida posible se obligó a cuadrar los hombros y a alzar la barbilla.

—¡Vaya!, gracias. Podría devolverte el cumplido diciendo lo elegante que es el vestido que llevas. Nunca he visto a una mujer de tu edad llevar con tanto estilo ropa para jovencitas.

El sonrojo inundó el rostro de la rubia, confirmando así su sospecha de que debía de rondar los treinta o más. Tras el comentario, la mujer se dio la vuelta y le dio la espalda, un gesto que la dejó más que satisfecha. Si algo bueno había traído aquel intercambio de pullas era que había dejado de pensar en lo nerviosa que estaba. Cuando las llamaron, casi sentía haber recuperado su viejo ego.

El director de escena llegó con un sombrero en el que cada una de ellas debía introducir la mano y extraer un número. Daisy hizo lo propio y sacó un papel doblado. Deseando ser de las primeras o las últimas —ir en medio nunca era bueno—, desplegó el papel y miró hacia abajo. Al instante, sintió cómo la sangre se le congelaba en las venas. Las personas que se dedicaban al espectáculo solían ser muy supersticiosas y ella, a excepción de un par de rituales que solía seguir antes de entrar a escena, siempre se había vanagloriado de no caer en una necedad como esa... hasta ahora. El trece era un número que traía mala suerte, una cifra que siempre se asociaba a todo tipo de malos augurios.

—Señoras, cuando las llamemos por su número caminen hasta el centro del escenario, digan en voz alta su nombre y esperen a que les demos la señal para comenzar. Tienen tres minutos. Después, deberán saludar y salir por la izquierda.

Dicho aquello, tomó asiento en la primera fila. A su lado había otros dos hombres, incluido uno muy bien vestido que debía de ron-

dar los cuarenta, y que Daisy sospechaba era sir Augustus, el director del teatro. A pesar de que no le había visto nunca, la descripción que le hizo Gavin del aclamado actor, empresario teatral y dramaturgo se ajustaba a la perfección.

Una a una, las actrices fueron haciendo la prueba, empezando por la rubia, que escogió un extracto de *Otelo* en el que Desdémona suplicaba a su celoso marido que entrara en razón. Aunque Daisy la encontró un poco sobreactuada, su porte y la forma en que recitó hablaban de experiencia y una buena formación teatral. Y mientras observaba al resto tuvo que admitir que eran bastante buenas, en diferentes grados, y que se desenvolvían con facilidad en un teatro de esa magnitud.

Cuando se quiso dar cuenta, la número doce estaba abandonando el escenario. Era su turno. Toda la sangre pareció agolpársele en las sienes y tuvo la sensación de que un océano embravecido le sacudía los oídos. La frente y las axilas empezaron a sudarle profusamente, y las manos, que había intentado calentar desde que entró al teatro, las sentía como dos témpanos de hielo.

El director de escena frunció el ceño, alzó el megáfono y volvió a llamarla.

—Número trece. Esa es usted, señorita Lake.

No había sufrido un ataque de miedo escénico en años, por lo que prácticamente se le había olvidado el estado de pánico e intimidación en que podía sumirse. Consciente de que todas las miradas se centraban en ella, subió las escaleras que daban al escenario. Estaba tan nerviosa que tenía que pensar en algo tan fácil como respirar en vez de hacerlo de forma natural.

Cuando llegó al último escalón y caminó hasta el centro del escenario tenía las piernas como dos temblorosos flanes.

«Respira, Daisy. Simplemente respira.»

—Empiece de una vez, señorita Lake —bramó uno de los hombres desde su asiento—. No tenemos todo el día.

Pensó en la cara de Gavin y en la expresión de paz que tenía cuando se quedó dormido la semana anterior, una vez superada la pesadilla. Intentó aminorar los latidos de su corazón y respirar con calma. A continuación, sonrió y clavó la vista en sir Augustus, que la miraba con curiosidad.

—Daisy Lake —se presentó.

Se aproximó a la parte delantera del escenario y se desabrochó la capa muy, muy despacio. En cuanto se aseguró de haber acaparado toda la atención masculina, en especial la del director del teatro, meneó ligeramente los hombros, enviando la prenda al suelo. Un jadeo colectivo se elevó entre la pequeña audiencia.

Embebiéndose del poder que en ese instante ejercía, tomó una profunda bocanada de aire y comenzó:

—El mundo es un gran teatro y los hombres y mujeres son actores...

El Garrick ya estaba lleno cuando esa misma tarde Gavin subió las escaleras que conducían al interior del club con fachada de estilo italiano. Una vez dentro, tuvo que esperar sus buenos cinco minutos en el vestíbulo atestado antes de que uno de los mozos se encargara de su sombrero y abrigo. El sábado era el día más popular entre los miembros del club por un buen número de razones. Al fin y al cabo, el club proporcionaba un santuario seguro para los maridos que buscaban refugio de los invitados del fin de semana y del resto de obligaciones sociales impuestas por el género femenino.

Encontró a Hadrian en la sala de fumadores, sentado en un descolorido sillón orejero cerca de la ventana. Cuando se acercó a él, vio que estaba echándole un vistazo a la portada de *The Times*.

—Lo siento, llego tarde. Tuve que dejar a Daisy en el Drury Lane de camino. Hoy tenía la audición.

Tomó asiento en una butaca de cuero que había conocido mejores días, hizo gestos a un camarero y pidió que les sirvieran dos cafés.

—No te preocupes. Ya ves que me he puesto cómodo, como suelo hacer siempre. —Hadrian sonrió de oreja a oreja y señaló el vaso de *whisky* que se había tomado.

Ambos rieron entre dientes. Aunque el Garrick era probablemente el club de caballeros menos pretencioso de todos los que había en Londres, los estatutos exigían que los socios siguieran un determinado código de conducta. Al igual que sucedía en otros clubes, el encorsetado sistema seguía en plena vigencia. Y su amigo, ya se hiciera llamar Hadrian o usara su auténtico nombre, Harry, había protagonizado un escándalo el año anterior anunciando que era el hijo bastardo de una prostituta del East End. Que se sacrificara a sí mismo para desenmascarar a un despreciable miembro del Parlamento que lo contrató para que tomara una foto que hundiera a Callie, por aquel entonces presidenta de la Sociedad Londinense para el Sufragio Femenino de la capital inglesa, y asegurarse así el fracaso del proyecto de ley antes de que llegara a la cámara legislativa, era algo secundario. Por muy nobles que fueran sus razones, los hijos de las rameras no eran aptos para ser socios de ningún club. Y aunque Gavin estaba dentro de la junta directiva, no podía cambiar los estatutos para que admitieran a su amigo. Eso sí, no tenía ningún inconveniente en servirse de todos los subterfugios legales a su alcance para saltárselos, lo que implicaba invitarle siempre que se presentaba la ocasión. Excepto por el derecho a voto, el fotógrafo disfrutaba de todos los privilegios que ofrecía el Garrick sin tener que pagar la exorbitante cuota de socio.

Hadrian dobló el periódico y lo dejó encima del tablero de cuero de la mesa.

—¿Cómo os va a Daisy y a ti?

—¿Perdona?

—Las lecciones de teatro, ¿crees que está mejorando?

Ah, se refería a eso. Debía de estar volviéndose un paranoico porque, durante un instante, se sintió como lo haría un culpable intentando defenderse en un estrado.

En ese momento llegó el café. Gavin tomó un sorbo.

—La otra noche me recitó el monólogo que va a interpretar en la audición y es bastante buena —respondió.

—No lo dudo. Todavía recuerdo muy bien su excelente actuación en *El gato con botas*.

Hadrian sonrió abiertamente y aunque Gavin se unió a él llevaba la procesión por dentro. Se sentía tan nervioso como si fuera él el que estuviera haciendo la prueba delante del director del Drury Lane. Durante las dos últimas décadas los dramas teatrales habían pasado de moda, lo que dio lugar a un famoso dicho según el cual Shakespeare te llevaba a la ruina y Byron a la bancarrota. Afortunadamente, *Como gustéis* era una de las comedias shakesperianas más queridas por el público, y Gavin creía que, teniendo en cuenta el bagaje de Daisy en el *burlesque*, la joven podría mostrar sus puntos más fuertes con una obra tan llena de insinuaciones y malentendidos. Lo que más le preocupaba era que se dejara vencer por el miedo escénico. Cuando la había dejado a las puertas del teatro parecía demasiado inquieta.

Hadrian añadió un segundo terrón de azúcar a su café y lo removió con una cucharilla.

—¿Cuántas posibilidades tiene de obtener un papel?

—Tiene un fino sentido del humor y su dicción ha experimentado una gran mejoría desde que da clases particulares. —Al final, la actriz retirada de Bath había resultado ser una bendición del cielo—. Ilusiones aparte, creo que sus posibilidades de conseguir el personaje de Andrea son más que reales.

—¿Andrea? Te pediría que me refrescaras la memoria, pero ya que nunca he leído a Shakespeare u otra cosa que no sea un periódico o libros de fotografía tendrás que ilustrarme.

—*Cómo gustéis* es una comedia. La mayor parte de la trama se desarrolla en un ambiente pastoril, en el bosque de Arden. Se puede decir que Andrea es el bufón femenino de la obra. Es un papel menor. También podría interpretar a la esquiva Febe, la orgullosa pastora que se enamora de Rosalinda cuando se disfraza de Ganímedes, un hombre.

—¿Rosalinda?

Gavin tomó otro sorbo de café y continuó con la explicación.

—Sí, la protagonista.

—¿Y no podría Daisy interpretarla?

Gavin casi se atragantó con la fuerte bebida.

—Rosalinda lleva el peso de la obra. Lo más seguro es que el director escoja a una actriz con más tablas.

—¿No crees que Daisy pueda tener la más mínima oportunidad, aunque solo sea una?

Era una pregunta bastante razonable, y a Gavin no le importó el tono de su amigo.

—Todavía le queda mucho que aprender para desenvolverse como es debido en un escenario de verdad. Después de todo, el Drury Lane no es un sala de espectáculos cualquiera.

Hadrian abrió la boca para decir algo, pero fue interrumpido por el camarero, que se acercó con una cafetera y una bandeja de galletas.

Gavin esperó a que llenara sus tazas antes de sacar a colación el asunto sobre el que llevaba pensando varios días.

—Daisy mencionó que te dejaste caer por casa la semana pasada. Siento no haber estado.

—En realidad, con quien quería hablar era con ella. Pensé que nos vendría bien contarnos cómo nos había ido en la vida. Espero que no te moleste.

—¿Por qué iba a molestarme? —contestó él. Sin saber muy bien por qué, se sintió un poco irritado—. ¿Puedo preguntarte sobre lo que hablasteis o es algo privado?

Hadrian le miró directamente a los ojos.

—Le dije que si estaba buscando un amante no eras el hombre adecuado, pero que si quería algo más profundo, más importante, no encontraría a nadie mejor que tú. ¿Me equivoqué?

Gavin negó con la cabeza.

—Supongo que debería agradecerte el gesto, pero Daisy y yo somos solo amigos. La ayuda que le estoy prestando no es muy diferente a lo que hice contigo cuando volviste a Londres.

Era una flagrante mentira, y Hadrian no dudó a la hora de expresarlo en voz alta.

—¡Tonterías! Estás enamorado de ella.

Gavin dejó la taza y el plato en la mesa con un pequeño golpe. ¿De verdad era tan transparente?

—Si lo estuviera, y con ello no quiero decir que lo esté, ni siquiera sabría qué tipo de mujer podría llegar a ser. A veces vislumbro rasgos de la muchacha que todos recordamos, pero ella no deja de insistir en que es Delilah, no Daisy. Es como si disfrutara haciendo el papel de curtida mujer de la calle, por no hablar de que aprovecha cualquier ocasión para escandalizarme.

Hadrian esbozó una sonrisa cargada de sabiduría.

—Llevar una doble identidad es una buena excusa para esconderse. Lo digo por experiencia. Puedes tratar de convencerte de que te escondes de los demás, del mundo en general, pero de la única persona de la que realmente te escondes es de ti mismo. Dale tiempo, Gavin. Todo esto es nuevo para ella. Aunque esté acostumbrada a vivir en una gran ciudad, Londres puede resultar muy intimidante. Con el tiempo volverá a ser la de siempre.

Con el tiempo. Ella solo le había prometido un mes y ya habían transcurrido dos semanas.

—Aunque volviera a ser la de siempre, no estoy muy seguro de lo que podría ofrecerle.

—¿No? Puedes empezar con tu corazón... y tu apellido.

—Matrimonio. —Gavin dejó la palabra suspendida en el aire.

Hadrian asintió.

—Seguro que soy el último hombre al que jamás te hubieras imaginado decir algo así, pero casarte con la persona correcta es lo más cerca que se puede estar del cielo.

Gavin lo miró y sacudió la cabeza.

—Eso mismo dicen todos los recién casados.

El fotógrafo dejó de masticar el trozo de galleta que se estaba comiendo e hizo un gesto de negación.

—Daisy vino a decirme más o menos lo mismo el otro día. Vaya un par de cínicos en que os habéis convertido.

El problema, al menos desde su punto de vista, era que no eran ningún par. Daisy ni siquiera había dejado entrever que quisiera mantener con él algo más que una relación física pasajera. Y aunque quisiera dejarle ser algo más que su amante, ¿qué podría ser? Teniendo en cuenta la diferencia de clases sociales que había entre ambos, resultaba difícil imaginarse cómo podrían desenvolverse como pareja, y mucho menos como marido y mujer. Si hubiera pasado toda su juventud en Roxbury House en vez de que lo sacaran de allí y lo encerraran en la prisión dorada que era la alta sociedad, no habrían tenido ningún problema. Pero no. Era un prominente abogado, así como el heredero de una de las familias más respetables, si no de las más influyentes, de Inglaterra, y Daisy era una antigua corista aspirante a actriz. ¿Qué tipo de vida podría ofrecerle? Era un acertijo que una mente tan supuestamente brillante como la suya debería resolver. Pero hasta que lo hiciera, prefería olvidarse del asunto.

Sin embargo, Hadrian no parecía estar muy por la labor.

—Solías ser el más romántico de todos, el que creía que todo se podía conseguir. ¿Qué te ha pasado, Gav?

La vida le había pasado. Para él, el amor y la pérdida parecían ir siempre de la mano. Si algo había aprendido de todo lo doloroso que

148

le había sucedido era que en el momento en que comprometía su corazón, en el momento en que amaba a alguien o se encaprichaba con algo, llegaba el Universo y se lo quitaba de un plumazo. Abrió la boca dispuesto a decir eso mismo cuando divisó a sir Augustus Harris, el director del Drury Lane, dirigiéndose hacia ellos con paso decidido.

—Sir Augustus, qué agradable sorpresa. —Y era cierto que estaba sorprendido. Se levantó para darle la mano, preguntándose si esa pronta aparición era una buena o una mala señal de cómo le había ido la prueba a Daisy. Por lo poco que sabía de los entresijos del mundo teatral, las audiciones solían llevar horas, e incluso extenderse hasta el día siguiente o más.

Tras las presentaciones de rigor, Gavin hizo un gesto hasta la silla vacía que había a su lado.

—¿Le apetece acompañarnos?

—Pues no le voy a decir que no.

El camarero sirvió otro café con su correspondiente plato de galletitas para el recién llegado. Sir Augustus escogió una de limón y pidió una copa de oporto para acompañar su café.

—Quisiera agradecerle el haber incluido a la señorita Lake en la audición de esta tarde. Espero que no le decepcionara —comenzó Gavin, en cuanto estuvieron acomodados de nuevo.

Sir Augustus se limpió las migajas de la barba y terminó lo que quedaba de la galleta con un sorbo de oporto antes de contestar.

—Todo lo contrario, su interpretación ha sido estelar y su entrega... única.

Preguntándose a qué se refería exactamente con eso último, se dejó guiar por la expresión sonriente del director del teatro y se relajó en su asiento. Hasta ese momento no se había dado cuenta de que había estado tan nervioso que se había sentado en el mismo borde.

—No se puede imaginar lo que me alegra oírle decir eso. Entonces, ¿cree que podrá darle algún papel para representar a un personaje con

149

diálogos? Justamente le estaba comentando al señor St. Claire lo bien que haría de Andrea. —Miró de reojo a Harry y dudó sobre si debía continuar hablando o si sería mejor callarse, porque, a su entender, ya había dicho demasiado.

Sir Augustus lo miró fijamente durante un buen rato y después se tomó otro trago de oporto.

«Por el amor de Dios, suéltelo de una vez», pensó Gavin.

—Mi querido señor Carmichael, su protegida no brillaría lo suficiente con un papel tan pequeño.

Entonces la prueba le había ido bien. Repasó mentalmente el elenco de personajes. ¿Le habría ofrecido sir Augustus el papel de Febe, mucho más jugoso que el otro? ¿O quizás el de Himeneo? Ese último personaje, aunque tenía texto, salía al final de la obra, pero precisamente por eso resultaba más fácil que los espectadores lo recordaran.

Sir Augustus se dio una palmada en el muslo, como si lo que hubiera dicho Gavin le hubiese hecho mucha gracia. Luego se bebió el resto del oporto y negó con la cabeza.

—Todo lo contrario, señor Carmichael, la he encontrado.

—¿Encontrado a quién? —Gavin y Hadrian intercambiaron una mirada. «Está borracho», pensó, «es la única explicación posible». Dirigiéndose de nuevo a sir Augustus reconoció—. Lo siento, pero no le entiendo.

El director esbozó una enorme sonrisa.

—Su protegida, la señorita Lake, ¡hará de Rosalinda!

Cuando Gavin regresó a casa del club, Daisy lo estaba esperando en la puerta de entrada con las mejillas encendidas y los ojos brillantes de felicidad. En cuanto lo vio, se abalanzó sobre él antes de que le diera tiempo a cerrar siquiera.

—Oh, Gav, tengo la más maravillosa de las noticias. Lo mejor que me podía pasar.

Tenerla pegada a él de esa forma era un tormento de lo más agridulce, pero no podía encontrar la voluntad suficiente para separarse de ella. Daisy llevaba una bata de seda negra, sin corsé debajo, y percibía perfectamente la calidez de su piel a través de la resbaladiza tela. Apoyó las manos en sus suaves costados, conformándose solo con sujetarla.

Después, la besó en la frente y le dio un casto abrazo, el tipo de gesto que habría hecho si todavía fueran niños, casi como hermanos, aunque el cuerpo de esa mujer despertaba en su interior un sentimiento que no era precisamente fraternal.

—Felicidades, Rosalinda.

Ella se echó hacia atrás y lo miró con sorpresa, incluso un poco decepcionada. Maldición, debería haber dejado que se lo contara cuándo y cómo hubiera querido.

—¿Ya lo sabes? Pero... ¿cómo has podido enterarte? Si apenas han pasado dos horas...

—Londres es como un pañuelo, cariño. —Cariño. Con qué facilidad salía aquel antiguo tratamiento afectuoso cuando lo miraba como estaba haciendo ahora, con los ojos abiertos y confiados, no entrecerrados y recelosos como solía hacer desde que volvieran a encontrarse—. Además, sir Augustus es socio del Garrick, ¿recuerdas? Fue allí cuando Harry yo estábamos tomándonos un café y nos comunicó la buena nueva.

—Oh, Gavin, ¿de verdad crees que puedo hacerlo?, ¿que soy lo suficientemente buena? —En el calor del momento, Daisy colocó las manos encima de sus hombros, y él no pudo evitar imaginarse lo fácil que sería alzarla de nuevo en brazos, tal y como hizo la primera noche que la vio en el club de variedades... Pero en esa ocasión, en vez de llevarla a su camerino, la llevaría directamente a su cama.

Durante un instante no supo muy bien qué contestar. Esperaba de corazón que sir Augustus no le hubiera tendido una trampa, cargándola con un papel demasiado importante para su primera actuación. Pero lo hecho, hecho estaba, y el brillo de felicidad en sus ojos era motivo suficiente para celebrarlo.

—Está claro que sir Augustus sí que lo piensa, y él sabe juzgar mucho mejor que yo este aspecto. —La punzada de calor que estaba empezando a sentir en el miembro fue todo lo que necesitó para ser consciente de que era hora de marcharse. Se separó de ella unos cuantos centímetros y dijo—: Esto hay que celebrarlo, señorita Lake. Solo tienes que decirme qué es lo que te apetece hacer. Tus deseos son órdenes para mí.

Daisy se mordió el labio inferior mientras dedicaba unos segundos a pensárselo; un sensual gesto que consiguió que su entrepierna cobrara vida propia.

—Si estuviera en París ya te habría nombrado una docena de lugares, pero todavía no conozco Londres, aparte, claro está, de los clubes de variedades. Y no me apetece mucho ir a ninguno de ellos.

No iba a llevarle la contraria en eso último.

—No tenemos por qué decidirlo ahora mismo —dijo él, bajando las manos a los costados—. Vístete y lo hablamos fuera.

Daisy salió disparada hacia la puerta de su dormitorio, pero se detuvo a medio camino.

—¿Gavin? —preguntó.

—Sí.

—¿Podríamos tomar champán? No esa cosa rosada y asquerosa que servían en El Palacio, sino auténtico champán francés.

—Cariño, si con eso consigo verte sonreír tal y como estás haciendo ahora, tendrás champán suficiente como para llenar el Támesis.

Capítulo 10

Si esos ojos de desprecio
a los míos sedujeron,
¿qué de milagros no harán
si me miran con bondad?

WILLIAM SHAKESPEARE, Rosalinda
Como gustéis

Para cuando Daisy estuvo vestida todavía era de día y el tiempo acompañaba, trayendo consigo una tarde de lo más apetecible. Como no tenían prisa por tomar algo, se dedicaron a pasear por la calle Brook, en la zona oeste de Londres. Allí, Gavin le comentó que la casa de Patrick O'Rourke estaba cerca de Hanover Square.

—No será esta, ¿verdad? —preguntó ella, deteniéndose frente a la fachada *palladiana* de una enorme mansión de ladrillos rojos.

Gavin sonrió. Ver la ciudad a través de los ojos de Daisy estaba siendo una experiencia mágica. La audición le había elevado extraordinariamente el ánimo y quería conocer cuantos más sitios mejor.

153

—Ese es el hotel Claridge. Es toda una institución en Londres.

Ella ascendió por las escaleras delanteras y echó un vistazo a través de la gran ventana hacia el vestíbulo iluminado con lámparas de araña. Después se volvió hacia Gavin.

—Parece descomunal. ¿Podemos entrar? —preguntó.

Gavin vaciló durante un instante. Si la llevaba dentro lo más probable era que se encontrara con al menos media docena de personas que conocía. Aunque tampoco era un crimen que lo vieran cenando a solas con una vieja amiga, incluso si esa amiga no era tan vieja y sí una actriz deslumbrante con un futuro prometedor y un pasado que, desde luego, no pasaría desapercibido.

Daisy se volvió hacia él. Cuando lo miró su sonrisa se desvaneció.

—Lo siento. Lo he dicho sin pensarlo. Si es un lugar tan de moda, eso significa que dentro puede que haya gente que conozcas y tendrías que hablarles de mí.

Si aquello era una especie de prueba estaba decidido a pasarla, no solo por ella, sino para demostrarse a sí mismo que no era tan esnob.

—¡Tonterías! —exclamó, tratando de sonar lo más alegre y despreocupado posible, en un intento por tranquilizarla a ella y también a sí mismo—. Me sentiré sumamente orgulloso de que me vean en tu compañía y estaré encantado de presentarte a quienquiera que nos encontremos —le aseguró, extendiendo el brazo. Daisy se agarró de él y le siguió por los escalones de mármol.

El salón de té del hotel estaba lleno, pero todavía quedaban algunas mesas libres. El *maître* fue hacia ellos.

—¿Tienen reserva? —preguntó.

En cuanto Gavin se dio la vuelta la cara del hombre se tiñó de un intenso rojo.

—Discúlpeme, señor Carmichael, no me había dado cuenta de que era usted. Ahora mismo les busco gustoso un buen lugar para usted y la joven dama.

Una vez que se sentaron en una mesa junto a una ventana que ofrecía una vista inigualable, Gavin pidió una botella de uno de los champanes más exquisitos. El camarero se fue para traerla y les dejó dos cartas de menú. En cuanto volvió a centrar su atención en Daisy se percató de que estaba demasiado ocupada admirándolo todo como para dedicarse a escoger la comida.

—Oh, Gavin. Este sitio es tan adorable, tan elegante. Aun así, me siento rara estando aquí sentada en vez de actuando en el escenario. En París, mis amigos y yo solíamos quedar en los cafés para tomarnos un café con leche o una copa de vino, pero nunca antes había estado en un restaurante, al menos no como cliente. Creo que... Creo que este lugar me gusta.

Él sonrió y, al mismo tiempo, se sintió culpable por haber vacilado a la hora de llevarla allí.

—Pues más vale que te vayas acostumbrado, cariño, porque como actriz protagonista este es el futuro que te aguarda. Por cierto, sir Augustus mencionó que tu prueba fue única.

Ella pareció dudar.

—En vez de vestirme con ropa de calle para la audición, llevé un *body* de cuerpo entero de color carne. Quería jugar con la referencia que hace Jaime a que la vida es como un círculo que se cierra con la muerte, tan similar al nacimiento —admitió al final.

Aquello explicaba lo cerrada que había llevado la capa esa misma tarde. No había querido que él viera lo que llevaba puesto, o más bien lo que no llevaba puesto. Aunque ahora agradecía que no le hubiera hecho partícipe de su plan, porque seguro que habría tratado de convencerla para que no lo llevara a cabo. Se imaginaba que todo aquello encerraba una moraleja, pero en ese momento estaba demasiado contento como para detenerse a pensar en ello.

De modo que, en vez de eso, le sonrió.

—Bien, eso sin duda la hace única —añadió.

Daisy se relajó, recostándose contra el respaldo de la silla, y estudió el menú. Como Gavin se imaginaba, le habían dado la carta para damas, por supuesto. El Claridge era muy escrupuloso con esos detalles.

—Gavin, aquí no hay precios —susurró, inclinándose hacia él.

Él contuvo una sonrisa.

—No te preocupes. Pide lo que quieras.

Quería que estuviera cómoda con la idea de salir a cenar, pero lo que más anhelaba era que se sintiera a gusto con él, no solo durante un mes sino en un futuro inmediato, o lo que sería aún mejor, para siempre. El hecho de que hubiera rechazado hacerle el amor la noche anterior había sido una de las empresas más difíciles que había abordado en su vida, pero aún no había perdido del todo la esperanza de terminar conquistándola.

Las palabras que Harry le había dicho el otro día todavía resonaban en su mente como los repiques del Big Ben.

«Casarte con la persona correcta es lo más cerca que se puede estar del cielo.»

Echó un vistazo por toda la estancia para hacerle un gesto al camarero y anunciarle que estaban listos para pedir cuando se percató de la presencia de Isabel Duncan. Su sonrisa desapareció de inmediato, como si le hubieran colgado de las comisuras de la boca dos pesadas piedras. ¡Dios bendito! De todas las personas con las que podían encontrarse, ¿tenía que ser precisamente ella? Esa mujer era una cotilla redomada. Y lo peor de todo, había puesto sus ojos en él y quería echarle el guante. Todo el mundo —su abuelo, los Duncan y ella misma— era de la opinión de que debían casarse. Todos... excepto él. Aunque la señorita Duncan tenía un pagado concepto de sí misma, a él no le atraía en absoluto, no porque careciera de belleza, sino porque carecía de alma.

La única vez que se dejó engatusar por ella para visitarla habían ido a dar un paseo por Hyde Park. Ante la insistencia de Isabel, se habían detenido en el camino principal, supuestamente para estudiar las rosas, aunque él siempre sospechó que lo que de verdad quería era tenderle una trampa para que la besara. Lo que le salvó de caer de lleno en una situación comprometida fue la entrada en escena de un niño mendigo, ya que Isabel se puso a chillar al pequeño por haberle rozado accidentalmente la falda. Desde ese día, aunque la había tratado con la cortesía debida en sus encuentros posteriores —y dado que el círculo social de élite en el que ambos se desenvolvían era muy pequeño y había tenido que verla más de lo que hubiera querido—, se negó a volver a llamarla nunca más.

Gracias a Dios estaba sentada frente a un joven al que Gavin no reconoció, aunque deseaba con todas sus fuerzas que fuera su nuevo pretendiente. Quizá hasta tuviera suerte y ella se hubiese olvidado completamente de él.

Isabel, acompañada de un joven baronet entrado en carnes con el que no tenía la menor intención de casarse, miró en dirección a Gavin y a la criatura de pelo color canela que estaba sentada a su lado —demasiado cerca, todo había que decirlo—, y sintió una profunda y desgarradora animadversión.

Aunque prefería morir antes que admitirlo en voz alta, llevaba detrás de aquel hombre casi un año; y un año en la vida de una mujer que de un momento a otro podía pasar de ser una debutante a que la consideraran una solterona era un período considerable de tiempo. Había planeado su estrategia como si se tratara de un cazador intentando abatir a una escurridiza y exótica presa africana, cruzándose con Gavin cada vez que tenía la oportunidad y estudiando al milímetro cuáles eran sus preferencias en cuanto a comida, entretenimiento e incluso orientación política. Pero por mucho que intentó llenarse la cabeza de datos como la forzada renuncia de Bismarck en Alemania o la política

imperial británica en Sudáfrica, él nunca demostró sentir por ella nada que fuera más allá de la cortesía de rigor. Su plan estaba resultando ser un rotundo fracaso.

Sin embargo, la actitud que tenía con su compañera era bastante diferente. Observándolo por encima del borde de su taza, no le pasó desapercibido el cálido brillo que irradiaban sus ojos cuando la miraba o cómo acercaba la oreja a aquella boca indecente y sensual como si ella estuviera diciendo las palabras más interesantes del mundo.

Incapaz de soportarlo un minuto más, se volvió hacia su acompañante y preguntó:

—¿Quién es la mujer que está con Gavin Carmichael?

El baronet se metió un trozo de la fritura de pescado que habían pedido en la boca y giró la cabeza en la dirección indicada. Después, volvió a colocarse frente a la mesa y esbozó una sonrisa bobalicona.

—Es Delilah du Lac. ¡Imagínate!

—Una francesa —comentó irritada. Le horrorizaba la idea de que el lugar que le correspondía fuera usurpado por una extranjera. ¿Es que ya no quedaba un mínimo de orgullo patrio en este mundo?

—En realidad es inglesa, pero ha estado viviendo en Francia muchos años. Se dedica al teatro de variedades. Leí en algún sitio que estaba actuando en un club de Covent Garden hace unas semanas. Quién nos iba a decir que nos la encontraríamos en un lugar como este.

—Acerquémonos. Quiero saludarla.

—Pero se nos enfriará la comida. —Miró compungido los platos que el camarero acababa de servirles.

Isabel ya se había puesto de pie, sin dejarle otra opción que seguirla.

—¡No digas bobadas! Si solo será un minuto.

Para guardar las apariencias, Isabel se agarró de su brazo y tiró de él a través de la estancia. Cuando llegaron a la mesa de Gavin se detuvo y bajó la mirada.

—Vaya, Gavin, qué agradable sorpresa —dijo.

—Isabel. —Ella se dio perfecta cuenta de la expresión de contrariedad que cruzó su rostro cuando hizo a un lado la servilleta y se levantó.

—¿No me vas a presentar a tu... amiga?

Gavin pareció dudar. Se le veía sumamente incómodo.

—Isabel, permíteme que te presente a la señorita Daisy Lake. Daisy, esta es la señorita Isabel Duncan.

Las dos mujeres se miraron. Mientras tanto, Isabel intentaba recordar el nombre que la corista usaba en el escenario.

—Actúa en uno de esos teatros de variedades, ¿verdad?, pero la conocen por otro nombre... por su nombre artístico, ¿no es así como lo llaman los que se dedican a la farándula?

—Usted es Delilah du Lac, ¿a que sí? —señaló su acompañante.

La actriz se revolvió en su asiento.

—Sí, o más bien lo era. Ahora estoy empezando una carrera teatral.

En ese instante, Gavin decidió intervenir y agregó en voz alta.

—De hecho estábamos celebrando que han elegido a Daisy para interpretar el papel de Rosalinda en *Como gustéis*.

Aquello pilló por sorpresa a Isabel.

—Seguro que no será en la producción que está preparando el Drury Lane.

—Pues precisamente sí —contestó Daisy. Después, se levantó de la mesa y añadió—: Si me disculpan, debo ir al baño.

«Qué vulgar», pensó Isabel. Y como no quería que esa mujerzuela se quedara con la última palabra se apresuró a decir:

—La acompaño.

Dejando a los dos hombres siguiéndolas con la mirada, ambas atravesaron el comedor.

—El aseo de señoras está a ese lado del pasillo —informó Isabel—. Me imaginé que no había estado aquí antes y que no sabría cómo encontrarlo. —Por el rabillo del ojo observó a la otra mujer ruborizarse y sonrió para sí misma.

Una vez dentro, ambas tomaron caminos separados y se volvieron a encontrar en el lavamanos. Isabel se aproximó justo cuando Daisy tomaba la toalla que le daba la doncella, una muchacha irlandesa.

—Gracias —dijo la actriz con una sonrisa.

Se notaba que no tenía ni idea de etiqueta, pues uno nunca se dirigía directamente a los sirvientes, salvo que fuera estrictamente necesario.

Isabel se miró en el espejo dorado que había en la pared y fingió empolvarse la nariz.

—Creo que debería saber que Gavin y yo hemos llegado a un acuerdo.

Daisy la miró a través del espejo. Un intenso tono rosado volvía a cubrir sus mejillas.

—¿Disculpe?

—Que vamos a casarnos —sentenció. Era una flagrante mentira, pero aquel que dijo que en el amor y en la guerra todo estaba permitido tenía toda la razón del mundo—. Nuestras familias concertaron el matrimonio hace años.

—Ya veo.

Para alegría de Isabel, la zorra parecía estar a punto de vomitar de un momento a otro.

—Pero no se preocupe. —Alzó la mano para colocarse un rizo castaño claro. Se sentía cada vez mejor—. Soy una mujer moderna y entiendo que los hombres como Gavin necesitan tener su cuota de diversión antes de asentar la cabeza. Lo vuestro... Bueno, no tiene por qué significar nada, por lo menos en lo que a Gavin se refiere.

«No tiene por qué significar nada.» Daisy le había dicho eso mismo a Gavin la noche anterior, pero solo ahora entendía por qué a él parecía haberle dolido tanto.

Isabel esbozó una sonrisa y se alejó del espejo.

—Me alegra tanto que hayamos mantenido esta pequeña charla. Será mejor que regrese con mi acompañante. Hasta otra.

160

A Daisy le dio la sensación de que todo el champán que se había bebido estaba a punto de salírsele por la boca, de modo que se inclinó sobre el lavamanos y se echó un poco de agua fresca sobre las ardientes mejillas. Y pensar que le había preocupado que Gavin pudiera tomarse las cosas demasiado en serio y que al final del mes pactado intentara impedir que se marchara. Pero no. Todo ese tiempo había estado usándola. Usándola igual que habían hecho todos los hombres que habían pasado por su vida.

Cuando regresó al comedor se encontró a Gavin sentado en su mesa. Solo. En cuanto la vio se puso de pie y le sostuvo la silla.

—¿Va todo bien?

Con el corazón en la garganta, Daisy se sentó en el acolchado tapizado de satén.

—Por supuesto, ¿por qué me lo preguntas?

Él se encogió de hombros.

—Tú e Isabel os ausentasteis un buen rato.

El camarero eligió ese momento para traerles la carta de postres. Gavin se volvió hacia ella.

—Si te gusta el chocolate, no puedes marcharte sin probar la *mousse*.

Daisy hizo un gesto de negación. Por primera vez en su vida no le apetecía tomar algo dulce.

—No quiero nada más, gracias. —Al observar la presuntuosa sonrisa de Isabel al otro lado de la estancia añadió—: ¿Podemos irnos ya a casa?

Isabel volvió silenciosamente a su asiento después de la conversación en el aseo. Cuando le presentaron la carta de postres, decidió dejar de lado por un día la preocupación por su figura y pidió tarta de limón y *mousse* de chocolate. Mientras saboreaba los dulces se dedicó a pensar

en que, si no podía alcanzar la felicidad junto a Gavin Carmichael, al menos sí podía compartir su desdicha.

Delilah du Lac, o Daisy Lake, corista, actriz o quienquiera que fuera esa mujer, era una depredadora, una ladrona. Y la muy perra se merecía todo lo malo que le sobreviniera.

Gavin encontró a Daisy anormalmente silenciosa en el carruaje que les llevó de camino a casa. A pesar de que habían empezado la velada muy animados, la llegada de Isabel hizo que su celebración cayera en picado. Por eso no dejaba de preguntarse qué habría pasado entre ambas; pero cada vez que intentaba hablar con Daisy sobre el tema, lo único que obtenía era un silencioso «no» seguido de una negación de cabeza. Al final, la joven decidió optar por mirar a través del cristal, aunque la oscuridad de la noche no le permitió gozar de muchas vistas.

Sin embargo, en cuanto entraron en casa la situación cambió ostensiblemente. Apenas cruzaron el umbral de la puerta, Daisy tiró su bolso de mano con tanta fuerza sobre la mesa de mármol de la entrada que Gavin se sorprendió de que no la rompiera en mil pedazos.

—¿Qué demonios ha sido eso? —preguntó, tratando de quitarle el chal.

Daisy se alejó de él y se lo quitó ella misma.

—Ya lo creo que demonios. Por lo visto tú y doña lagarta sois algo más que íntimos. Cuando me excusé para ir al aseo, estaba pensando en la forma de volver aquí, aunque no me hice ilusiones de que te dieras cuenta.

—Daisy, eso que dices no tiene ningún sentido. Isabel y yo nos conocemos desde hace años. Su padre y mi abuelo llevan cazando juntos urogallos en Escocia desde hace veintitantos años.

Daisy soltó un bufido.

—Pues a alguien más se le ha dado muy bien la caza, solo que no se trata de ninguna presa con plumas, a no ser que cuente un pavo real de ojos azules.

Aquello atrajo su atención.

—Si estás diciendo lo que creo que estás diciendo, entonces me reafirmo en lo anterior. No tiene ningún sentido.

—¿No? Lástima que no estuvieras frente a uno de esos espejos de cuerpo entero para haber visto cómo te vanagloriabas de ti mismo. Y ella con toda esa adulación hacia tu persona, la perfecta pava para el pavo real.

Durante unos segundos, lo único que pudo hacer fue mirarla. ¿Era posible que estuviera celosa de Isabel Duncan? Por su forma de hablar estaba claro que sí. Isabel era una mujer lo suficientemente bonita, pero nunca se había sentido atraído por ella. Y desde luego no tenía nada que hacer comparada con la despampanante belleza de Daisy. Si existía una rivalidad entre ellas, y eso parecía, no podía ser por el aspecto físico. Tenía que ser por... él.

La idea le golpeó como si se tratara de un proverbial rayo y tuvo que hacer un enorme esfuerzo para no exteriorizar la repentina satisfacción que sintió. Las últimas semanas no había dejado de intentar que ella lo viese como algo más que un mentor al que tuviera que recompensar con sexo carente de emoción, y lo único que le había hecho falta era otra mujer mostrando interés por él. Celos, una táctica bien sencilla, aunque muy efectiva. ¿Por qué no se le habría ocurrido antes? En ese momento, y por primera vez en todos los años que se conocían, habría estado encantado de tener a Isabel Duncan delante para poder plantarle un sonoro beso en sus finos y pálidos labios.

—¿A qué te refieres? —preguntó, dispuesto a dejarla sufrir un poco más.

—A que esa timorata debutante quiere echarte el lazo, como si no lo supieras ya.

Gavin fingió un gesto de indiferencia.

—¿Y qué si lo ha hecho? A diferencia de otras, Isabel es una mujer a la que sí le va el matrimonio.

Aquello la dejó desconcertada. O por lo menos esa sensación le dio a él, ya que vio cómo abría la boca dispuesta a decir algo, para cerrarla inmediatamente después.

—Qué calladitos estamos ahora, ¿verdad? Me has dejado bastante claro que no eres la clase de mujer que quiere atarse a un hombre durante mucho tiempo, y mucho menos toda una vida. Pero ¿sabes?, no todos podemos permitirnos el lujo de vivir sin ataduras y libres de convencionalismos. Ser un espíritu libre está muy bien para los artistas, sin embargo para un abogado permanecer soltero pasada una determinada edad termina convirtiéndose en un lastre.

—Gavin, ¿qué estás diciendo?

No estaba seguro del todo, ya que el único foco de luz era una lámpara de gas que había en la pared, pero habría jurado que a ella le temblaba el labio inferior.

—Que me queda poco para llegar a los treinta y que en algún momento tendré que pensar seriamente en asentar la cabeza.

Daisy enarcó una ceja.

—¿En algún momento o más bien pronto?

Él se encogió de hombros.

—Supongo que todo depende de las circunstancias.

La joven se cruzó de brazos y golpeó el suelo con un pie.

—No te vayas por las ramas, Gavin. ¿Tienes intención de casarte con esa perra de piel pálida o no?

—Si no es con Isabel, me imaginó que será con otra. ¿Te molestaría?

Por una vez, de su boca no salió ninguna réplica insolente. Eso sí, a través de la tenue luz de la lámpara notó como sus ojos adquirían un inusual brillo.

Tras unos segundos, Daisy hizo un gesto de negación con la cabeza.

—Estoy cansada. He bebido demasiado champán y me duele la cabeza. Me voy a la cama. —Se dirigió hacia el pasillo, de camino a su dormitorio.

—Daisy, espera. —Gavin se colocó detrás de ella, cubriéndole los hombros con las manos. Qué pequeña y frágil se la veía. Se inclinó sobre Daisy, acariciando con la mejilla el pelo de ella—. No has respondido a mi pregunta. ¿Te molestaría que me casara? —Al no obtener respuesta alguna, la obligó a darse la vuelta muy despacio y le alzó la barbilla. Las lágrimas caían por sus mejillas. El corazón le dio un vuelco lleno de esperanza—. Daisy, ¿qué pasa? ¿Por qué lloras en una noche que se suponía tenía que ser feliz? —Extendió la mano y capturó una lágrima con el pulgar.

—¡Cásate con quién te dé la gana y sed muy felices! —gritó ella antes de salir disparada.

Él volvió a seguirla.

—¡Daisy!

Si su sirviente les hubiera oído hacía unas semanas se habría sentido absolutamente mortificado, pero ahora le importaba un bledo.

Consiguió alcanzarla en la puerta de su dormitorio antes de que pudiera cerrársela en las narices. Con las lágrimas agolpándose en sus pestañas como copos de nieve y el cuerpo tembloroso, por fin se dignó a contestar.

—Sí, ¡sí! Me molestaría. ¡Muchísimo! Verte de camino al altar, o a cualquier otro sitio, me destrozaría por dentro, pero como somos amigos encontraría la forma de sonreír y sobrellevarlo de la mejor manera posible. Ya está, aquí tienes tu preciosa confesión. Has conseguido hacerme llorar. ¿Estás contento?

Gavin negó con la cabeza. Creía que su corazón se desbordaría por toda la ternura que en ese instante sentía.

—No tanto. No me gusta ser la causa de tus lágrimas, Daisy. Me gusta ser el culpable de tus risas. Querida, quiero hacerte reír, verte feliz. ¿Por qué no me dejas intentarlo?

Capítulo 11

Vamos, cortejadme, cortejadme,
que estoy de humor festivo
y tal vez os dé el sí.

WILLIAM SHAKESPEARE, Rosalinda
Como gustéis

Tras la puerta cerrada de la habitación, Gavin y Daisy se quedaron quietos unos segundos, contemplándose el uno al otro junto a la cama, con las ropas amontonadas a sus pies.

Daisy había desvestido a muchos hombres a lo largo de su vida, pero nunca a uno tan bien formado y apuesto como Gavin. Tenía la cintura estrecha, el trasero prieto y las piernas largas y musculadas. Y por una noche, esa noche, le pertenecía por completo.

Cuando él la recorrió con la mirada de la cabeza a los pies, sintió como si esos ojos azules la estuvieran acariciando de verdad.

—Eres preciosa.

Ella alzó la mirada.

—Tú me haces sentir así. Siempre lo haces.

Él extendió sus dedos y le acarició la mejilla con dulzura.

—El maquillaje... te lo has quitado después de la audición, ¿no?

Desmaquillarse había sido un acto calculado, una pequeña prueba de coraje. Los cosméticos eran un elemento más de su charada, una máscara, parte del capullo de seda en el que se ocultaba. Quería acudir a Gavin fresca, nueva... limpia. Si pudiera despojarse de su pasado tan fácilmente...

Gavin centró la atención en sus pechos. Cuando volvió a mirarla, sus ojos brillaban con una especie de respeto reverencial.

—¿Puedo tocarlos? —preguntó él.

Si algún otro le hubiera preguntado algo así habría soltado una carcajada. Al fin y al cabo, tocarse íntimamente era el meollo de irse a la cama. Pero se trataba de Gavin, su querido, dulce y honorable Gavin. Y como sabía lo que era y quién era, comprendió que no solo le estaba pidiendo permiso para tocar su cuerpo, sino para llegar hasta su alma.

Era imposible que le entregara su alma, del mismo modo que tampoco podía entregarle su virginidad; uno no podía dar lo que no tenía. Pero por una noche, esa noche, podía otorgarle lo que él más deseaba. Desterraría a Delilah du Lac a las bambalinas y llamaría a Daisy Lake al escenario. Por una noche, sería la niña inmaculada y cariñosa que Gavin recordaba. Al menos podía darle eso, aunque fuera muy poco comparado con todo lo que le debía.

En vez de contestarle con una risa o algo descarado, clavó la vista en sus hermosos y solemnes ojos y, por una vez, habló desde el corazón en lugar de con la cabeza.

—Si no me tocas, creo que moriré —susurró, porque de repente tuvo la sensación de estar, si no exactamente en una iglesia, sí en algún otro lugar sagrado.

—No hables de morir cuando tenemos tanto por lo que vivir.

Gavin tenía las manos frías y un poco temblorosas. Cuando le rozó los pezones con los pulgares estos se tensaron por el contacto. Daisy

se estremeció y él comenzó a apartarse, pero ella no se lo permitió y le sujetó la mano, llevándola de nuevo a sus pechos.

—No, por favor. Me gusta. Te deseo.

«Te quiero.»

Aquello pareció volverle más audaz, porque inclinó la cabeza y le lamió los pezones. A continuación, se metió uno de ellos en la boca y empezó a succionarlo, lo que hizo que el dolor entre sus muslos cobrara más intensidad.

—¡Oh, Gavin! —Se arqueó contra él y enredó las manos en su pelo. Aquellas oscuras ondas seguían siendo tan suaves como recordaba.

Ambos se tumbaron en la cama, Gavin encima de ella. Le rodeó la cintura con las piernas, deleitándose con el contacto de su prominente dureza contra el vientre.

—No soy virgen —dijo con una sonrisa, aunque por dentro se sentía, si no triste, sí un poco nostálgica.

Perdió la virginidad a los catorce años con un utillero parisino de enmarañados rizos negros y ojos azules que le recordaba mucho a Gavin. Desde entonces, había amasado un repertorio de artimañas sexuales, posturas y secretos dirigidos no solo a seducir sino a esclavizar a su oponente en la cama. Y antes de que terminara la noche, tenía la intención de emplearlas todas para hacer, si no el amor, al menos algo igual de mágico.

—Ya me imaginaba que no lo eras —murmuró él al tiempo que deslizaba una mano sobre su cadera, como si quisiera memorizar cada línea y cada curva de su cuerpo.

—¿No te importa que haya... que haya estado con otros hombres? —Cambió ligeramente de postura para poder abrir más los muslos y así ofrecerse a él para que la tocara y saboreara donde se le antojase.

Él negó con la cabeza.

—Dicen que Delilah du Lac ha tenido una legión de amantes. Y no me gusta pensar que estoy compitiendo frente a toda una legión. —Al

ver que ella no respondía agregó—: Pero tampoco me satisface la idea de haber sido el primero, aquel al que no le quedó más remedio que hacerte daño. —Deslizó la mano por el interior de su muslo. Ahora tenía la piel caliente y su tacto era certero y seguro.

—No me hubieras hecho daño. Habrías sido tan delicado conmigo como siempre. Como lo estás siendo ahora. —De hecho, ninguno de sus compañeros de cama la había tratado con tanta dulzura, con tanta... reverencia.

—Es que eso es lo que te mereces.

Bajó la cabeza y trazó un sendero de besos sobre su cuello, pechos y vientre. Cuando llegó a la altura de sus muslos, besó el inicio de ambos y su cara interna. Después deslizó una mano entre ellos y la acarició hasta llegar a su feminidad.

—Eres magnífica aquí abajo, tan preciosa y húmeda. —Abrió sus labios íntimos y los cubrió con la boca, enviando una oleada de placer a través de todo su cuerpo. Luego alzó la cabeza y dijo—: Muéstrame dónde debo tocarte. —Al ver que ella no le contestaba añadió—: Es importante.

Daisy abrió los ojos y se encontró con su intensa mirada. Sin apartar la vista de él, bajó la mano y se tocó el clítoris.

—Aquí. Quiero que me acaricies y me beses justo aquí. —Hizo un círculo alrededor de la carnosa y resbaladiza protuberancia.

Él enterró la cabeza entre sus muslos y jugueteó con la punta de la lengua sobre la sensible turgencia, torturándola una y otra vez hasta que el cálido hormigueo que había empezado a sentir en su bajo vientre y en su sexo se fue transformando en un ardiente y exquisito dolor.

El orgasmo la golpeó sin clemencia, de forma salvaje y brutal. Cuando dejó de temblar y volvió a abrir los ojos, Gavin se cernía sobre ella, taladrándola con la mirada.

—No puedo esperar más.

Daisy movió la cabeza en la almohada.

—No esperes. No quiero que esperes. Te quiero dentro de mí.

Su virilidad se deslizó a lo largo de su vientre. Era larga, dura, gruesa y estaba perfectamente formada, y su cuerpo se humedeció aún más en respuesta.

Él se irguió sobre ella y colocó cada mano al lado de su cabeza.

—Dios, ayúdame, Daisy. No sabes cuánto te deseo.

—Y yo, Gavin. —Apoyó los antebrazos en el colchón y arqueó las caderas para encontrarle.

Gavin la penetró de una sola estocada. Ella volvió a rodearle la cintura con las piernas y se movió al compás de sus envites, ciñéndole el miembro con sus músculos internos.

—Oh, Dios, Daisy —exclamó Gavin, abriendo sus ojos azules. Una embestida final le proporcionó el ansiado clímax. Con el cuerpo tembloroso, se desplomó sobre ella.

Mientras le acariciaba la espalda, sudorosa, y los fuertes costados, Daisy se dio cuenta de que jamás se había sentido tan dichosa.

«De modo que esto es lo que se siente cuando alcanzas la felicidad absoluta», se dijo a sí misma. Sin embargo le duró poco, porque segundos después lo único en lo que pudo pensar fue en cuanto tiempo tardaría el destino en arrebatarle todo aquello.

Cuando por fin cayeron dormidos lo hicieron a ratos, aunque incluso en sueños trataron de alcanzarse el uno al otro, enredando sus piernas, pegando sus traseros y besándose una y otra vez. Al llegar el amanecer, Gavin se despertó con la mano de Daisy alrededor de su pene. Separó sus dedos uno a uno, la puso de espaldas al colchón y se subió encima de ella, que con los ojos todavía cerrados dejó escapar un pequeño gemido y le dio la bienvenida abriendo las piernas para él y arqueando las caderas en una silenciosa súplica. A pesar de que se notaba que estaba

más dormida que despierta, Gavin supo que era tan consciente de él como él lo era de ella.

Extendió una mano allí donde sus cuerpos terminarían uniéndose e introdujo un dedo en su sedosa humedad. Después, se llevó ese mismo dedo a los labios, deleitándose con su aroma, su sabor, su estrechez y con las miles de sensaciones que despertaba en él.

—Eres tan dulce, tan dulce.

Pero esa única degustación no iba a satisfacerle en absoluto, ¿por qué conformarse con un aperitivo cuando podía tener el menú completo? Deslizó el cuerpo a lo largo de Daisy hasta que tuvo la cabeza a la altura de su entrepierna. Una vez allí, le separó bien los muslos, bajó la boca hasta su sexo y le dio un sensual y lento lametazo desde el clítoris hasta el final de su hendidura.

Daisy se despertó de golpe y él pudo admirar aquellos ojos verdes que le calentaban el alma y el resto del cuerpo.

—Sí, Gavin, sí.

Olía a fresco pasto primaveral, húmedo por el rocío y suculentamente tierno. La lamió de nuevo, jugueteando con la punta de la lengua en su clítoris. Daisy movió las caderas, bajó las manos y enredó sus ansiosos dedos en el pelo de él, empujándolo hacia la protuberancia con la que tanto estaba gozando.

—No pares, por favor. ¡No pares! —jadeó ella.

—Oh, cariño, parar es lo último que tengo en mente. —Es más, ahora que sabía lo que le gustaba y cómo complacerla no quería hacer otra cosa.

Se acomodó sobre ella y la penetró con un suave y lento envite que la dejó temblando como la cuerda de un arco. Ella le abrazó la cintura con las piernas con fuerza, convirtiéndole en su presa, una presa que no tenía la más mínima intención ni necesidad de escapar. Tras varias embestidas sensuales, ella alcanzó el orgasmo y sus músculos internos se cerraron en torno a su miembro, poniéndolo al borde del

precipicio. A pesar de ello, fue capaz de recordar su obligación como caballero y se salió de ella justo cuando la última oleada de placer le golpeaba con total intensidad. Cerró los ojos y derramó su simiente sobre las sábanas.

—¡Dios, Daisy!

Se desplomó sobre un costado, recibiendo el frescor de la ropa de cama como un bienvenido bálsamo para su sudorosa piel.

—Gavin, ¿estás bien? —Daisy apoyó una mano sobre su hombro.

Abrió los ojos y se volvió para mirarla. Tenía el cabello desparramado sobre la almohada y las mejillas ligeramente ruborizadas, ofreciendo una imagen de lo más encantadora.

—Te diría que estoy mejor que bien, pero es que acabo de hacer el amor con Daisy Lake, la mujer más sublime del mundo.

Jamás en la vida pensó que fuera posible sentir esa dicha tan completa y perfecta. Le habría encantado detener el tiempo en ese preciso instante para poder embotellar ese momento y poder revivirlo siempre que quisiera.

Lástima que las cosas no funcionaran de ese modo.

—¿Ah, sí? ¿Soy sublime? No estoy muy segura, pero me alegro de que me veas así, a pesar de todos mis defectos e imperfecciones —dijo ella con tono jocoso; pero bajo la tenue luz, él se dio cuenta de que le estaba observando detenidamente.

Sí, había percibido la duda en su voz, así que se apresuró a tranquilizarla.

—Yo no veo ninguna imperfección. Solo estos... besos de la luna. —Recorrió con los nudillos las pequeñas cicatrices blancas que tenía en aquel delgado aunque perfecto abdomen, feliz de que no fuera completamente perfecta. Aquellas diminutas manchas le recordaban que al fin y al cabo era humana.

Ella se puso tensa y detuvo su mano.

—¿Qué sucede, cariño? —preguntó, buscándola con la mirada.

Daisy se encogió de hombros, pero las sombras en sus ojos le susurraron que estaba escondiendo algo.

—Me imagino que soy como los gatos, que no me gusta que me acaricien la barriga.

—Lo siento. —Alejó la mano de ella, preguntándose a qué mala experiencia podía deberse aquello y si algún día confiaría lo suficiente en él como para contárselo.

Daisy esbozó una rápida e incómoda sonrisa y le agarró la mano, llevándola hasta su monte de Venus.

—Pero el resto de mis partes no son zonas vedadas.

Gavin sonrió, aunque fue consciente de que algo había cambiado en ella, lo que le hizo ponerse en guardia.

—Sí, ya me he dado cuenta —comentó, reanudando sus caricias—. Me habría sorprendido encontrar un solo hueso tímido en ese bonito cuerpo que tienes. —En realidad, le encantaba lo abierta y desinhibida que era y que no se dejara llevar por falsos sentimientos ni dentro ni fuera de la cama. Hacía apenas unas semanas habría estado de acuerdo, si no en someter su voluntad, sí al menos en guiarla hacia un comportamiento más acorde con los convencionalismos; pero ahora, la idea de cambiar lo más mínimo su forma de ser le parecía de lo más arrogante.

Apoyó una mano sobre el terso hombro de ella y continuó hablando:

—Por cierto, no tengo intención alguna de casarme con Isabel Duncan. —Bajó la cabeza y depositó un reguero de besos sobre la curva de su cuello—. Te prefiero mil veces a ti, tal y como eres.

Daisy echó la cabeza hacia atrás y se apoyó contra él.

—Yo nunca seré ese tipo de mujer. La perfecta dama inglesa.

Gavin frotó los labios contra su oreja. Cuando la notó estremecerse se sintió enormemente complacido. Le rodeó la cintura con el brazo y la atrajo hacia él.

—No quiero una perfecta dama inglesa —susurró—. Te repito que te quiero a ti tal y como eres.

Daisy cambió de posición para poder mirarle a la cara.

—¿Y cómo puedo estar segura de eso?

—Si alguien tiene que sentirse inseguro debería ser yo. Si recuerdas, siempre era el que tenía las manos heladas... y los pies.

Aquello pareció ablandarla.

—¡Oh, Gavin! —exclamó, besándole la palma de la mano—. Frías o calientes, temblorosas o firmes, las únicas manos que quiero que me toquen son las tuyas.

Eso era lo más cercano a un reconocimiento de que le quería como algo más que como un amigo que había tenido de ella hasta ahora, así que cambió de postura y le dio un beso en la punta de la nariz.

—Me alegro de que me lo digas, porque eres la única mujer a la que me imagino tocándome de ese modo.

La sonrisa de ella se desvaneció al instante y sus ojos volvieron a adquirir aquel tono helado que él había esperado derretir al hacerle el amor.

—No deberías decir esas cosas.

Daisy intentó volverse para darle la espalda, pero él le enmarcó el rostro con las manos.

—La cruda realidad es que me has arruinado para el resto de las mujeres, señorita Lake. Por completo. Y mucho me temo que el daño que has causado sea irreparable. ¿Cómo debería castigarte? —Se tomó su tiempo, fingiendo que se lo estaba pensado, para así darle la oportunidad de entrar en el juego—. Ah, sí, podría atar esas adorables muñecas a los postes de la cama. Aunque si hago eso, me vería privado de tus manos, y tienes unas manos muy hábiles, querida, con unos dedos tremendamente diestros. ¿Has pensado alguna vez en tocar el piano?

Ella lo miró y se rió. El hielo volvía a derretirse, dando paso de nuevo a la calidez, y Gavin supo que, al menos en esa ocasión, la había traído de regreso de la oscuridad en la que se había sumido; la había traído de vuelta a él.

—Prefiero tocarle a usted, señor Carmichael. Puede que su instrumento requiera de cierta afinación, pero en cuanto se consigue funciona a las mil maravillas.

Daisy no era muy partidaria de vivir según las reglas, pero había una que siempre se había enorgullecido de seguir a rajatabla: nunca, bajo ninguna circunstancia, dejar que un hombre la abrazara después de haber mantenido una relación sexual con él. De lo contrario, le dabas permiso no solo para entrar en tu cuerpo sino en tu cabeza, y muy probablemente en tu corazón. Y era mucho mejor no tomar ese camino. Por eso siempre se había mantenido firme a la hora de prohibir que sus amantes pasaran la noche con ella. Ya fuera algo rápido o estuvieran practicando sexo toda la noche, en cuanto terminaban les daba unos minutos para recobrarse y les lanzaba los pantalones, antes de señalarles la puerta.

Pero ahora era diferente, como una primera vez. Ahora el amante era Gavin, y la idea de mandarlo a su propia cama era algo que no se veía capaz de hacer. Se sentía tan bien entre sus brazos. Era como estar en casa. Le encantaba acariciar su hermosa espalda con los dedos y depositar diminutos besos en su frente, el arco de sus hombros, e incluso en la punta de su aristocrática nariz. Y esos labios... Que Dios la ayudara, porque no se cansaba de besarlos. Le gustaba empezar por una comisura e ir avanzando hacia la otra, deleitándose con su carnosidad, y terminar en el atractivo hoyuelo que tenía en la barbilla. Besar a Gavin era como beber de un manantial de agua fresca de montaña: imposible calmar la sed con solo un par de tragos.

En ese momento él abrió un ojo y la miró.

—Un penique por tus pensamientos.

Sobresaltada, porque lo creía dormido, levantó de golpe la cabeza que tenía apoyada en su hombro.

—Estaba pensando en lo calentito que estás. Pareces un horno.

—Lo que era verdad, aunque podía haberle dicho mucho más, incluido lo poco que le costaría acostumbrarse a aquello, a tenerlo en su cama y en su vida.

—¿Y eso es bueno o malo? —Su tono le dio a entender que sabía la respuesta y que simplemente quería escucharla de sus labios.

—Para mí, que siempre estoy helada, bueno.

Él levantó la cabeza de la cama.

—¿Estás enferma?

—Oh, cielos, no. Estoy fuerte como un roble. Es solo que...

—Me lo contarás, ¿verdad? Solías contármelo todo cuando éramos niños.

Sí, en esa época había confiado plenamente en él, pero quince años era mucho tiempo... Sin embargo, decidió volver a hacerlo, al menos en cuanto a ese asunto.

—El primer invierno que pasamos en París nevó tanto que el teatro donde trabajaban los Lake cerró hasta que todo volviera a la normalidad. Si no había representaciones los artistas no cobraban, y no pasó mucho tiempo hasta que nos quedamos sin combustible. Hacía tanto frío dentro de nuestra casa que los dedos me dolían aunque llevara mitones. Desde entonces, no puedo soportar el frío más leve sin ponerme a tiritar. Si de mí depende, tendré la estufa encendida hasta bien entrada la primavera.

Gavin deslizó un brazo alrededor de ella y la atrajo hacia sí, haciendo que apoyara la espalda contra su pecho.

—Oh, querida, te mantendré a salvo y caliente todo el tiempo que me dejes.

Entre sus brazos, Daisy intentó recuperar su anterior estado de ánimo. Pero no pudo. No dejaba de pensar en el gato salvaje que encontró en el callejón de su piso de París, uno al que consiguió convencer con comida en la mano para que entrara en su casa y poder domesticarlo.

Le llamó *Gato*, en recuerdo al personaje de *El Gato con Botas* que tanto le gustaba representar en Roxbury House. Los Lake insistieron en que lo liberara cuando llegó la hora de mudarse, después de todo era un gato callejero. El día antes de marcharse, se lo encontró muerto en el la calle; por lo visto lo había atropellado un carruaje. Al domesticarlo había embotado el ingenio del gato, de modo que ya no pudo valerse por sí mismo. Aunque lloró durante todo el trayecto de París a Reims, la trágica experiencia le enseñó una valiosa lección.

Si permitías que alguien te domesticara, te mantuviera a salvo y sin sufrir las inclemencias del frío, al final terminabas pagándolo caro.

Más tarde, esa misma mañana, Gavin la dejó después de darle un lánguido beso y con la promesa de que haría lo imposible por regresar a casa para la cena antes de que ella tuviera que marcharse para su primer ensayo. De nuevo sola, el primer indicio de que algo era diferente, de que algo iba mal, lo tuvo cuando se encontró postergando el baño, porque eso significaba eliminar de su cuerpo la esencia de Gavin. Normalmente, después de una noche de sexo acrobático y sudoroso, lo primero que hacía era bañarse. Pero en esa ocasión, nada más salir de la bañera de cobre se fue directa a la cama para tumbarse sobre las sábanas revueltas y frotar con ellas sus mejillas, mientras cerraba los ojos y rememoraba cada momento de la maravillosa noche que habían compartido. ¡Qué bien olía y qué bien sabía!

«Patética, Daisy, estás siendo absolutamente patética.»

Y a pesar de eso, no pudo evitar tener la sensación de que hacer el amor con Gavin la había limpiado por dentro mucho más que cualquier baño que pudiera darse.

El rumor de que el respetable abogado Gavin Carmichael, heredero del legado de St. John, y soltero escurridizo, había tomado como amante a una actriz —y no a una cualquiera, sino a la escandalosa corista parisina Delilah du Lac—, se propagó por los clubes londinenses, las veladas de la alta sociedad y las damas chismosas con la misma rapidez que las llamas del Gran Incendio que una vez destruyó la capital durante cuatro días y tres noches. Obviamente Gavin tenía conocimiento de ello, al igual que sabía de dónde había salido. Estaba claro que desde su encuentro en el hotel Claridge, Isabel Duncan había estado muy ocupada esparciendo su veneno. Por eso no se sorprendió cuando esa misma semana el abuelo irrumpió en su comedor mientras estaba sentado, desayunando.

—¿Qué demonios te crees que estás haciendo? —bramó St. John sin más preámbulos.

Gavin depositó los cubiertos en el borde del plato y replicó:

—Ahora mismo, tomando el desayuno. ¿Le apetece unirse a mí? —Agradeció para sus adentros que Daisy aún no se hubiera despertado. Teniendo en cuenta el horario que seguía, no se levantaría hasta dentro de una hora o más. Señaló una silla vacía y añadió—: ¿Quiere sentarse y tomar algo?

—No juegues conmigo, muchacho. Sabes perfectamente a lo que me refiero. De hecho, toda persona que viva en Londres, excepto que esté sorda, ciega o sea una completa imbécil, sabe que has tomado a una actriz como amante.

—La señorita Lake es una vieja amiga —dijo en vez de negarlo—. Compartimos más de un año juntos en Roxbury House...

—¿Cuántas veces he de decirte que no menciones ese lugar infernal en mi presencia?

Gavin se prometió a sí mismo que en esa ocasión no perdería la calma y la compostura y que trataría la situación como si estuviera ante uno de sus casos legales y su abuelo fuera la parte contraria. No obstante, el anciano poseía un talento natural para penetrar su armadura

y tocar sus puntos más débiles, y por si fuera poco era un maestro en el arte de meter el dedo en la llaga.

Se levantó de inmediato de la silla.

—Que suerte tuve de que un caballero llamado William Gladstone me llevara a ese «lugar infernal». De lo contrario, puede que ahora estuviera muerto... O mucho peor, que fuera uno de esos pobres desgraciados que están a un paso de la horca.

El ceño en la frente de Maximilian St. John le había aterrorizado cuando era niño, pero ahora lo único que le producía era una profunda aversión.

—Si tu madre hubiera sido una hija obediente y se hubiese casado con quien tenía que hacerlo, no te habrían faltado el confort y la seguridad necesarios.

Confort y seguridad... Volver a ver a Daisy le había enseñado que había cosas mucho más necesarias en la vida que esas.

—Mi madre se casó por amor, al igual que haré yo. Por amor, abuelo, o no contraeré matrimonio alguno.

—Y me imagino que crees estar enamorado de esa... ¿actriz? —soltó Maximilian con desdén.

Gavin tuvo la prudencia de no contestar y se limitó a permanecer en silencio con la mirada fija. Daisy se mantenía firme en la postura de que un futuro juntos era imposible, aunque si terminaba cambiando de idea, ¿se casaría con ella? Hasta ese momento había relegado la perspectiva de estar juntos al reino de las fantasías, pero si le dieran la oportunidad de tener algo más con ella, ¿encontraría el valor suficiente para tomarlo?

Su silencio pareció apaciguar la intensidad de la diatriba de su abuelo, que miró hacia la puerta y negó con la cabeza.

—A los hombres jóvenes os gusta pasarlo bien, y si quieres hacerlo durante tu soltería supongo que no puedo echártelo en cara en demasía. Para ser sinceros, la primera vez que oí los rumores hasta sentí

alivio al comprobar que eras humano después de todo. Mantén a tu querida todo el tiempo que quieras, pero tanto por el bien de tu familia como por el tuyo evita que os vean en público.

—La señorita Lake no es mi querida, y no consentiré que se dirija a ella en esos términos.

Su abuelo enarcó una ceja canosa.

—Si no es tu querida, ¿qué es?

¿Qué era Daisy? ¿Una amante que juraba que nunca se enamoraría de él? ¿Una amiga de la infancia que guardaba secretos con la misma ferocidad con que lo hacía una madre de la alta sociedad con la virginidad de su hija debutante? ¿Una protegida que la mayoría de las veces era más maestra que alumna? Cómo añoraba aquellos tiempos en los que ella confiaba tan plenamente en él que no se lo pensaba dos veces antes de contarle los pequeños secretos que escondía en su alma. Él había sido su amigo, su confidente, su héroe... pero no le cabía la menor duda de que si hubieran seguido en Roxbury House en vez de que a él lo internaran en un colegio y ella se fuera a Francia habrían terminado convirtiéndose en amantes con los años.

—Ya le he contestado. Es una amiga, una amiga muy querida.

—¿Una amiga dices? —Su abuelo volvió a enarcar una ceja—. Muy bien, muchacho, no es así como lo llamábamos en mi época, pero supongo que servirá.

Por lo visto, los tejemanejes de Isabel Duncan no se habían limitado a esparcir rumores.

Daisy recibió una citación del Comité de Vigilancia de Londres del mismo modo que si se tratara de una orden real. Tenía que comparecer ante la junta del Comité a las cinco de la tarde del día siguiente. La audición se celebraría en el gran salón de Caxton Hall, en Westminster.

Los cargos: que su anteriores representaciones en el teatro de variedades contenían «conductas lujuriosas y lascivas» que contravenían la moral pública y que, por tanto, la incapacitaban para formar parte de una compañía teatral que una vez había ostentado la patente real para poder interpretar «teatro serio» en Londres.

La demandante no era otra que Isabel Duncan.

Le entregaron la orden de emplazamiento mientras ensayaba en el Drury Lane, y en cuanto la leyó fue a enseñársela a sir Augustus. Lo encontró en el despacho del administrador, trabajando en el libro de contabilidad. Al oírla entrar, el hombre alzó la vista y sonrió.

—Vaya, Daisy, qué agradable sorpresa.

—No tan agradable para mí. —Le pasó la citación para que pudiera leerla él mismo.

Cuando terminó, la cara de sir Augustus estaba blanca como un papel de vitela.

—Dios Santo, ¿y ahora qué?

Daisy recuperó la notificación.

—¿Qué significa todo esto? Seguro que cualquier decisión de este llamado Comité de Vigilancia no será vinculante, ¿verdad? ¿Por qué malgastar el tiempo contestando a una panda de hipócritas? Creo que simplemente voy a ignorarlos.

El hombre hizo un gesto de negación con expresión sombría.

—Me temo que no es tan fácil, querida. Si no les haces caso, boicotearán la obra. Tu carrera terminará antes de empezar y nos obligarán a poner fin a la representación. No, debes responder a la citación y encontrar la forma de salir exonerada del cargo. Quizá podrías hablar con ese abogado tan listo amigo tuyo, el señor Carmichael, y ver qué te recomienda. No me gustaría tener que reemplazarte, pero si debo hacerlo por el bien del teatro no me quedará más remedio.

Daisy entró en la sala de asambleas de Caxton Hall con Gavin a su lado. Buscando entre los asistentes, que debían de ser cientos, no le sorprendió en absoluto encontrar a Isabel Duncan sentada en el centro del auditorio, sonriendo de forma afectada mientras se recostaba en su silla.

Gavin le apretó la mano.

—No dejes que te ponga nerviosa.

—¿Cómo voy a evitarlo? Siento como si tuviera no solo mi carrera en sus manos sino el destino del Drury Lane.

Los siete miembros del comité de hombres y mujeres estaban sentados en una mesa cuadrada, excepto el presidente, situado detrás de un estrado con el mazo dispuesto para comenzar.

—Señorita Lake, haga el favor de acercarse a la tribuna —dijo en voz alta.

Daisy se inclinó hacia Gavin y le susurró:

—Deséame suerte.

—Solo recuerda que no estás sola. Estoy contigo.

Esbozó una sonrisa de agradecimiento.

—Gracias. —Dejándolo en su asiento, caminó por el pasillo y subió por las escaleras de la tribuna.

—Para que conste en acta, por favor, confirme que es usted Daisy Lake, también conocida como Delilah du Lac.

—Sí, lo soy.

Gavin pensó que se estaba comportando con enorme dignidad.

El presidente, un hombre calvo y de rostro arisco, no perdió un segundo más y comenzó la sesión.

—Uno de los personajes que se representaban en el espectáculo de variedades de El Palacio era el de la viuda Twankey, ¿verdad?

—Sí, es cierto.

—¿Se sorprendería si le dijera que el actor, o más bien el imitador, que representaba ese papel es homosexual?

Daisy tomó una profunda bocanada de aire. Qué diferente era Londres de París, donde normalmente se aceptaban sin tapujos las distintas preferencias sexuales y estilos de vida de cada uno. Dedicó unos segundos a pensar en su respuesta.

—En *Como gustéis*, la comedia más admirada de Shakespeare, la heroína, Rosalinda, se viste de hombre la mayor parte de la obra. Incluso se hace llamar Ganímedes, en velada referencia a un caballo castrado o a un eunuco. En la época de Shakespeare, como bien sabrán, las mujeres tenían prohibido actuar en el escenario, y Rosalinda habría sido interpretada por algún actor joven que fingía ser una doncella que se hacía pasar por un hombre. ¿De verdad es tan diferente a los actores que interpretan a un personaje femenino hoy en día?

«Bien dicho, Daisy.» Sentado entre la audiencia, el pecho de Gavin se hinchó de orgullo.

El presidente pasó a la siguiente pregunta.

—Señorita Lake, en sus anteriores espectáculos utilizaba el seudónimo de Delilah du Lac como nombre artístico.

—Sí.

—¿No es ese nombre, tomado de Dalila, la tentadora bíblica que llevó a la ruina a Sansón, demasiado sugerente como para usarlo encima de un escenario?

Daisy pareció tomarse en serio la pregunta. Después, se dio unos golpecitos en la mejilla con el dedo de forma muy similar a la primera vez que Gavin la vio actuar en el club de variedades y le quedó claro que estaba jugando con los asistentes.

—Supongo que lo que quería «sugerir» con ese nombre es que la gente debería divertirse.

La estancia se llenó de risas ahogadas. Gavin se puso tenso. «Ten cuidado, Daisy.»

La sesión continuó con más preguntas, a las que Daisy respondió con ingenio, aplomo y honestidad. Gavin nunca se había sentido más

orgulloso de alguien en toda su vida. Al final, para determinar si su actuación podía calificarse de «lujuriosa y lasciva», le pidieron que cantara una canción del repertorio que solía interpretar en el club. Al recordar lo subida de tono que resultó su actuación, Gavin contuvo el aliento. Incluso vestida tan recatadamente como iba, no se imaginaba cómo se las iba a arreglar para salir airosa de esa prueba.

—De hecho, me gustaría cantar dos canciones. —Miró en dirección a un piano que había en la sala y después se dirigió a la audiencia—. ¿Alguien sabe tocar?

Al ver que nadie levantaba la mano, Gavin alzó la suya de mala gana.

—Yo toco un poco.

Daisy sonrió y le hizo un gesto para que se acercara a ella, lo que le trajo a la memoria su primera noche en El Palacio. Parecía que habían pasado años de eso.

Ella abrió una cartera que había llevado para la ocasión y le pasó un libreto de música.

—Esta primero —indicó, señalando la partitura de un número que recordaba muy picante—. *A Little of What You Fancy*.

—¿Estás segura? —preguntó él.

Daisy asintió. Después pasó las hojas y le mostró su segunda elección.

—Luego esta. —Se trataba de una balada decente que solían tocarse en las salas de té para los invitados—. *Come into the Garden, Maud*.

Esperando que no estuviera tan loca como parecía, tomó el libreto y lo colocó en el piano. A continuación tomó una profunda bocanada de aire y empezó a tocar la melodía *burlesque* que Daisy había seleccionado.

Cantó la animada canción sin moverse ni un ápice y con el rostro completamente serio. Pero cuando le llegó el turnó a la balada, la interpretó con tal sensualidad y recorriendo con la vista a todos los presentes que Gavin vio a varios hombres sacar sus pañuelos de los bolsillos y secarse el sudor de la frente.

Al finalizar la actuación, la audiencia irrumpió en un sonoro aplauso y una sonriente Daisy hizo una graciosa reverencia.

—Señorita Lake, nos ha quedado bastante clara su postura. —El presidente golpeó con el mazo exigiendo silencio y añadió—: Este comité desestima la reclamación presentada contra Daisy Lake.

Capítulo 12

¡Entonces nunca amaste con el alma!
Si no recuerdas la menor locura
que el amor te haya hecho cometer,
es que no has amado.

WILLIAM SHAKESPEARE, Silvio
Como gustéis

Tercera semana

Contar con el respaldo del Comité de Vigilancia hizo que a Gavin le entraran ganas de celebrarlo. Como su apartamento estaba a un escaso paseo de su despacho en Inns of Court, cuando uno de sus clientes canceló la cita que tenían en el último momento se fue directo a casa, esperando encontrarse dentro con cierta actriz de pelo canela. Creía que Daisy no tenía ensayo ese día. Y lo que era aún mejor: era miércoles, el día en que Jamison viajaba en tren hasta Richmond para visitar a su madre enferma, de modo que tendrían el apartamento para ellos solos y no necesitarían encerrarse en el dormitorio, sino que podrían hacer el amor en cualquier habitación que se les antojase. Las circunstancias para esa tarde lluviosa se presentaban perfectas y llenas de placer. Solo un tonto habría dejado pasar una oportunidad como aquella.

Eso no significaba que no tuviera un montón de papeleo legal, declaraciones y expedientes de clientes acumulando polvo en las estanterías; todo lo contrario. Por muchas horas que le dedicase a su trabajo, siempre había un montón de almas necesitadas de una buena defensa. Sin embargo, desde que Daisy había regresado a su vida su carrera había dejado de ser el epicentro de su universo. Estaba empezando a sospechar que había usado la excusa de las leyes para evitar vivir la vida en toda su plenitud.

Más le valía dejar aquellas complicadas introspecciones para otro momento, no cuando estaba a un minuto de tener entre sus brazos a una mujer ardiente y bien dispuesta.

Entró en el apartamento y se detuvo el tiempo suficiente para sacudir su paraguas y dejar su maletín al lado de la puerta.

—Daisy, cariño, ya estoy en casa.

Se quitó el abrigo mojado y lo arrojó sobre el respaldo de una silla, demasiado impaciente como para colgarlo adecuadamente. Al ver que no salía a recibirlo, fue de habitación en habitación llamándola. La única estancia que le quedaba por inspeccionar era el dormitorio de ella. Seguía con su horario teatral, lo que significaba que le gustaba acostarse tarde y dormir hasta bien entrada la mañana. A veces, cuando alguna clase con su profesora de teatro o cualquier otro compromiso la obligaban a levantarse a las mismas horas que el resto de los trabajadores, solía echarse una siesta. Al imaginarse que podría estar haciendo precisamente eso, y todas las formas en que podría despertarla, se puso duro al instante. Llamó a la puerta y, al no recibir respuesta alguna, decidió entrar.

La habitación, incluida la cama desecha, estaba vacía. Parecía que la fortuna no le había sonreído tal y como había esperado. Con lo raro

que era que pudiera escaparse del despacho antes de tiempo, para un día que podía se encontraba con que Daisy se había marchado. Bueno, así era la vida. Seguro que una vigorizante caminata bajo la fría llovizna se encargaría de paliar el deseo que sentía entre las piernas, al menos para salir del paso. Aunque se había perdido el «almuerzo», siempre había una cena que podría saciarle, o aún mejor, el intervalo que venía después. Pensándolo bien, fuera cena. ¿Quién necesitaba un bistec con patatas asadas cuando podías deleitarte con unos dulces labios del sabor de la ambrosía y una piel suave como la seda?

Preguntándose si aquel perpetuo estado de lujuria no le estaría haciendo papilla el cerebro se dispuso a salir de allí, pero al llegar a la puerta vaciló. No quería marcharse todavía. Daisy apenas llevaba unas semanas ocupando esa habitación y ya había dejado una huella indeleble en ella, como si llevara un año o más. Inspiró su aroma, que impregnaba toda la estancia. Sí, estaba claro que no le apetecía nada salir de allí. Debía de estar más que enamorado, porque se encontró deambulando por el cuarto, tocando las mismas cosas que ella debía de haber tocado recientemente: la almohada que todavía tenía la marca de su cabeza, el espejo de mango de plata y el cepillo que había en el tocador, cuyas cerdas aún contenían algunas hebras de su pelo, una copia muy usada de *Como gustéis*, con notas a los márgenes escritos por ella misma... Se preguntó cómo le estaría yendo con la obra y cuando fue a hojear el manuscrito se fijó en un papel doblado de color crema que contenía lo que parecía ser el principio de una carta. En cuanto vio la dirección de la ciudad a la que iba dirigida el alma se le cayó a los pies. París.

Si se hubiera encontrado algo como aquello semanas atrás, habría encontrado la fuerza suficiente para dejar la misiva donde estaba y abandonar la habitación. Pero eso era antes. Ahora que tenía a Daisy en su vida se había percatado de lo susceptible que era de caer en la tentación en cualquiera de sus formas, de modo que se hizo con la carta, se sentó en el borde de la cama y comenzó a leerla.

Freddie de mi corazón:

Londres es una ciudad grande y llena de gente como París, pero tan diferente a la vez que no tendría tinta suficiente para enumerarte todas las diferencias. La gente aquí se comporta con absoluta corrección, y hasta la persona más agradable parece un poco estirada. Si Dios quiere, lo comprobarás muy pronto con tus propios ojos. Mientras tanto, solo puedo decirte que anhelo con todas mis ansias tener noticias tuyas. Quiero saber todo lo que has hecho y en lo que has estado pensando desde que me fui. El otro día me puse a contar y me di cuenta de que ya ha pasado más de un mes desde que te tuve entre mis brazos, pero parece que haya sido todo un año.

La carta, o al menos lo que hasta ese momento estaba escrito, terminaba ahí, pero bastó para decirle que quien quiera que fuese ese Freddie tenía el corazón de Daisy en la palma de su mano. Estrujó el papel en un puño hasta formar una bola y se maldijo por ser tan estúpido. Se había pasado todo ese tiempo en las nubes, como si fuera un Silvio cualquiera, el pastor loco de amor de la obra en la que Daisy iba a actuar, y entre tanto ella estaba contando los días para volver a estar con Freddie y librarse de él. ¿De verdad debería sorprenderle? Si analizaba cómo se había comportado últimamente con él, no solo por las cosas que había dicho o hecho sino, lo más importante, por las que no, la respuesta era negativa. Ella prácticamente había admitido que los rumores que circulaban sobre su persona no mentían, que había estado con otros hombres en Francia, y no con unos pocos. Nunca le había hecho una sola promesa. Más bien lo contrario, había sido la única que había insistido en limitar a un mes su acuerdo de vivir juntos. Ahora sabía por qué. Su amante iba a venir de París, y en cuanto volvieran a estar juntos ya no lo necesitaría más. Se alejaría de él para siempre sin mirar hacia atrás.

Posiblemente lo peor de todo aquel deprimente asunto era que Daisy nunca le había mentido. No, si entre ellos había existido una mentira había sido por parte de él. Desde el momento en que se dieron la mano para cerrar su «trato» él no había hecho otra cosa que convencerse a sí mismo de que, en cuanto terminara el plazo de un mes, la habría conquistado. Y la pasión que habían compartido solo había avivado esa mentira. Incluso teniendo en la mano la prueba irrefutable, todavía no podía creerse la humillante verdad: que Daisy estaba haciendo planes para lanzarse a los brazos de otro hombre.

Pero al menos habría algo que le complacería, aunque fuera amargamente. Iba a enfrentarse a ella y a arrojarle a la cara la evidencia de su hipocresía. Dondequiera que se hubiera marchado, en algún momento tendría que volver, y allí estaría él esperándola. Y entonces, si conseguía sacar a la luz sus dotes interpretativas —a fin de cuentas, todos los abogados llevaban un actor dentro—, tal vez pudiera convencerla de que le importaba un carajo y de que, al igual que ella, también estaba deseando volver a ser libre.

La cuestión era si lograría convencerse a sí mismo.

Cuando Daisy llegó a casa esa tarde, se encontró a Gavin sentado en el sofá del salón, esperándola. A pesar de la llovizna, estaba de buen humor. El ensayo había ido fenomenal y le había dado tiempo a hacer algunas compras después. Cuando vio el gorrito azul ribeteado con una cinta de terciopelo negro en el escaparate de una sombrerería de Mayfair pensó que a Freddie le encantaría y lo compró.

Y para rematar el día, llegaba a casa y Gavin la estaba esperando. Ni siquiera se había quitado la capa y ya estaba húmeda por él. Imaginándose las horas de amor ininterrumpido que le esperaban, dejó la caja con el gorrito en el suelo y se acercó a él para besarle.

—¡Qué agradable sorpresa! —exclamó jovial.

Gavin se echó hacia atrás.

—Sí, ha sido un día lleno de muchas sorpresas. —Depositó el vaso medio vacío que estaba bebiendo sobre la mesa y se puso de pie.

Su mirada dura, la mandíbula apretada y el tono hiriente que había usado le dijeron que no estaba de tan buen humor como ella.

—Gavin, ¿qué te pasa?

—¿Quién demonios es Freddie? ¿O debería decir «Freddie de tu corazón»?

—No... No sé de qué estás hablando —mintió, aunque no de forma muy convincente. Seguro que el temblor de su voz la había delatado.

Como no quería mirarle a los ojos, bajó la vista y se percató del trozo de papel arrugado que tenía en el puño. Solo tardó unos segundos en darse cuenta de lo que era. Gavin debía de haber encontrado la carta a medio terminar que le había escrito a Freddie, una misiva que nunca se le había pasado por la cabeza esconder.

Alzó la barbilla y ahora sí que le miró a los ojos, confiando en que su expresión pareciera tan irritada como la de él.

—Esa es mi correspondencia privada. No tienes ningún derecho a leerla, y mucho menos a husmear en mi habitación.

—No estaba husmeando en tu cuarto. Vine a casa más temprano de lo normal dispuesto a hacerte el amor. Cuando llamé con los nudillos y no contestaste, creí que estabas durmiendo una siesta y quise sorprenderte. Pero el sorprendido fui yo. —La miró como si fuera una criatura, una especie de monstruo que actuaba de una forma abyecta que él era incapaz de comprender—. Dios mío, Daisy, ni siquiera te molestaste, o como dirían algunos, ni siquiera tuviste la decencia de esconderla.

—No creí que tuviera que hacerlo —señaló ella, lanzándole una mirada acusatoria que decía a las claras que el equivocado era él.

En un gesto típicamente femenino, se las había apañado para dar la vuelta a la tortilla y ponerle a la defensiva, lo que no era una buena

idea, teniendo en cuenta su en teoría brillante cerebro para las leyes. Cuando se trataba de Daisy, lo que parecía regir el día a día eran las emociones, y no la lógica.

—No habría encontrado la maldita carta si no la hubieras dejado sobre el tocador. —Aún con la evidencia de su subterfugio en la mano, era importante que ella no pensara que había estado rebuscando entre sus cosas—. Estaba tan a la vista que incluso creo que querías que la encontrara para pillarte.

La pulla pareció surtir efecto. Las mejillas de Daisy se ruborizaron con la misma intensidad que si acabaran de recibir una bofetada.

—No tengo que darte explicaciones sobre mi vida, Gavin. Ni a ti, ni a nadie. Por lo que respecta a nuestro acuerdo, tengo intención de devolverte hasta el último penique que te hayas gastado en las clases de interpretación, en los libros y en... Bueno, en todo. Me llevará un tiempo, incluso años, pero saldaré mi deuda.

Dios, qué fría debía de ser cuando sacaba a colación el asunto de su acuerdo en un momento como ese. Le había robado el corazón. Comparado con eso, ¿qué más daban unos cientos de libras?

—No quiero tu dinero. Toda la ayuda que te he podido dar ha sido por... nuestra amistad. —Había estado a punto de decir la palabra amor, pero se detuvo antes de parecer más idiota de lo que ya era.

Daisy hizo un gesto de negación con la cabeza. Tenía los labios apretados en una fina línea.

—Y yo no quiero que pienses en mí como tu amante o en ti como el hombre que me mantiene. Todo lo que hemos hecho en la cama, cualquier placer que te haya dado, lo he hecho libremente. Quiero que veas el tiempo que hemos pasado juntos como un regalo, no como un acuerdo de negocios.

—Ahora lo llaman «protector». Creo, y espero, haber sido algo más para ti. Lo que hemos tenido nunca fue un acuerdo de negocios; al menos no para mí, pero ya no importa. Tú y ese... Freddie... ¿tenéis

algún tipo de relación? —En cuanto formuló la pregunta se odió a sí mismo por hacerlo, pero tenía que saberlo.

Daisy apartó la mirada.

—Sí, supongo que tú lo llamarías así.

—¿Y cómo lo llamarías tú?

Ella alzó la cabeza de repente y le taladró con la mirada.

—Amor, Gavin. Lo llamo amor.

—Ya veo. Amas a ese... Freddie. Y aun así me has dejado hacerte el amor. No, no me has dejado, me has seducido, me has vuelto loco de deseo y me has convertido en tu esclavo. ¿Para qué?

Ella tuvo el descaro de encogerse de hombros.

—Un mes es demasiado tiempo para dormir sola. Te deseaba. Tú me deseabas. Y si queríamos compartir nuestros cuerpos, ¿por qué no hacerlo? Somos adultos. No hacemos daño a nadie.

—Maldita seas, Daisy, cuando fui a tu cama no lo hice solo para follarte, sino para hacer el amor. Creía que hacíamos el amor.

«Pensé que nos estábamos enamorando. Al menos yo.»

—Los hombres y las mujeres comparten sus cuerpos todos los días sin incluir el amor en esa ecuación. Siempre he pensado que las cosas van mucho mejor si no se interponen emociones complicadas.

A Gavin no le pasó desapercibido que se estaba refiriendo a todos los hombres que habían estado con ella. Quienquiera que fuera el tal Freddie, no era su primer amante, y a pesar de la apasionada carta sospechaba que tampoco sería el último.

Mucho más dolido de lo que jamás se imaginó, se volvió hacia ella.

—¿De qué diablos tienes miedo? ¿De que podríamos haber sido felices juntos? ¿De que pudiera estar enamorándome de ti?

Las preguntas la pusieron nerviosa, o eso le pareció a él. Daisy retrocedió unos pasos, no porque le tuviera miedo —sabía que él no le haría ningún daño—, sino porque de pronto parecía haberse convertido en el espejo de todas las verdades que no quería ver sobre sí misma.

—Eso es ridículo. No tengo miedo de nada.

—Entonces demuéstralo. Déjame acompañarte cuando le digas a tu Freddie que lo vuestro se ha terminado.

Daisy negó la cabeza.

—Lo siento, Gavin —dijo con expresión resuelta—. De verdad que lo siento. Lo último que quería era hacerte daño. Has sido tan bueno conmigo. Más que bueno. Has sido el epítome de la generosidad. Te estoy muy agradecida por...

Él la interrumpió con un gesto de la mano.

—No me interesa tu gratitud.

—Me hubiera gustado que las cosas fueran diferentes, pero me temo que es demasiado tarde. Para mí ha sido muy especial el tiempo que hemos estado juntos. Si no me crees en nada más, espero que en eso sí.

El pánico se apoderó de él. Tal y como sonaba parecía que lo suyo se terminaba, y no dentro de una semana, sino allí y ahora. Que nunca más volviera a experimentar la magia de tocarla, de saborearla, de embeberse de sus preciosos ojos y observarla llegar al clímax era una pérdida que no se veía capaz de soportar.

La ira, aunque no era una vía de escape, sí que le valdría como refugio temporal para ese lacerante dolor que le embargaba.

—No sé por qué debería creerte. Desde que volvimos a encontrarnos lo único que ha salido de tu boca ha sido una mentira tras otra. Y me las he tragado todas, una a una. Pero ¿sabes? Quería creerte con todas mis fuerzas, necesitaba confiar en que lo nuestro era posible. E hiciste que me lo creyera. Ahora me doy cuenta de que no necesitabas las clases de interpretación. O eres una actriz consumada o una mentirosa de nacimiento, escoge lo que mejor te venga. Se supone que soy alguien inteligente y, aun así, empezaba a convencerme de que teníamos una oportunidad y un posible futuro juntos. Eres muy buena, Daisy, no solo una excelente actriz sino también una puta de primera. Quédate el dinero. Te lo has ganado con creces.

Daisy parecía estar muda de asombro y él sintió como si en la estancia no hubiera aire suficiente para que ambos pudieran respirar. A pesar de que estaban en la zona más fría de la casa, empezó a sudar como si las cuatro paredes estuvieran ardiendo.

—Márchate o quédate —continuó—. Es asunto tuyo.

Daisy dio un titubeante paso hacia él.

—Gav, espera, no te vayas, no así.

Él pasó como una exhalación a su lado.

—No vuelvas a llamarme de ese modo, ¿de acuerdo? —Hizo un gesto con la mano para enfatizar la orden, apenas consciente de que el sudor se había apoderado de todo su cuerpo—. Ese es un privilegio que solo tienen mis amigos. Y usted, señorita Lake, ya no tiene ese derecho.

Tomó con ímpetu el abrigo que había dejado en el respaldo de la silla y abandonó el salón, dando un portazo tras de sí.

Esa misma noche, Daisy se sentó arropada con una manta sobre la alfombra del estudio de Gavin a esperar su regreso. Tarde o temprano tenía que volver, y cuando lo hiciera estaba resuelta a mantener una conversación con él. Una Daisy más joven e impulsiva ya hubiera hecho las maletas y se habría marchado, pero a sus veinticuatro años era demasiado mayor para ese tipo de escenas, o al menos eso le gustaba creer. Y aunque las habitaciones de Whitechapel seguían siendo suyas durante una semana más, no era tan tonta como para aventurarse a recorrer sola aquel infame distrito a oscuras y con una maleta en la mano. De todos modos, consideraciones prácticas aparte, en realidad no quería irse cuando su reciente pelea todavía ardía en su cerebro como un hierro al rojo vivo. Puede que una vez que Gavin regresara de donde quisiera que se hubiese ido pudieran hablar de una forma más racional y separarse como... ¿amigos?

Había dejado la puerta del estudio abierta, así podría oírle cuando llegara. Pero en vez de una llave en el cerrojo, lo que escuchó fue el carraspeo de una garganta, un sonido que había empezado a asociar a los sirvientes de la casa. Instantes después veía asomar por la puerta la cabeza canosa de Jamison.

—¿Necesita alguna otra cosa más, señorita Daisy? Me he tomado la libertad de calentarle la cena. ¿Quiere que se la traiga antes de retirarme?

Aunque estuviera cumpliendo con las obligaciones de su cargo, era un hombre al que había llegado a apreciar mucho.

—Gracias pero no, Jamison —contestó, forzando una sonrisa—. Estaré bien hasta mañana. —Tenía el estómago demasiado revuelto por los nervios como para pensar en comer. Además, se había acostumbrado a cenar con Gavin. Esa sería una de las cosas que echaría de menos cuando se fuera. Ser consciente de aquello hizo que se le contrajera el corazón.

Jamison asintió y regresó al pasillo.

—Muy bien, señorita. Le deseo buenas noches entonces.

—Buenas noches.

El breve intercambio tenía un gran significado. Las clases de dicción habían surtido efecto a pesar del suplicio que le habían supuesto. Gavin de nuevo había estado en lo cierto. Cualquiera que la escuchara decir: «Gracias pero no, Jamison. Estaré bien hasta mañana», pensaría que era toda una dama. Más allá de ese nuevo acento culto, lo que más le asombraba era lo cómoda que se sentía en el papel de señora del feudo, o en ese caso, señora del apartamento. Sí, la casa de Gavin había terminado convirtiéndose en su hogar, tanto como el de él.

Se arropó más con la manta y tomó otro sorbo del jerez que se había servido. Gavin era un animal de costumbres; daba igual la hora a la que llegase, el primer lugar al que iría sería al estudio. Mantendrían una charla más calmada y al día siguiente vería cómo llevar sus pertenencias a las habitaciones alquiladas que todavía tenía en Whitechapel y empezaría a buscar un lugar más adecuado. Sin lugar a dudas, aquello era lo mejor que podía hacer.

Entonces, si era lo mejor, ¿por qué se sentía tan mal?

La esgrima había sido el solaz de Gavin desde que su abuelo lo trajera de vuelta a Londres hacía quince años. Las dos sesiones de entrenamiento semanal fueron uno de los pocos aspectos de su formación como caballero que realmente disfrutó, uno de los campos en los que sintió que podría colmar tanto las expectativas de Maximilian St. John como las suyas propias. La práctica de aquel deporte no solo requería de un esfuerzo físico importante y una sincronización perfecta entre cuerpo y mente, sino que obligaba a pensar de forma estratégica, y sobre todo, a mantener un férreo autocontrol. Antes de Daisy y de que se convirtieran en amantes, las sesiones de esgrima le habían proporcionado la liberación que tanto necesitaba, así como la forma más segura de conservar la cordura, o lo poco que le quedaba de ella.

Esa tarde, cuando salió disparado de su apartamento, en vez de ahogar sus penas en el alcohol se había ido directo al club de esgrima. El club oficial de Londres era parte gimnasio, parte punto de encuentro, y ofrecía un generoso horario para cubrir las necesidades de sus miembros, acomodándose a sus agendas. Tenía además una salita de aspecto más informal donde uno podía tomar un refrigerio después de una sesión de entrenamiento que contaba con un teléfono a disposición de los socios. Tras dudarlo un instante, había decidido llamar a Rourke, pero contestó su mayordomo. El escocés no se encontraba en casa, sin embargo el sirviente prometió hacerle llegar su invitación en cuanto regresara.

Rourke debía de haber percibido que Gavin necesitaba algo más que un compañero de entrenamiento, porque en cuanto salió del vestuario vio al escocés entrando.

—Soy más de boxeo, aunque intentaré hacerlo lo mejor posible.

Gavin esbozó una sonrisa de agradecimiento.

—Gracias.

Diez minutos más tarde se encontraron en la galería de entrenamiento, ataviados con las máscaras de rigor, guantes, parte superior acolchada, pantalones bombachos blancos y espadas con punta roma. Era la hora de la cena, así que tenían todo el lugar para ellos solos.

Separados por la distancia reglamentaria, Gavin alzó el florete.

—*En garde.*

Al ser un principiante en aquel deporte, Rourke no tenía ni de lejos su destreza, pero era un atleta nato, y durante el año anterior había captado las reglas básicas con la facilidad suficiente como para ser un digno adversario en un combate amistoso.

El problema era que Gavin no se sentía especialmente bien. Quería sangre... En concreto la de Freddie. Y como sabía que no podía ver su deseo satisfecho en esa lid, tenía la intención de extraer hasta la última gota de sudor del escocés. Sus espadas contaban con la seguridad requerida e iban ataviados con la vestimenta adecuada. Bajo unas circunstancias tan controladas, no podía hacerle ningún daño.

Avanzaron y se retiraron, atacaron y se defendieron a lo largo de la galería vacía. En todo momento, Gavin no dejó de usar una táctica implacable.

—Has debido de tener un día de mierda —gritó Rourke entre jadeos.

—Ni te lo imaginas —vociferó a su vez él mientras iniciaba otro ataque, apuntando al corazón de su amigo.

Los siguientes minutos estuvieron cargados de un sin fin de choques de floretes y resuellos, acompañados de algún que otro gruñido o maldición. Regueros de sudor caían por la cara y el cuello de Gavin, empapándole la camisa y la protección acolchada, y aunque no podía ver el rostro de Rourke debajo de la máscara, sabía que debía de encontrarse en el mismo estado. Llegados a ese punto, solía bajar el ritmo y

dar una oportunidad al principiante para que se recobrara, pero en su mente no estaba luchando contra Rourke, sino contra el amante de Daisy, el desleal e inútil de Freddie, un hombre anónimo excepto por ese absurdo nombre. Gavin nunca había detestado a una persona con tanta intensidad.

Imaginándose a un Adonis con rizos color miel, esquivó con facilidad el burdo ataque de Rourke y fue a matar, asestando una estocada con la punta roma de su estoque en el lado izquierdo del pecho del escocés. A pesar de la seguridad de las armas, un golpe como aquel podía dejar en su amigo una magulladura que le duraría días.

—Jesús, Gav, ten cuidado.

—Lo siento —se disculpó él, aunque estaba más allá de cualquier sentimiento que no fuera una furia irracional y un odio encarnizado.

«Los hombres y las mujeres comparten sus cuerpos todos los días sin incluir el amor en esa ecuación. Siempre he pensado que las cosas van mucho mejor si no se interponen emociones complicadas.»

La insensible declaración de Daisy, intercalada con el sonido de los floretes entrechocando, resonó en sus oídos. De todo lo que ella le había dicho, lo que más le dolió fue escuchar de sus labios que lo que habían compartido no había significado nada.

Reanudó otro ataque, golpeando a Rourke con más energía y rapidez mientras lo acorralaba en un rincón.

—Gav, ¿qué demonios te pasa, hombre? Para ya. Solo estamos entrenando, por el amor de Dios.

Demasiado alejado de la realidad como para prestarle atención, volvió a embestir, pero en el último segundo Rourke consiguió desviar el golpe e hizo que su florete cortara el aire. Concentrado como estaba en el ataque, el impulso que llevaba le impidió frenar a tiempo y continuó yendo hacia delante. Vio un destello de acero hacia él y lo siguiente que sintió fue un dolor lacerante en el hombro izquierdo. Apoyándose en su espada, trastabilló hacia atrás.

200

—Gav, ha sido un accidente, lo juro.

Se golpeó con la pared de yeso, preguntándose cómo una simple magulladura podía doler tanto. Una miríada de estrellas danzó delante de sus ojos. Las rodillas comenzaron a fallarle y empezó a hundirse como si estuviera andando sobre arenas movedizas.

Cuando abrió los ojos se encontró a Rourke arrodillado delante de él, con el brazo metido debajo de su cabeza cual ancla a la que aferrarse en un mundo que de pronto se había puesto patas arriba. Se fijó en que su amigo se había levantado la máscara y que su bronceado rostro sudaba profusamente.

—El maldito florete se resbaló. ¿Te encuentras bien? Dime algo, hombre.

Gavin movió la cabeza conmocionado. Tenía muchas preguntas en mente, pero de repente, centrarse solo en una le requería un esfuerzo hercúleo. Intentó responder con un encogimiento de hombros. El dolor que sintió fue tal que si todavía hubiera estado de pie se habría caído de rodillas.

Se humedeció los labios.

—Ha sido culpa mía. No debería haber seguido. No puede ser tan malo como parece. Estoy seguro de que solo se trata de un rasguño.

El rostro ceniciento de Rourke le dijo que sí que era malo.

—Estás sangrando como un cerdo. Me imagino que el club tendrá médico propio, ¿no?

Gavin se las apañó para asentir con la cabeza a pesar de que la sentía tan pesada como si se hubiera convertido en un saco de piedras. Apretó la mandíbula y se arriesgó a bajar la mirada; una mancha de color escarlata se extendía con rapidez por la zona izquierda de su jubón blanco.

Rourke le desenroscó los dedos de la empuñadura del florete, apartó el arma y la depositó a su lado en el suelo.

—Quédate quieto e intenta no moverte. Voy en busca del médico.

—Llévame a casa, Rourke. Quiero irme a casa.

Se disponía a decir «a casa con Daisy» cuando sintió tal agonía en el hombro que prácticamente se quedó sin respiración. Lo siguiente que supo fue que su amigo se fue desvaneciendo de su campo de visión, al igual que el resto de la galería vacía, hasta convertirse en una negra inmensidad.

Capítulo 13

Ya ves que en la desdicha nunca estamos solos.
Este gran escenario universal
ofrece espectáculos más tristes
que la obra en que actuamos.

WILLIAM SHAKESPEARE, Duque
Como gustéis

Daisy debía de haberse quedado dormida porque se despertó sobresaltada cuando oyó abrirse la puerta principal. Aunque había dejado la lámpara del escritorio encendida, necesitó unos instantes para recordar dónde estaba y por qué. El estudio de Gavin... Habían discutido y él se había marchado. No era el primer hombre en hacer algo así, pero sabía que tarde o temprano volvería, y no solo porque vivía allí, sino porque no era de los que se iban sin más. Aunque, ¿no era precisamente eso lo que hizo años atrás?

«Era un niño, Daisy. Como tú. Perdónale y sigue con tu vida.» Las sabias palabras de su madre adoptiva acudieron a ella como un bálsamo para su herido corazón.

Hacía frío en el estudio. Se colocó la manta y se puso de pie. Tenía las piernas entumecidas.

—Gavin —le llamó en un susurro lo bastante alto para que él la oyera, pero no tanto como para despertar al servicio o a Jamison, cuyos ronquidos le llegaban desde el final del pasillo. Al no recibir contestación, se preguntó si la estaba ignorando deliberadamente. Caminó hacia la puerta y asomó la cabeza—. Gavin, ¿eres tú?

—Soy Rourke, pero Gavin está conmigo —respondió la voz del escocés—. Le ha visto un cirujano y se pondrá bien.

¡Un cirujano! Se quitó la manta y se fue corriendo al salón.

Rourke tenía a Gavin recostado contra la puerta, apoyado sobre su brazo. El abogado la miró e intentó esbozar una sonrisa.

—Daisy, ¿todavía sigues aquí? Lo siento, no quise despertarte.

En vez de su recurrente tartamudez, hablaba arrastrando las palabras.

Daisy se dirigió a Rourke.

—Dios bendito, ¿qué le ha pasado? ¿Está borracho? ¿Os habéis metido en alguna pelea?

Se había ido del apartamento con un humor de mil demonios, pero Gavin no era de los que se desfogaban usando los puños. Durante el año que pasaron juntos en Roxbury House no le vio meterse en una sola reyerta, mientras que Rourke y Harry siempre venían con la nariz sangrando o algún que otro ojo hinchado.

—Más o menos. ¿Me ayudas a meterlo en la cama?

—Claro. Sígueme.

Guió a Rourke por el pasillo hasta el cuarto de Gavin, un dormitorio en el que, en apenas unos días, habían construido innumerables recuerdos que durarían toda una vida. Era difícil creer que el hombre que apenas podía andar hubiera estado la noche anterior pletórico de salud.

Encendió la lámpara de la mesita de noche y echó hacia atrás los cobertores de la cama. Después, ayudó al escocés a tumbar a Gavin en el lecho y se sorprendió sobremanera al comprobar que estaba tan

inconsciente que era como un peso muerto. Cuando Rourke terminó de soltarlo, sus brazos se desplomaron como si apenas tuviera masa muscular.

El escocés debió de leerle la mente en aquel momento porque se apresuró a tranquilizarla.

—Es por el láudano. El médico del club le administró un poco antes de empezar con la sutura. En mi caso hubiera preferido *whisky*, la verdad. Solo espero que el pequeño charlatán no se haya pasado con la cantidad.

Aquello explicaba la dificultad para hablar y la pesadez de sus extremidades.

—Quiero que me cuentes lo que ha pasado desde el principio, y no te dejes ningún detalle —ordenó mientras empezaba a desabrochar el jubón ensangrentado de Gavin.

—El médico, Pritchard, dijo que se pasará mañana por la mañana. Le he dado vuestra dirección. Espero que no os moleste.

—Por supuesto. —No le pasó desapercibido que incluso sus amigos habían comenzado a tratarla como si fuera la esposa de Gavin, en vez de su amante. Algo que, en teoría, tendría que haberla molestado, o por lo menos hacerla sentir atrapada, pero no le sucedía ninguna de las dos cosas. ¿En qué momento la jaula dorada se había convertido en el dulce hogar?

En cuanto terminó con el jubón se puso con la camisa, pero al pasársela por los hombros se detuvo al oír el gruñido de dolor de Gavin. Cuando miró hacia abajo y vio la venda ensangrentada que cubría una buena porción de su hombro izquierdo sintió como si su propia sangre se le aguara en las venas.

Alzó la cabeza hacia Rourke.

—Cielo santo, ¿qué le ha pasado? —preguntó.

Sin apenas mirarla, el escocés puso tal expresión de vergüenza que le recordó al niño que fue una vez.

—Estábamos practicando esgrima... en plan amistoso... y el florete se me resbaló justo cuando estaba atacando y... bueno... creo que a partir de ahora solo me dedicaré a boxear.

Daisy hizo un gesto de asentimiento, pensando en lo ridículos que a veces podían llegar a ser los hombres.

—¿Y te ha dado ese médico que le ha atendido alguna recomendación sobre cómo cuidarle?

La pregunta le trajo de vuelta a la realidad.

—¡Oh, sí! ¡Casi se me olvida! —Se metió la mano en el bolsillo del abrigo y sacó un pequeño vial de cristal marrón—. Láudano. Cuando se despierte dentro de unas horas, dolorido, debes darle una gota, ni más ni menos. —Le dio la medicina y se dispuso a marcharse.

Daisy asintió.

—Gracias por traerlo a casa. —Tan pronto como las palabras salieron de su boca se percató de que estaba hablando como si fuera una esposa.

«Mal, Daisy, muy mal.»

Cuando el escocés llegó al umbral de la puerta se volvió.

—¿Daisy?

Ella dejó de centrarse en el rostro perlado de sudor de Gavin.

—Dime, Patrick.

—Lo primero que me pidió después del golpe fue que le trajera a casa.

Preguntándose a dónde quería llegar con aquello, volvió a asentir.

—Seguro que donde mejor descansa es en su propia cama.

Rourke vaciló, como si no estuviera muy convencido sobre continuar hablando o callarse.

—Si perdonas mi atrevimiento, creo que no echaba de menos su cama. Sino a ti.

Por muy agradecido que estuviera a Rourke por haberlo llevado a casa, ahora que ya estaba tumbado sobre la misma cama que había compartido la noche anterior con Daisy no podía esperar a que el escocés se fuera para poder quedarse a solas con ella. Era consciente de que se suponía que estaba enfadado con ella, lo recordaba perfectamente, pero juraba por su misma vida que no se acordaba de por qué. Rourke lo había atiborrado a *whisky* mientras el cirujano se preparaba para la sutura, y la ulterior dosis de láudano tampoco había hecho mucho para que se mantuviera sobrio.

En cuanto oyó la puerta cerrarse, soltó un suspiro de alivio y miró hacia el bello aunque tenso rostro de su enfermera particular.

—¿Te has dado cuenta de lo cerca que ha estado ese florete de darte en pleno corazón? —le reprendió ella—. Podrías haber muerto.

Daisy se inclinó para colocar las almohadas, permitiéndole vislumbrar la parte superior de sus pechos envueltos en la bata de seda negra. Al recordar lo bien que se acomodaban a sus palmas, cómo se endurecían los pezones bajo las caricias de sus dedos, labios y lengua, se puso duro como una roca.

Daisy terminó con su tarea, volvió a erguirse y lo miró con su adorable rostro completamente serio.

—Oye, no te moverás de esa cama, ¿entendido? Si necesitas cualquier cosa en mitad de la noche ya me encargo yo.

—¿Y cómo vas a saber lo que necesito?

«A ti, te necesito a ti.»

Ella dudó unos segundos.

—Porque voy a estar justo aquí, a tu lado.

La situación parecía mejorar por momentos.

—¿En la cama?

Incluso aturdido como estaba, no le pasó desapercibido cómo ella apartó la mirada.

—No, dormiré en la silla. No quiero darte en el hombro sin querer.

Con tal de tenerla a su lado, le daba igual el hombro.

—Necesito un baño. Tendrás que ayudarme con eso.

Daisy se volvió hacia él y arqueó una ceja.

—No te hará ningún daño irte a la cama sucio por una noche.

—Y ahora, ¿quién está siendo una aguafiestas? —Sin darle tiempo a responder añadió—: Por cierto, estás guapísima. —Esbozó una sonrisa torcida y extendió la mano en busca de la suya.

Daisy dejó que se la tocara, y Gavin se dio cuenta de que la tenía fría y estaba temblando.

—Gracias.

—De nada. —Él le acarició con el pulgar el lugar de la palma que sabía que tanto le gustaba—. ¿No vas a dormir aquí, conmigo... en la cama, quiero decir?

Ella negó con la cabeza de forma categórica.

—No.

—¿Y qué me dices de un beso de buenas noches?

Ella pareció vacilar.

—¿Estás seguro de que tienes el cuerpo para besos?

—Sí —contestó él, mirando hacia la erección que tenía en los pantalones.

—Muy bien. —Apoyando las manos sobre el colchón a ambos lados de él, se inclinó hacia delante y lo besó suavemente, acariciando sus labios. Después, se separó de él y lo miró—. Ya está, ¿mejor?

Gavin asintió y estiró la mano para agarrarla por la nuca. A continuación enredó los dedos en su pelo suelto y... sintió los párpados pesados, como si llevara colgados dos grandes sacos de arena de ellos. «El arenero[1] está a punto de llegar, Daisy. Será mejor que cierres los ojos o te lo vas a perder», solía decirle él todas las noches en Roxbury House

---

1   El arenero, en inglés *Sandman*, es un personaje popular del folklore anglosajón que
    ayuda a los niños a dormir y tener dulces sueños esparciendo arena mágica sobre sus
    ojos. (N. de la T.)

cuando no conseguía conciliar el sueño. Cuántos años habían pasado de aquello, cuánta inocencia perdida. Intentó seguir con los ojos abiertos, pero le fue imposible. De pronto, le costaba horrores mantener el brazo en alto, hasta el punto de que le daba la sensación de tenerlo hecho de plomo en vez de carne y hueso. Así que lo bajó, y este cayó sobre el colchón como si se tratara de caucho.

Sintió la mano de Daisy sobre su frente. Seguía teniéndola fría, aunque no tanto como antes. Le revolvió el pelo unos segundos, y después, como si estuviera al final de un enorme túnel, la oyó decir:

—Buenas noches, Gav.

Daisy volvió a ponerse recta y miró hacia abajo. Gavin se había quedado dormido. Mejor. Ahora que había pasado el drama del momento, podía intentar descansar un rato. Enterarse de que había resultado herido le afectó más de lo que se había imaginado. Y aunque la herida tenía un aspecto terrible, podía haber sido mucho peor a juzgar por lo grande que era el vendaje. No había exagerado cuando dijo que lo podían haber matado. No quería imaginarse un mundo sin Gavin Carmichael. A pesar de que sabía que sus caminos se separarían al finalizar el mes pactado, que siguiera vivo y en buen estado era crucial para ella.

Sumida en esos pensamientos, lo tapó con las sábanas y apagó la lámpara. Luego se inclinó de nuevo sobre él y le besó en la frente.

—Dulces sueños, Gavin. Seguramente mañana te habrás olvidado de todo esto, pero yo recordaré cada una de las palabras que dijiste, así como las que pensaste y no te atreviste a expresar.

Acercó una silla al lado de la cama y se sentó a observarle y esperar.

El médico del club, el doctor Pritchard, acudió a la mañana siguiente para comprobar el estado de Gavin. Jamison lo condujo al dormitorio,

donde Daisy estaba sentada junto a la cama, memorizando su parte de *Como gustéis*. La habitación de un convaleciente no era el lugar ideal para ensayar una obra, pero Gavin había insistido en que no quería ser ningún impedimento y ella agradecía la distracción. Ninguno de los dos había sacado a colación el asunto de la carta, la discusión posterior, ni el hecho de que ella siguiera teniendo la intención de dejar la casa a la semana siguiente, de modo que las cosas entre ellos habían vuelto a la normalidad, al menos en apariencia.

De complexión pequeña y rechoncha, el médico le recordaba a Daisy a una especie de ave de caza, un pichón o una paloma. Mientras examinaba la herida de Gavin, se quedó esperando en el umbral de la puerta y solo entró cuando requirió de su ayuda para cambiar la venda ensangrentada por otra limpia.

Cuando terminó, Pritchard la llamó al pasillo.

—¿Estoy en lo correcto si asumo que usted es que la que va a estar a su cuidado?

—Sí. —Si tenía que pasar la última semana con él haciendo de enfermera, estaba más que dispuesta.

Aparte de enarcar levemente la ceja, el hombre no dio ninguna otra señal que indicara que se escandalizaba por su situación o que la encontrara indecorosa siquiera, aunque Daisy se imaginó que se debía a su profesión. Seguro que un médico estaba acostumbrado a lidiar con casos que se saltaban las reglas del honor a diario.

—Entonces procure que le limpien la herida y le cambien el vendaje al menos una vez al día. El ungüento que le dejo debería evitar cualquier infección, pero si nota que supura mucho o despide un olor hediondo, contacte conmigo de inmediato.

—Lo haré, doctor. Muchas gracias.

Tras despedirse del médico volvió a entrar en la habitación. Gavin estaba recostado sobre una almohada, sin camisa y con un enorme vendaje cubriendo la mayor parte del lado izquierdo de su torso.

—¿Qué llevas en la mano?

Daisy bajó la mirada hacia el vial de color marrón.

—Láudano. Tengo que darte un poco para que te ayude a conciliar el sueño.

—No lo quiero —sentenció con expresión feroz. Daisy sospechaba que debía de estar acordándose de la noche anterior, cuando gracias a dicha sustancia se le soltó demasiado la lengua, desinhibiéndose en exceso—. Por mí como si lo tiras todo.

En vez de discutir, se limitó a encogerse de hombros.

—Como quieras, pero por ahora prefiero quedármelo.

Se sentó en la silla que había junto a él y centró su atención en el guion que tenía que aprenderse. Cuando se disponía a buscar la página donde se había quedado, Gavin alargó la mano y la sujetó por la muñeca.

—Daisy, con respecto a la otra noche... —Dejó la frase inconclusa y la miró, estudiando su rostro.

Tarde o temprano tenía que pasar. No podían ignorar indefinidamente el problema que tenían. Sintiendo como todo su cuerpo se tensaba, apartó la vista de la hoja impresa.

—¿Sí, Gavin?

—Estaba bastante drogado cuando me sacaron del club. Casi como si me hubiera bebido una pinta de *whisky* escocés. Bueno, pensándolo bien, puede que también me la bebiera. —Esbozó aquella radiante sonrisa torcida con la que tanto se había encariñado.

Le daba la sensación de que quería volver a tratar el asunto punto por punto.

—También estabas sufriendo un dolor enorme —comentó ella todavía tensa.

Él no discutió ese extremo.

—Eres una excelente enfermera. Estoy seguro de que el doctor Pritchard no habría encontrado mejor ayuda, ni siquiera en una profesional.

211

—Gracias. —Como estaba claro que él quería hablar, dejó a un lado el guión—. En las compañías teatrales suelen producirse este tipo de accidentes más a menudo de lo que te podrías imaginar.

—¿En serio? Siempre supuse que los entrenamientos con espada eran solo un juego.

Últimamente había hecho demasiadas suposiciones, incluyendo la de que la pasión y ternura que Daisy le había mostrado se debía a que estaba tan enamorada de él como él de ella. Obviamente no era así. Sin embargo, un instinto visceral le susurraba que lo que habían compartido era real, que ella sentía algo, aunque no fuera amor en toda la extensión de la palabra. La pregunta que se hacía era, ¿debería despreciar ese sentimiento simplemente porque no venía con el final feliz que él se esperaba?

Daisy hizo un gesto de negación.

—Las protecciones en las puntas suelen caerse a menudo, e incluso las espadas de madera pueden hacer mucho daño si no se usan con cuidado.

Al contemplar su precioso rostro de huesos delicados, Gavin se dio cuenta de que todavía no estaba preparado para dejarla marchar. Tenía otra semana más para hacer que cambiara de idea, y en siete días podían pasar muchas cosas. El tal Freddie debía de seguir en París. ¿Por qué si no se molestaría en enviarle una carta? Si lo pensaba bien, tenía dos grandes ventajas sobre su rival: la proximidad y el pasado compartido. Él estaba con ella ahí y ahora, en su apartamento de Londres, y aunque por supuesto no lo había planeado, el hecho de estar herido les proporcionaría más horas juntos. Por otro lado, ambos habían compartido un año de su infancia en Roxbury House, sin despegarse ni un instante el uno del otro. Si esa experiencia no valía para ayudar a consolidar una futura relación, ninguna otra cosa lo haría.

Con esos pensamientos en mente, se dispuso a cambiar de postura para alcanzar el vaso de agua que había en la mesilla de noche, pero el

movimiento le produjo un enorme ardor en el hombro. Daisy se levantó al instante y le pasó el vaso con gesto preocupado.

—Cualquier cosa que necesites, solo tienes que decírmelo y yo lo haré por ti. ¿Te duele mucho el hombro?

Gavin negó con la cabeza.

—El dolor puede adoptar diversas formas. Y un pinchazo en el hombro no es la peor de ellas.

Daisy se inclinó sobre la cama y tomó la mano de él entre las suyas.

—Oh, Gavin, lo último que jamás he querido ha sido lastimarte. Puede que lo mejor sea que me vaya antes de que termine el mes. Según el doctor Pritchard, en uno o dos días estarás en disposición de levantarte y seguir con tu vida normal.

Emocionado por la ternura con que le dijo aquello, la tomó por la barbilla con la mano que le quedaba libre y la obligó a que sus miradas se encontraran.

—Quiero que te quedes. Que yo sepa, todavía nos queda una semana juntos y no quiero malgastar ni un segundo más.

Ella clavó sus profundos ojos verdes en él.

—¿Estás seguro?

Gavin asintió.

—Sí. —Tras unos segundos de duda añadió—: Y hay algo más de lo que también estoy seguro.

—¿De qué?

—De que quiero hacerte el amor con todas mis fuerzas.

Daisy le miró consternada.

—Pero, Gavin, estás enfermo.

—Y sucio, ya lo sé. Podrías bañarme primero. —Le guiñó un ojo.

Ella vaciló. Sus ojos pasaron del habitual tono esmeralda a un verde ahumado. Finalmente negó con la cabeza.

—Ahora no, después. Creo que me apetece verte un poco sucio para variar. Cuando Rourke te trajo anoche, tu camisa olía a sudor y a

almizcle. —Daisy se apoyó sobre el colchón y le lamió sensualmente la nuca—. Mmhh, sabes a sal.

Le encantaba la sensualidad que exudaba por cada poro de su cuerpo.

—En ese caso —dijo él esbozando una sonrisa—. Súbete encima de mí y hazme el amor, Daisy. Levántate las faldas, tómame dentro de ti y cabálgame como si fuera la última vez, como si fuera nuestro último día en la Tierra.

Capítulo 14

El amor no es más que una locura y, como los locos,
merece el cuarto oscuro y el látigo.

WILLIAM SHAKESPEARE, Rosalinda
Como gustéis

Cuarta semana

Pasaron su última semana más dentro de la cama que fuera, y no precisamente por la herida de Gavin, ya que el
pronóstico del doctor Pritchard de una pronta recupera-
ción se vio muy pronto confirmado. Al día siguiente, Gavin estaba de
pie, y al otro insistió en pasar parte de la jornada en la oficina. Aunque
la lesión todavía le dolía, no lo hacía con la suficiente intensidad como
para justificar otra dosis del láudano que les había dejado el médico.
Además, hacer el amor con Daisy y quedarse dormido después surtía
mucho más efecto que cualquier droga que pudiera tomarse. Era una
amante consumada, la mujer ideal. No tenía inhibición alguna, o eso
le parecía a él, y desde el enriquecedor mundo interior al que se había

retirado su sentido común, este último le confirmó que esa falta de reserva era una señal de lo mucho que él le importaba.

Sí, sin duda tenía que importarle. ¿Por qué si no le respondía con tanta... exuberancia? Era cierto que los gemidos y suspiros podían fingirse, pero dudaba que incluso una actriz de su talento pudiera simular la humedad que sentía en los dedos o en el miembro cuando la penetraba, o el temblor de sus paredes vaginales cuando llegaba al clímax.

Sin embargo, a medida que pasaban los días, las dudas empezaron a mermar su dicha poco a poco. Había momentos especialmente oscuros, en los que odiaba con un encono irracional a cualquiera que hubiera estado con ella, sobre todo al tal Freddie. Una de las noches en que venía del Garrick, se la encontró esperándolo vestida con tan solo unas medias negras, los ligueros y una de sus corbatas de seda anudada holgadamente sobre su garganta desnuda. Lo primero que pensó en ese momento fue en que seguro que ya había esperado a alguien de esa guisa antes. Y cuando se arrodilló ante él y lo tomó profundamente dentro de su boca, llevándolo al borde del orgasmo una y otra vez, y prolongando su placer hasta que creyó que explotaría o moriría en el intento, no pudo evitar preguntarse cuántas veces habría usado ese mismo truco para complacer a otros hombres. ¿Cómo si no podía hacerlo con tal maestría?

Para él, en cambio, todo lo que hacían juntos era una primera vez, algo maravilloso, una especie de milagro.

—No te merezco —le dijo Daisy una noche, cuando estaban solos en el dormitorio de ella. Estaba sentada delante de su tocador, cepillándose el pelo—. No soy lo suficientemente buena para ti.

Sus miradas se encontraron en el espejo.

—Eso es una estupidez, y lo sabes.

—¿Sí? —Dejó el cepillo en la encimera y se volvió para mirarle—. He estado con un montón de hombres. No una legión, pero sí unos cuantos. Supongo que para ti demasiados.

Ahí estaba el meollo del asunto, la barrera invisible de la que nunca hablaban pero que estaba muy presente entre ellos.

—¿Por qué me estás hablando de esto ahora?

«Eres un hipócrita, Gavin.» Como si el historial sexual de Daisy no fuera el instrumento con el que se autotorturaba todos los días, el asunto que ocupaba su mente constantemente.

Ella se encogió de hombros.

—Porque uno de los dos tiene que hacerlo. Llevas castigándome semanas. ¿Por qué no hacerlo oficial? —Al darse cuenta de que él quería intervenir, alzó una mano interrumpiendo su protesta—. No te molestes en negarlo. Lo he visto en tus ojos, en la frialdad con la que me miras después... después de hacer el amor.

Gavin soltó una lenta exhalación. Era tarde, las once de la noche. La cena semanal que compartía con su abuelo había sido la tensa inquisición de siempre. No estaba de humor para aquello.

—Sé de qué va todo esto. Estás preocupada por el estreno de la obra y te imaginas cosas que no son. —No sabía a quién estaba intentando convencer más con esa frase, si a ella o a él mismo.

Daisy se levantó del asiento acolchado.

—¿Eso crees, Gavin? Cuando te acuestas conmigo, te encanta todo lo que te hago, muchísimo, pero después no puedes evitar preguntarte cómo he llegado a ser tan buena en el terreno sexual. «Es como una prostituta, mi puta privada», te dices a ti mismo, y después te odias por haber pensado algo así, aunque me odias más a mí porque sabes que, en parte, tienes razón.

Gavin hizo un gesto de negación. De pronto se sentía exhausto.

—¿Qué... qué quieres que diga?

—¿Por qué no pruebas con la verdad? Sí, muéstrame algo de esa preciosa honestidad que tanto aprecias.

—Muy bien, odio que hayas estado con otros hombres, ya sea uno o una legión. ¿Contenta?

Ella se cruzó de brazos.

—¿Y?

Sabía que le estaba provocando, pero de repente dejó de importarle. Fue directo hacia ella.

—Hay noches en las que no puedo dormir, y mientras estoy tumbado me pregunto: «Daisy ha reconocido que ha estado con un montón de hombres. ¿Cuántos son para ella un montón? ¿Cinco? ¿Diez? ¿Docenas?». Entonces te imagino haciendo con ellos lo mismo que me haces a mí. Pero lo peor viene cuando pienso en ellos tocándote, haciéndote gemir; cuando te veo arqueando las caderas para ellos y teniendo un orgasmo, como haces conmigo, y ahí es cuando pienso que quizá, y solo quizá, me estoy volviendo loco. ¿Estás satisfecha, ahora que he dicho lo que querías escuchar?

Ella sacudió la cabeza en señal de negación.

—No, Gavin, no estoy satisfecha. Aliviada, tal vez. Ahora que lo sé, no te preocupes, me iré.

Él la agarró de los hombros y la atrajo hacia su pecho.

—No, no quiero que te vayas.

—No soy tu prisionera, Gavin. No puedes retenerme en contra de mi voluntad. Si me quedo, el enfado y el resentimiento se harán más fuertes y se convertirán en algo peor. Al final terminarás odiándome, odiando lo nuestro, y no creo que pueda soportarlo. Es mejor que me vaya cuando todavía queda algo bonito que recordar.

—No quiero recuerdos, te quiero a ti.

Ella lo miró fijamente.

—Entonces, castígame.

—¿Disculpa?

—Que me castigues. Así terminarás con esto y podremos seguir adelante.

Gavin dejó caer las manos a los costados. Se ponía enfermo solo de pensar en golpearla.

—Nunca te pegaría. A ninguna mujer, y menos a ti. —Estuvo a punto de añadir «la mujer que amo»... Sin embargo, se detuvo a tiempo.

—Por el amor de Dios, Gavin, no te estoy pidiendo que me rompas la nariz. Solo que me tumbes en tu regazo y... me des unos azotes.

—¿Y si no quiero?

—Confía en mí, Gavin, sí que quieres. Después ambos nos sentiremos mejor.

—Permíteme que lo dude. —Ella se volvió y, tras una breve pausa, él la siguió hasta la cama—. ¿Me siento en el borde entonces? Obviamente tienes mucha más experiencia que yo en estos asuntos, pero eso no es nada nuevo. —Se sorprendió de la amargura con la que lo dijo.

Daisy hizo un gesto de dolor, y en ese momento Gavin fue consciente de que tal vez ella tuviera razón. Llevaba semanas atacándola, castigándola con sus reproches y frialdad. Incluso cuando hacían el amor, se guardaba una parte de sí mismo para él. Pero lo que ella le proponía, por muy desagradable que le resultara, al menos le haría ser honesto consigo mismo.

—Siéntate donde quieras, si es que quieres. O si lo prefieres puedes quedarte así y me agacho yo.

—No, no. Si lo hacemos, hagámoslo bien. Me sentaré —replicó, diciéndose a sí mismo que solo le estaba siguiendo la corriente.

A continuación, se sentó en un lado de la cama y esperó.

Al verla moverse, la siguió con la mirada. Cuando había llegado a casa antes, se la había encontrado desvistiéndose. Luego se había puesto la bata negra de seda y un corsé debajo. Al pensar que seguramente no llevaba ninguna otra prenda, se puso duro al instante.

—Repasemos antes los detalles —dijo ella en voz alta por encima del hombro mientras buscaba en un cajón de la cómoda—. Una de las cosas que más se usan es una palmeta. Creo que esto servirá.

Él la miró horrorizado. Qué desesperada tenía que estar Daisy por encontrar el perdón, la absolución, la paz.

219

—Pues la única palmeta que estoy dispuesto a usar es la palma de mi mano. Tómalo o déjalo.

Sin mediar palabra, Daisy fue hacia él y se subió a su regazo, tumbándose boca abajo sobre sus muslos. En ese instante, y muy a su pesar, el pene cobró vida propia.

—Quieres saber con cuántos hombres he estado, ¿no? Pues pregúntamelo ahora.

Distraído, paseó la mirada atentamente por las bonitas posaderas que se elevaban hacia él.

—¿Perdona?

Daisy giró la cabeza y lo miró.

—Si me lo preguntas ahora, tendré que decírtelo, ¿verdad?

Ah, de modo que así es como funcionaba aquello. Un golpe por cada transgresión; se trataba de usar una violencia mesurada para borrar cada uno de los lascivos pecados cometidos, o lo que era lo mismo, el perdón a cambio del dolor.

—Está bien. ¿Con cuántos?

Silencio. ¿Acaso le estaba provocando adrede?

—¿Cinco? —sugirió él, plenamente consciente de que el corazón ahora le latía a más velocidad.

—No, cinco no. —La timidez con que lo dijo le crispó. Puede que Daisy pareciera estar a su merced, pero de nuevo era ella la que llevaba las riendas de la situación.

—Muy bien, ¿cuántos, entonces?

Dejó caer la mano sobre sus nalgas de forma cuidadosamente controlada. No llevaba ropa interior, lo que significaba que había planeado aquello tal y como había hecho con todos y cada uno de los momentos íntimos que habían compartido. Saber que estaba representando otro de sus papeles, que estaba jugando con él, hizo que sintiera una ira visceral en su interior, del mismo modo que ella debía estar sintiendo su endurecido pene bajo su carne.

—¿Diez? —continuó. Volvió a propinarle otro azote, en esa ocasión con la suficiente fuerza como para que la picazón traspasara la seda de la bata. Se dio cuenta de que le había sentado bien, aunque no lo suficiente.

Deslizó la bata hacia arriba, sujetando la arrugada tela con la otra mano. Los firmes y pálidos glúteos emergieron hacia él como si estuvieran deseosos de volver a recibir la palma de su mano.

Daisy se estremeció.

—No.

—¿No más o no menos? —Aguardó la respuesta con la mano alzada.

—Menos... creo.

—¿Crees? —¿Tomar a un hombre en su cuerpo le resultaba algo tan nimio que no se molestaba en llevar la cuenta? Si eso era así, maldita fuera. Malditos fueran ambos.

Entonces hizo algo que nunca se había atrevido a llevar a cabo, excepto en sus más secretas y oscuras fantasías. Bajó la mano con tal contundencia sobre la nalga izquierda que la vibración del azote le llegó hasta el codo.

—¡Ay! —Daisy se retorció en su regazo. Apoyó las manos en el colchón e intentó impulsarse hacia arriba, pero él no se lo permitió.

La fricción entre ambos cuerpos, junto con los sonidos de la respiración jadeante de ella y el ardor que sentía en la palma de la mano, ejercieron un inesperado y potente efecto sobre él. Más tarde tendría tiempo para culpabilizarse o despreciarse a sí mismo; ahora lo único que sentía era una lujuria intensa y cruda.

Bajó la mano una vez más, dos, tres, en una rápida sucesión de movimientos, deleitándose con el sonido de la carne al ser azotada, de la picazón que asolaba su palma.

—Ocho —jadeó ella, abrazándose los codos y arqueando la espalda—. Ocho. Nueve, contando contigo.

Como percibió perfectamente el temblor en su voz, la siguiente vez que bajó la mano fue más una ligera palmada que un azote.

—Entonces yo también cuento, ¿verdad?

Ella volvió a girar la cabeza para mirarle. Tenía los ojos llenos de lágrimas no derramadas.

—Sabes que sí.

—Pues dímelo. Dime que cuento, que te importo, y dilo como si de verdad lo sintieras.

—Claro... Claro que lo siento. Siempre me has importado, Gavin, y siempre lo harás. Eres mi mejor amigo... y mucho más.

Aquella admisión consiguió calmar su estado de agitación y el latido de su corazón. Acarició el trasero enrojecido, que llevaba las marcas impresas de sus manos. La había marcado, pero en realidad el marcado era él. Daisy lo había cambiado para siempre.

Le bajó la bata y la alzó para sentarla sobre su regazo. Después le enlazó el talle y le besó en la frente sudorosa.

—Dilo otra vez, una vez más, para que pueda mirarte a los ojos y saber que lo dices en serio.

Ella levantó el brazo para tocarle y le acarició la mejilla.

—Nunca he tenido un amante que me importara la mitad de lo que me importas tú.

—Podrías habérmelo dicho antes de hacer... esto.

Ella lo miró escéptica.

—¿Me hubieras creído?

Gavin vaciló unos segundos y terminó haciendo un gesto de negación. Contra todo pronóstico, esbozó una sonrisa.

—No, supongo que no. En ese caso, quédate conmigo, no solo esta semana, sino para siempre.

—No puedo. —Alzó la mirada y clavó la vista en él. Sus ojos volvían a estar plagados de lágrimas.

Gavin tragó saliva. Como no podía soportar la idea de dejarla partir comenzó a decir:

—Entonces quédate conmigo ahora.

Y despacio, muy despacio, la alzó en sus brazos y la deposito encima de la cama.

Daisy no había ideado lo de los azotes porque disfrutara con el dolor, sino porque tenía bastante experiencia con el lado más oscuro de la naturaleza humana y sabía que optar por algo físico era el mejor remedio para que Gavin se enfrentara a la batalla de sentimientos encontrados que se estaba lidiando en su interior. Pero lo que nunca se imaginó fue la poderosa reacción que experimentó su propio cuerpo. Aquel episodio había liberado algo enterrado en lo más profundo de su corazón, la había eximido de la culpa y le había permitido sentir, sentir de verdad, por primera vez desde hacía mucho tiempo. Tras años de vivir en un estado de entumecimiento autoimpuesto, aquel chorro de emoción había resultado altamente redentor.

—Déjame amarte, Daisy. —Gavin se alzó sobre ella y la miró mientras la besaba entre sus tentadoras piernas.

Ella movió las caderas, de modo que el frescor de las sábanas funcionó como un bienvenido bálsamo sobre su enrojecido trasero. El contraste entre aquella sensación y la humedad de la lengua masculina sobre sus labios vaginales le produjo más éxtasis del que se veía capaz de soportar. Y justo en ese momento, la sorprendió con un ligero pero efectivo toque en el punto exacto, llevándola al límite. Cuando gritó de placer, él, en vez de detenerse, continuó lamiéndola sin misericordia.

Daisy se apoyó sobre los codos, pero su determinación se vio aplastada por la intensidad de las sensaciones físicas que la dominaban.

—Gavin, por favor, para. No puedo soportarlo.

Él la miró con ojos implacables, completamente decidido a continuar con aquella exquisita tortura.

—Daisy, lo quieras o no, todavía hay más.

Le dio la vuelta, tumbándola sobre su vientre. No tenía ninguna magulladura, lo que sí habría sucedido si hubiera usado una vara o palmeta, solo una amplia extensión de carne rosada y ardiente.

—Qué trasero más bonito tienes —reconoció él. Antes de que pudiera contestar, Gavin se inclinó y depositó sobre su sensibilizada piel suaves y diminutos besos que le pusieron la carne de gallina e hicieron palpitar su clítoris una vez más.

Daisy se puso de rodillas y lo miró por encima del hombro. Seguro que tenía la cara tan roja cono las nalgas.

—¿Gavin?

Él deslizó una mano por su estómago y la atrajo contra sí.

—Voy a hacer que llegues al éxtasis de nuevo, Daisy. Una y otra vez. Y no importa lo mucho que me supliques, porque no pienso parar hasta que te rindas ante mí.

A la mañana siguiente, Daisy se sentó sola a desayunar, y mientras cambiaba varias veces de posición, debido a lo sensible que todavía tenía el trasero, fingió estudiar su guión, aunque no le sirvió de nada. Cuando no le quedó más remedio que admitir que no podía quitarse a Gavin de la cabeza, decidió dejar el texto al lado del plato que contenía la tostada fría que no se había comido. Creía que si se dejaba llevar por sus deseos y hacía el amor con él cuantas veces se le antojara, tarde o temprano terminaría saciándose de él y podría seguir su camino. Desgraciadamente, le estaba pasando todo lo contrario. Nunca parecía tener suficiente de Gavin y estaba empezando a preocuparle la idea de que, si seguía así no encontraría la fuerza de voluntad necesaria para dejarle cuando terminara la semana.

Jamison interrumpió sus pensamientos cuando entró con el correo.

—Tiene un telegrama, señorita.

—Gracias. —Con el corazón desaforado, tomó la nota y se dispuso a leerla.

Llegada a la Estación Victoria. Stop. No puedo esperar para verte. Stop. ¿Nos vemos hoy en el lago del parque St. James al mediodía? Stop. Freddie te manda todo su cariño. Stop. F.L. Stop.

«F.L.», o lo que era lo mismo, Flora Lake. Sus seres queridos llegaban una semana antes de lo previsto. Contuvo un suspiro, dividida entre la felicidad por volver a ver a sus padres y a Freddie en apenas unas horas, y la tristeza porque eso significaba que tendría que despedirse de Gavin antes de lo planeado. De acuerdo, tanto las cosas malas como las buenas terminaban tarde o temprano, o eso decían. Se levantó, se metió el telegrama en el bolsillo de la bata y fue a vestirse, sin percatarse de que la nota se le había caído al suelo.

Gavin iba de camino a su oficina cuando se dio cuenta de que se había dejado el expediente del caso que estaba llevando en la mesa del desayuno, de modo que regresó a casa y se lo encontró sobre la silla. Se disponía a salir de nuevo cuando vio a *Mia* jugueteando con algo pequeño en el suelo.

—Veamos qué me has traído, pequeña cazadora. —Se inclinó para quitarle lo que suponía debía de ser un ratón muerto cuando descubrió que se trataba de un trozo de papel.

Irguiéndose, dejó el expediente en el suelo y desdobló una nota. Se trataba de un telegrama. En cuanto leyó el nombre de Freddie, una ira glacial se apoderó de él. Se metió la nota en el bolsillo y se dirigió hacia el cuarto de Daisy. El destino quiso que se la encontrara en el pasillo.

En cuanto lo vio, la joven dio un paso atrás.

—Gavin, ¡qué sorpresa! —exclamó.

—¡Ya lo creo! —La miró de arriba abajo. Iba vestida con mucho estilo, con un traje de montar de color amarillo canario con mangas *gigot* y un sombrero de fieltro adornado con el número justo de plumas de avestruz.

—Iba a salir un rato —explicó ella. A Gavin no se le pasó por alto cómo había esquivado su mirada. Estaba claro que se sentía culpable.

—¿Te apetece tener algo de compañía? —preguntó, sabiendo de antemano cuál sería su respuesta.

Ella dudó.

—Tengo que hacer un montón de compras y tenía planeado comer con una vieja amistad.

Él la miró fijamente, maravillándose de la fluidez con la que salían las mentiras por su boca.

—No sabía que tenías más viejos amigos en Londres, además de Rourke y Hadrian, y seguro que no te referías a ellos, ¿verdad?

—¿He dicho una vieja amistad? Quería decir una nueva amiga, una de las actrices de la compañía. Pensamos que sería divertido quedar y hablar fuera del teatro. Allí estamos todo el día de acá para allá.

—Ya veo. —Lo peor de todo era que sí lo veía—. En ese caso, que tengas un buen día. ¿Te veré esta noche?

Pareció dudar de nuevo, lo que hizo que se le contrajera el estómago.

—Sí, esta noche.

Con el corazón latiéndole a toda velocidad, contó mentalmente hasta diez y la siguió hasta la atestada calle.

Gavin se dedicó a seguir a Daisy, procurando guardar las distancias para que ella no se diera cuenta. La vio entrar en una tienda de dulces en Piccadilly, en una mercería en Pall Mall y, finalmente, dirigirse al

parque de St. James, sitios a los que no solía prestar mucha atención. Hacía un tiempo perfecto, el típico día primaveral con el cielo despejado y de un bonito tono azul. La brisa traía el perfume de las plantas en flor y de la hierba recién cortada, y los rayos de sol despedían una radiante luz que invitaba a desnudarse y disfrutar de su calidez. Pero como iba agazapándose tras los arbustos y escondiéndose detrás de los edificios, parecía que ese buen tiempo se estaba burlando de él. En vez de un cielo azul con un sol brillante tendría que haber estado gris, lleno de nubes, o mejor aún, encapotado; en definitiva, del mismo humor que él. ¿Quién podía imaginarse que Gavin Carmichael, prestigioso abogado y ciudadano ejemplar, terminaría persiguiendo a alguien como un vulgar acosador?

Daisy se acercó a un banco que se veía desde la Sociedad Ornitológica y en el que tenía una amplia visión de la zona este del lago. Miró a su izquierda, después a su derecha, y se sentó a esperar. Dando golpecitos en el suelo con los tacones de sus zapatos, parecía o muy impaciente, o nerviosa, o como Gavin sospechaba, ambas cosas a la vez. De repente se levantó del banco y empezó a mover el brazo en un extenso arco, saludando a alguien que tenía que estar al otro lado del lago. Seguro que se trataba de su amante, Freddie. Se puso la mano sobre la frente a modo de visera para protegerse de la luz del sol y miró fijamente para conocer, por fin, el aspecto de aquel canalla.

Para su sorpresa, vio a una pareja de unos sesenta años, o puede que más, devolviendo el saludo. Entre ellos había una niña de pelo negro, de unos siete u ocho años, que iba dando saltitos. El trío bordeó la orilla del lago, los dos mayores sujetando de la mano a la niña, a quien, por su manera de andar, se la veía ansiosa por encontrarse con Daisy. El hombre, por el contrario, caminaba con dificultad, incluso llegó un momento en que tuvo que detenerse, como si necesitara recobrar el aliento. La mujer soltó la mano de la pequeña y rodeó con un brazo los hombros del hombre, que sacó un pañuelo de su bolsillo y lo usó para

cubrirse la boca. La niña aprovechó la distracción y salió corriendo mientras gritaba:

—¡*Maman! ¡Maman!*

—¡Freddie!

¿Freddie? Gavin volvió la cabeza ipso facto hacia Daisy. Se había levantado las faldas unos centímetros e iba disparada hacia la niña. Cuando llegó a su altura se arrodilló y la pequeña se abalanzó sobre sus brazos abiertos.

—Oh, Freddie, cariño, me ha parecido una eternidad. ¿Te has portado bien? —Sin darle tiempo a responder, depositó una lluvia de besos en las sonrosadas mejillas de la niña y recorrió con los dedos su rostro y los brillantes rizos oscuros.

Gavin decidió hacer notar su presencia y se dirigió hacia ellas; a medida que se acercaba, su sombra fue envolviendo a ambas. La última vez que había visto a Daisy de rodillas, lo había estado complaciendo con su boca. Que recordara algo como aquello en ese preciso instante era un síntoma más que evidenciaba lo bajo que había caído.

Supo el momento exacto en que Daisy se percató de su presencia porque soltó un respingo y dejó de sonreír. El brillo que hacía unos segundos tenían sus ojos había desaparecido por completo, y a él le dio la sensación de que estaba un poco asustada.

—Gavin, ¿qué estás haciendo aquí?

—Creo que no soy yo el que tiene que dar una explicación.

La niña se separó de los brazos de Daisy y le miró con unos ojos azules llenos de curiosidad.

—*Bonjour, monsieur.*

—*Bonjour, mademoiselle.* —Sabía un poco de francés de sus tiempos de estudiante. Lo suficiente para percatarse de que *maman* significaba «mamá».

Daisy se puso de pie.

—Esta es mi hija, Fredericka.

228

Durante unos incómodos segundos, Gavin no fue capaz de hacer otra cosa que mirar alternativamente a la madre y a la hija. La pequeña era morena, mientras que Daisy tenía el pelo mucho más claro, pero ambas compartían los mismos ojos sesgados —una azules y la otra verdes—, la nariz respingona y esa peculiar boca triste con las comisuras hacia abajo.

Finalmente consiguió encontrar la voz y pudo decir:

—Hola, Fredericka, es un placer conocerte.

La niña le ofreció su manita y él la tomó entre la suya a modo de saludo. Al verla desaparecer entre la suya, más grande, sintió un extraño cosquilleo alrededor del corazón.

—Mi mami suele llamarme por mi nombre completo, pero todo el mundo me conoce como Freddie. —Soltó la mano y le miró detenidamente, ladeando un poco la cabeza, como si estuviera contemplando una flor o un insecto de una especie desconocida—. ¿También eres mi tío?

Sin saber muy bien qué responder, miró a Daisy, que tenía las mejillas rojas y que se dirigió a su hija esbozando una sonrisa forzada.

—Este es el señor Carmichael, cariño. Él y yo somos amigos desde que tenía casi la misma edad que tú.

Ahora que empezaba a sobreponerse de la impresión que se había llevado, Gavin se sintió en cierta medida aliviado. Si aquella encantadora niñita era el «Freddie de mi corazón» de Daisy, eso significaba que no había ningún amante, ni ninguna relación seria al otro lado del Canal. Pero en ese caso, ¿por qué Daisy le había hecho creer lo contrario?

Un tirón en el abrigo lo sacó de su ensimismamiento.

—Cumpliré ocho años el mes que viene. —Con una sonrisa de oreja a oreja, la niña... Freddie... le mostró el número correcto de dedos.

Daisy sonrió nerviosa.

—Cumplir ocho años es todo un acontecimiento.

—Por supuesto —añadió él. El dolor inundó su cuerpo llenando el vacío que había dejado la impresión inicial. Daisy tenía que estar

deseando deshacerse de él si le había ocultado algo tan importante como aquello.

La pareja de personas mayores se acercó hacia el lugar en que se encontraban. El hombre iba apoyado sobre el brazo de su mujer. Al ver su tez grisácea y su respiración jadeante, Gavin comprendió que no debía de encontrarse bien. Daisy retrocedió un paso para hacer las presentaciones.

—Estos son mis padres adoptivos, Bob y Flora Lake. Mamá, papá, este es mi... amigo, Gavin Carmichael.

La forma en que la mujer abrió los ojos detrás de las gafas de alambre le reveló a Gavin que su nombre no le era desconocido. Sin dejar de preguntarse qué era lo que Daisy les habría contado sobre él, se fue hacia ambos y les dio un apretón de manos. A continuación, se volvió hacia Daisy.

—Si no te importa, me gustaría tener unas palabras contigo antes de dejarte con tu familia —le dijo entre dientes.

Flora soltó el brazo de su marido y se acercó hacia él.

—Oh, por favor, no se vaya por nuestra culpa, señor Carmichael. Precisamente estábamos buscando un salón de té para tomarnos una taza. ¿Le gustaría acompañarnos?

Daisy lanzó a su madre una mirada de advertencia que Gavin captó por el rabillo del ojo.

—Me temo que no, pero agradezco su amable invitación.

Volvió a dirigirse a Daisy y le ofreció el brazo. A menos que quisiera que montaran una escena delante de su familia, no tenía otra opción que agarrarse de él. Además, no estaba dispuesto a ofrecerle la oportunidad de que se negara, de modo que en cuanto sintió su mano sobre él la alejó unos metros del camino. En cuanto la tuvo donde quería, se puso de espaldas a los tres pares de ojos que estaban pendientes de cada uno de sus movimientos y bajó la voz.

—¿Por qué dejaste que creyera que Freddie era tu amante? ¿Por qué no me dijiste la verdad por una vez en tu vida? —quiso saber.

Ella alzó la barbilla.

—¿Y por qué debería habértelo dicho? No tengo que justificarme ni dar explicaciones de mi vida a todo el mundo, ni tampoco a ti. —Abrió la boca para preguntarle qué quería decir con eso cuando ella le interrumpió—. Además, has estado dispuesto a creer lo peor de mí desde que me viste en el club.

—Puede que tuviera algo que ver el hecho de que estabas encima de un escenario, medio desnuda, delante de un centenar de hombres como si fueras una... —Se detuvo.

—¿Cómo si fuera una puta? —Daisy echó la mano hacia atrás y le dio una fuerte bofetada en la mejilla.

Desde detrás, Flora gritó el nombre de su hija, aunque ninguno de los dos les prestó atención.

Gavin se frotó la mandíbula y la miró.

—¿Te sientes mejor?

Daisy negó con la cabeza. Tenía los ojos llenos de lágrimas, pero era demasiado terca para ponerse a llorar.

—¿Por qué tenías que seguirme? ¿Por qué no puedes dejarme en paz? No somos bueno el uno para el otro, Gavin, ¿es que no lo ves?

Sí que lo eran, o al menos podrían haberlo sido si ella le hubiera dado una sola oportunidad para amarla. Pero si estaban así las cosas no había nada más que decir, excepto el temido adiós. Extendió las manos, la agarró por los hombros y la atrajo hacía así, aplastando los labios contra los suyos en un salvaje e intenso beso que iba dirigido a robarle el aliento. Después volvió a mirarla, a sus asustados ojos, a sus arreboladas mejillas, a su boca hinchada, y pidió a Dios que algún día le diera las fuerzas suficientes para odiarla de verdad y así poder conocer la paz.

—No se preocupe, señorita Lake. De ahora en adelante no recibirá ninguna atención no deseada por mi parte. —Dicho eso, se dio media vuelta y se dirigió hacia la salida más cercana del parque.

Durante unos absurdos segundos, Daisy tuvo que reprimir las ganas locas que le entraron de salir corriendo detrás de él. Pero ella estaba en lo cierto. Quedaban muchas heridas sin cicatrizar entre ellos, y aunque terminaran haciéndolo eran muy diferentes; sus vidas estaban demasiado preestablecidas como para que alguna vez se encontraran como algo más que amantes ocasionales, y al final incluso eso les había resultado difícil de sobrellevar.

Flora se acercó a ella desde detrás.

—¿Qué ha pasado?

Daisy negó con la cabeza y miró hacia otro lado, deseando que se secaran las lágrimas que se agolpaban en sus ojos.

—Ahora no, mamá.

Flora arqueó una ceja y contempló a su hija adoptiva. Amaba a Daisy como si fuera de su sangre, pero hacía tiempo que había dejado de intentar transformarla en la niña que ella y Bob perdieron. Daisy era como un fuerte vendaval que azotaba los árboles o la vela de un barco. No podías controlarlo. Simplemente tenías que aceptarlo como era y esperar que te dejara en buen puerto al final del camino.

Daisy se lo contaría todo cuando creyera oportuno, y no antes, así que le pasó un brazo por la estrecha cintura y la llevó hasta Bob y una Freddie rebosante de energía y con ganas de continuar con el día.

—En ese caso, vayamos a tomar un té.

Capítulo 15

El necio se cree sabio,
pero el sabio se sabe necio.

WILLIAM SHAKESPEARE, Parragón
Como gustéis

Daisy se quedó devastada después de la marcha de Gavin, más de lo que nunca se imaginó que podría estar. Ni siquiera el abandono del padre de Freddie, tras enterarse de su embarazo, la había dejado ni una milésima parte de lo mal que se sentía ahora. El fin de todas las relaciones que había mantenido hasta ese momento solía venir acompañado de una mínima preocupación y un caro regalo de despedida, como correspondía. Ningún amante de su pasado la había hecho sentir tan miserable, tan completamente perdida.

Si le hubieran dicho que Gavin iba a seguirla hasta el parque y enfrentarse a ella delante de su familia no se lo habría creído. Que él le montara una escena frente a una niña fácilmente impresionable le parecía un pecado casi imperdonable. No se había sentido tan traicionada desde que se dio cuenta de que nunca respondería a sus cartas. Lo más irónico era que justo cuando había empezado a bajar la guardia, a creer que podía ser diferente al resto de los hombres, iba él y le demostraba que estaba cortado por el mismo patrón. Al igual que los demás, no quería cargar con la hija bastarda de otro hombre, aunque Freddie fuera la niña más preciosa y maravillosa del mundo.

Y fue precisamente por el bien de su hija por lo que mantuvo a raya sus emociones durante las siguientes horas; todo el tiempo que estuvieron en el parque, la excursión al salón de té, donde tomaron una taza y un dulce, y finalmente la parada que hicieron en casa de Gavin para recoger sus cosas. Más de una vez pilló a Flora mirándola, pero gracias a Dios Freddie no dejó de parlotear y se libró de tener que responder a algunas preguntas, al menos a las más sagaces de los adultos. Sin embargo, en cuanto se instalaron en las habitaciones de Whitechapel no pudo contenerse más. Tiró una tetera y varias tazas, regalos de antiguos amantes, al otro lado de la estancia y se fue corriendo hacia su dormitorio, donde dejó que las lágrimas fluyeran libremente.

Cuando oyó cómo llamaban suavemente a la puerta no se sorprendió en absoluto. Levantó la cabeza de la almohada empapada y gritó:

—Estoy descansando. Saldré... en unos minutos.

—En ese caso, entraré yo. —Se trataba de Flora, por supuesto.

Su madre la miró y acomodó su orondo cuerpo en un lado de la cama.

—Ya, ya, querida. No llores más. Vas a ir con los ojos hinchados a tu ensayo. —Mientras tomaban el té, les había contado que había conseguido el papel de Rosalinda en *Como gustéis*.

—Me da igual como vaya —sentenció ella. Aunque era por naturaleza un poco vanidosa, lo decía más o menos en serio. Gavin no estaría allí para verla y en el teatro no había nadie por quien le interesara ponerse guapa. Además, seguro que después de ese día él no querría volver a verla nunca.

—Has tenido una pelea con tu hombre, eso es todo. Ya se arreglarán las cosas.

Daisy hizo un gesto de negación.

—Esta vez no. Tengo una hija, una hija ilegítima, y eso es algo que alguien como Gavin no puede aceptar o entender. No querrá saber nada de mí. Le repugno como si fuera la peor de las putas.

Flora le colocó un mechón que le caía por la frente húmeda y sacudió la cabeza.

—Tengo el presentimiento de que tu señor Carmichael está hecho de una pasta más dura de lo que crees.

—No es mi señor Carmichael. Oh, mamá, estoy hecha un lío.

—Bueno, pues cuéntamelo todo desde el principio e intentaremos poner orden.

Habían pasado tantas cosas en las últimas semanas que no sabía muy bien por dónde empezar.

—Nos peleamos.

—Sí, eso ya lo he visto. ¿Qué más?

—Él creía que... es decir, se le había metido en la cabeza que yo tenía un amante en Francia y que iba a venir aquí.

—¡Qué tontería! Porque no lo tienes, ¿verdad?

Daisy hizo un gesto de negación.

—No, por supuesto que no.

—Entonces, ¿por qué creería algo así? —preguntó Flora con el mismo tono que solía usar cuando Daisy era pequeña y le ocultaba alguna travesura.

—Porque... Bueno, encontró una carta que le estaba escribiendo a Freddie y pensó que ella era un «él».

—Entiendo. Me imagino que se disgustaría bastante al principio, pero como es natural enseguida le sacarías de su error, ¿verdad?

Daisy se lo pensó unos segundos y sacudió apesadumbrada la cabeza a modo de negación.

—Ya que siempre parecía decidido a pensar lo peor de mí, le dejé que siguiera creyendo que lo era.

Flora abrió los ojos consternada.

—Oh, Daisy, ¿por qué no le dijiste la verdad?

—Porque en cuanto se enterara de que tenía una hija, una hija bastarda, se iría de todos modos. Pensé que si seguía creyendo que tenía a alguien más, a un amante que venía de Francia para encontrarse conmigo, terminaríamos lo nuestro sin que ninguno de los dos saliera herido.

Flora arqueó una ceja canosa.

—¿De verdad temías que él saliera herido... o más bien era por ti?

—Por ambos, supongo. Oh, ¿por qué no siguió lo nuestro su cauce natural y terminó antes de que llegarais?

—Porque quizá vuestro cauce natural no fuera el fracaso, sino que vuestra unión se fortaleciera con el tiempo. Si dejaras a un lado tu orgullo y tus temores, y permitieras que alguien te amara...

Recordó las palabras de Gavin.

«¿De qué tienes miedo? ¿De que podríamos haber sido felices juntos? ¿De que pudiera estar enamorándome de ti?»

—Querida —continuó su madre—. La pura y simple verdad es que has estado alejando a la gente de ti toda tu vida, y, aunque no puedo culparte teniendo en cuenta tus amargos comienzos, es hora de hacer borrón y cuenta nueva.

Daisy se apoyó sobre los hombros.

—Yo no alejo de mí a la gente... ¿o sí? —preguntó.

—Daisy, cariño, seguro que sabes la respuesta a tu pregunta. Cuando papá y yo te vimos por primera vez nos enamoramos de ti al instante, pero tú no estuviste tan encantada con nosotros. Si hubiera guardado un penique cada vez que jurabas odiarnos por haberte separado de tus amigos, ahora sería lo bastante rica como para mantenernos a todos. El primer año saliste corriendo una veintena de veces, y otra más después de cruzar el Canal.

Estaba demasiado cansada para discutir, así que se tumbó de espaldas en el colchón.

—¿Y qué importancia tiene todo eso ahora? Lo pasado, pasado está, y Gavin se ha ido.

—Yo creo que la tiene, de lo contrario no estarías aquí, encerrada en tu habitación y empapando la almohada con tus lágrimas.

Daisy se puso una mano sobre la frente; estaba empezando a dolerle la cabeza. Si alguien le hubiera dicho lo complicado que era ser adulto, le habría encantado seguir siendo una niña para siempre.

—Que creyera que tenía un amante en Francia me pareció lo más fácil. Y tampoco era una mentira al cien por cien. Como bien sabes, he estado con más hombres después del padre de Freddie.

Flora le acarició la frente con la mano, haciendo que se sintiera de nuevo como una niña querida y amada.

—Cariño, sabes que te quiero muchísimo, pero tienes que acabar con las verdades a medias. Si sigues por ese camino, solo conseguirás tener una vida miserable y hacer desgraciados a los demás, incluido el señor Carmichael.

—Solo lo hice para mantenerlo a distancia.

—Creo que lo has alejado más que una simple distancia. A este paso, volveréis a estar separados por un inmenso mar, y si a eso le añades tu orgullo tonto... Si le hubieras dicho la verdad sobre Freddie cuando encontró la carta, le habrías dado tiempo para hacerse a la idea.

—Ya es demasiado tarde. Ahora me odia.

Flora negó con la cabeza.

—Aunque solo le conozco de unos minutos, y en la peor de las circunstancias, te aseguro que no puedes estar más equivocada. Lo que vi en su cara no era odio, sino un sentimiento de traición, de dolor. El señor Carmichael está enamorado de ti, Daisy. Un hombre no pone su vida patas arriba por una mujer que solo le importa un poco. Para herirle como has hecho tú, tiene que amarte mucho más de lo que te imaginas.

237

Gavin no se había sentido tan traicionado desde que el director de Roxbury House lo entregara a su abuelo hacía quince años. Retrotrayéndose en el tiempo y viéndolo ahora que era adulto, se dio cuenta de que el hombre no había tenido otra opción. Daisy, sin embargo, había tenido un buen surtido de caminos que escoger, y siempre había elegido engañarle.

Había sido un mazazo descubrir que tenía una hija, pero lo que más le dolió fue que le hubiera ocultado algo tan importante como la maternidad. No, no solo se lo había ocultado, le había mentido. Estaba claro que ni le amaba ni confiaba en él lo suficiente como para compartir un dato tan crucial de su vida. Sintiendo como si le estuvieran retorciendo el corazón dentro del pecho, hizo lo que no había vuelto a hacer desde sus tiempos universitarios: irse a un *pub* y beber hasta emborracharse.

Horas después, el camarero se inclinó sobre la gastada barra de madera y anunció:

—Hora de cerrar, amigo.

—Quiero otra copa. —Gavin golpeó la barra con la jarra casi vacía, derramando lo poco que le quedaba.

El hombre hizo un gesto de negación con su puntiaguda cabeza.

—Búsquela en otro sitio. Aquí cerramos ya, así que lárguese.

Gavin se bajó del taburete y dejó que sus pesados pies le condujeran hasta la salida de aquella taberna llena de humo. Una vez estuvo en la calle, se puso a andar y terminó en el umbral de la puerta de Rourke. En su búsqueda de una esposa de alta alcurnia, su amigo había decidido seguir todos los boatos propios de la élite de la sociedad que podía proporcionar el dinero, incluida una elegante casa en Hanover Square, uno de los vecindarios más de moda de Mayfair. Evitando el llamador de latón, golpeó con el puño la madera lacada.

Después de un rato le abrió un mayordomo vestido con una bata y un gorro de dormir.

—Lo siento, pero el señor O'Rourke no recibe visitas a estas horas.

La cabeza pelirroja del escocés y sus anchos hombros asomaron por el marco de la puerta.

—Está bien, Sylvester. El señor Carmichael es un amigo.

Gavin entró tambaleándose en el recibidor, se agarró al pasamanos esculpido de la escalera en busca de apoyo y tuvo un borroso atisbo de paredes adornadas con cuero labrado, apliques de gas y lujosas alfombras persas. Intentó silbar, pero se dio cuenta de que se le había olvidado cómo hacerlo.

Rourke cerró la puerta y le miró con ojos atónitos.

—Gav, estás borracho.

—Corrección, ante todo corrección: estoy muuy borracho. —Movió la cabeza, un gesto por el que estuvo a punto de caerse.

Rourke le sostuvo de inmediato, después le pasó un brazo alrededor de los hombros y lo guió a través del pasillo, no sin antes mirar por encima del hombro a su mayordomo.

—Sylvester, tráenos una jarra de café tan negro y cargado como puedas.

—Sí, señor —dijo el sirviente mientras desaparecía en dirección a donde debía de estar la cocina.

Gavin sacudió la cabeza. Todo le daba vueltas. La noche, al igual que el resto de su vida, no estaba yendo como había planeado.

—No quiero café, quiero otra copa. ¿Te queda algo de... *whisky* escocés?

Rourke lo metió dentro de su estudio.

—Me temo que para ti no.

—Un escocés sin *whisky* escocés. —Por alguna desconocida razón aquello le hizo mucha gracia. Se dejó caer sobre un sillón orejero de cuero y empezó a reírse a carcajadas. Cuando abrió la boca para pedir otra copa por segunda vez, las náuseas golpearon su estómago—. Mejor quiero...

Rourke se deslizó por el borde del escritorio y se puso de pie.

—¿Quieres un vaso de agua?

Gavin negó con la cabeza, el estudio se tambaleaba como un barco en plena tormenta.

—El... baño.

—¿Necesitas ir al baño? —Los ojos de Rourke se abrieron como platos en el mismo instante en que recibió otro ataque de náuseas—. ¡Sylvester!

—Ya sabía yo que no tenía que haberme gastado una fortuna en alfombras —comentó Rourke más tarde. Le pasó el cubo y el trapo a Sylvester, y se puso de pie.

Gavin, ahora sobrio, aunque con la cabeza como si tuviera un tambor repicando dentro, extendió una temblorosa mano y se hizo con la taza de café que acababa de traer el mayordomo de su amigo. Tomó un sorbo.

—Te repondré otra igual. Solo dime dónde la compraste —dijo.

Rourke, que se había sentado detrás del escritorio, se encogió de hombros.

—No te preocupes. Se te veía mal, no tenías nada en el estómago, excepto cerveza y ginebra. Además, creo que ahora ese trozo es el que está más limpio de toda la alfombra. —Se volvió para mirarle a la cara—. Bueno, ¿vas a contarme por qué alguien que siempre está sobrio como un juez, o mejor dicho como un abogado del Alto Tribunal de Justicia, de repente ha decidido emborracharse como una cuba, o vas a hacer que juegue a las adivinanzas a estas horas de la noche? —Se colocó una enorme mano sobre la boca y bostezó.

—Se trata de Daisy.

—¡No me digas!

Gavin alzó la cabeza bruscamente.

—¿Qué se supone que quieres decir?

Rourke, que se estaba echando un chorrito de *whisky* en el café, le miró.

—Que desde que regresó todo lo que te pasa tiene que ver con ella. Me asombra bastante que una mujer tan menuda como ella pueda causar tal alboroto.

Gavin bebió otro sorbo de café. El ardiente brebaje bajó por su garganta mitigando el sabor a bilis que tenía.

—Ya te llegará el día, recuerda lo que te digo.

El escocés tomó un buen trago del café mezclado con *whisky*.

—Puede que sí o puede que no. Me inclino más por lo último, pero ahora estamos hablando de ti. ¿Qué te pasa, hombre?

—Me mintió... otra vez. La semana pasada le encontré una carta que escribió a alguien llamado Freddie. Por supuesto pensé que era un hombre, su amante.

—Por supuesto.

—Pues resulta que Freddie es Fredericka, la hija de Daisy.

—Bonito nombre. —Rourke no parecía tan impresionado como Gavin se hubiera esperado.

—Lo peor de todo es que cuando le mostré la carta, ella dejó que creyera que Freddie era su amante.

—¿Ah, sí? Quizá tuviera miedo de contarte la verdad. No me imagino por qué, ¿eh?

No le hizo ninguna gracia el tono usado por el escocés. Había ido allí en busca de apoyo, de un amigo al que contarle sus penas, y lo único que había conseguido era una taza del peor café del mundo... y lo que sospechaba era el inicio de un sermón.

—Basta con decir que ya no es la misma muchachita dulce que conocimos en Roxbury House.

Rourke volvió a encogerse hombros.

—No esperaba que lo fuera. En primer lugar, ahora es una mujer adulta, no una niña. Y en segundo lugar, la vida nos ha cambiado a todos. Daisy se ha pasado los últimos quince años en París, de teatro en teatro, no encerrada en un convento. Cualquiera que tome como nombre artístico el de Delilah se supone que tiene ciertas... experiencias, por decirlo de algún modo. Además, conocías lo que se decía sobre ella antes de que saliera a actuar en aquel escenario.

—Pero eso era antes de saber que Delilah era Daisy, o viceversa.

—Debe de ser un rasgo familiar —murmuró Rourke entre dientes.

El comentario le tocó en su punto más débil.

—Te repito, ¿qué se supone que quieres decir con eso?

—Oh, solo me estaba preguntando en voz alta si tú y tu abuelo sois tan diferentes después de todo. Es decir, ambos parecéis tener altas, algunos dirían elevadísimas, expectativas de las personas que amáis. Daisy te ha decepcionado, ¿pero es por sus acciones presentes o porque no soportas las partes de su pasado que no puede cambiar?

—Me mintió.

—Sí, Daisy te ha defraudado, muy bien. No puedes cambiar lo que ha pasado, pero sí que puedes decidir qué camino escoger. ¿Vas a darle la espalda y expulsarla de tu vida, como hizo tu abuelo con tu madre? ¿O vas a luchar por ella? Si yo fuera tú, iría a verla y la ataría, incluso me sentaría encima de ella si fuera necesario, hasta que me explicara por qué actuó de ese modo.

—¿Y qué excusa puede darme?

Rourke hizo un gesto de indiferencia.

—¿Quién sabe por qué hacemos las cosas que hacemos? Quizá tuviera miedo de que le hicieras daño. O puede que otros hombres con los que estuvo pusieran pies en polvorosa cuando se enteraron de lo de la niña y temiese que hicieras lo mismo. Nadie es perfecto, Gavin. Daisy no lo es, ni tampoco tú. Pero seguro que nunca sabrás la respuesta si no se lo preguntas.

Gavin se levantó, dispuesto a marcharse. El dolor de cabeza se había trasladado a su corazón.

—¿Gav? —le llamó su amigo.

Se dio la vuelta.

—¿Sí?

—Se me acaba de ocurrir otra cosa.

Gavin soltó un resoplido.

—No creo que pueda aguantar más autorreflexiones en este momento.

—No es nada profundo, solo algo que me ha venido a la cabeza después de nuestra charla. Dices que Daisy te hizo creer que Freddie era su amante, ¿no? —Gavin asintió—. Si tuvo que inventarse un amante, eso significa que no hay ningún amante... excepto tú, ¿verdad?

Cuando Gavin salió de la casa de su amigo, los primeros rayos de luz se divisaban a través de la niebla. De camino a su apartamento, mientras iba en el carruaje de caballos, no le quedó más remedio que reconocer que Rourke había tenido razón en una cosa. Siempre había detestado la falta de flexibilidad de su abuelo y su creencia a pies juntillas de que él y solo él sabía lo que era mejor. Sin embargo, ¿no era así como se había comportado con Daisy? La había desalentado a intentar buscar un papel en la última producción de Gilbert & Sullivan porque, según su opinión, la opereta no era teatro serio. Y cuando ella le mostraba algo de su vida, una hija ilegítima, algo que no sabía cómo manejar y que por supuesto no iba a desaparecer, le había dado la espalda.

Tenía que verla. Pero cuando llegó a casa, se encontró con Jamison esperándole con rostro adusto en el umbral de la puerta.

—¿Dónde está Daisy... quiero decir, la señorita Lake?

El sirviente negó con la cabeza.

—Se ha ido, señor.

—¿Qué quieres decir con que se ha ido? —Aquello fue lo único que se vio capaz de hacer para evitar agarrar al hombre por los hombros y sacudirle hasta sonsacarle la información.

243

—Hizo sus maletas y se marchó mientras usted estaba fuera.

Pasó como una exhalación delante de Jamison y corrió al dormitorio de Daisy. Estaba limpio y... vacío, excepto por *Mia*, que yacía encima de la cama. En el poco tiempo que había pasado en su casa hasta había conseguido ganarse a la gata.

Se sentó en el borde del colchón y acarició el pelaje del animal. El antinatural silencio de la estancia le revolvió el estómago y le hizo reconsiderar lo que Rourke le había dicho. ¿Se parecía más a su abuelo de lo que estaba dispuesto a admitir? ¿Era igual de rígido e implacable? ¿Obligaba a las personas a que cumplieran expectativas imposibles, empezando por sí mismo, y cuando invariablemente fallaban las castigaba? Le echaba en cara a Daisy el que no le hubiese contado la verdad, pero si lo hubiera hecho, ¿la habría aceptado sin más?

Jamison asomó la cabeza por la puerta.

—Disculpe la intromisión, señor, pero me pareció que le gustaría tener esto.

Gavin alzó la cabeza de entre las manos y miró el papel doblado que el hombre sostenía en una mano.

—¿Qué es? No me diga que se trata de otra carta.

—Es la dirección de la señorita Lake. Yo... eh... la oí mencionársela a sus padres cuando estaba haciendo las maletas y me tomé la libertad de escribirla.

Sonrió por primera vez en aquella nefasta mañana.

—Jamison, vale su peso en oro —dijo mientras aceptaba el papel—. Sea cual sea su salario, considérelo doblado.

El mayordomo se sonrojó pero pareció absolutamente complacido.

—Señor, traiga de vuelta a la señorita Lake. Con eso me doy por recompensado.

Capítulo 16

Habláis con nobleza. Os lo ruego, perdonad.
Pensé que aquí todo era salvaje
y puse gesto imperioso.

WILLIAM SHAKESPEARE, Orlando
Como gustéis

Las habitaciones que Daisy había alquilado estaban en una calle cercana a Mitre Square, en Aldergate, el escenario de uno de los asesinatos más espeluznantes de Jack el Destripador. En cuanto su cabriolé salió de la atestada calle de Whitechapel High y lo dejó en St. James Place, Gavin se encontró andando entre borrachos y sacando dinero de los bolsillos para dárselo a los mendigos que se le acercaban de vez en cuando. Al comprobar de primera mano el tipo de barrio que era, se preocupó por Daisy y el trayecto que tendría que hacer del teatro a su casa esa noche. Desde luego, aquel no era un lugar adecuado para criar a un niño.

El apartamento estaba encima de una panadería, y al subir por las escaleras el aroma a pan recién horneado se entremezclaba con el he-

dor a basura y a orín. Al no encontrar llamador alguno, golpeó la desconchada puerta con los nudillos enguantados.

Daisy fue la encargada de abrirle. Nada más verle, la sorpresa se reflejó en su rostro. Con el pelo recogido en un moño descuidado y su encantador cuerpo de piernas largas cubierto con una bata de seda abrochada de forma holgada, tenía todo el aspecto de recién levantada, aunque estuvieran cerca del mediodía. Dicha observación fue seguida al instante por la preocupación de que podía no estar sola, y que quizás hubiera interrumpido... algo. Pero la angustia que emanaban sus ojos hundidos hizo que dejara a un lado ese pensamiento.

—Gavin, ¿qué demonios estás haciendo aquí? —No era la bienvenida más prometedora, aunque tampoco le había cerrado la puerta en las narices. Al menos no todavía.

Desde dentro les llegó la voz de una mujer.

—Daisy, cariño, ¿no vas a invitar a tu pretendiente a entrar?

Salvado in extremis, Gavin miró por encima del delgado hombro de Daisy y vio el agradable rostro de la matriarca que recordaba del parque.

—Buenos días, *madame*.

—Mejor llámeme Flora. —Empujó a Daisy a un lado y le saludó con la mano—. Bob, mira quién ha venido —dijo hacia el hombre enjuto y de tez grisácea que estaba sentado en el sofá, con una manta sobre las rodillas.

Gavin cruzó el estrecho umbral y se agachó unos centímetros para evitar darse con el dintel en la cabeza.

—Me alegro de volver a verle, señor. —Extendió la mano para estrechársela, pero entonces se acordó del ramillete un tanto mustio de margaritas silvestres que había comprado a un vendedor de flores de la esquina.

Flora se apresuró a quitárselas de encima.

—Oh, fíjate, son encantadoras. ¿A que sí, Daisy? —Flora las mostró más tiempo de la cuenta, alabando el buqué como si fueran las ro-

sas más exquisitas de la ciudad. Al ver que Daisy se limitaba a asentir sin decir una palabra añadió—: Voy a meterlas en agua y a preparar un poco de té en mi nueva tetera. —Miró a Daisy—. Querida, ¿por qué no te cambias y te pones uno de esos vestidos de mañana tan bonitos que tienes y te peinas un poco? Papá y yo haremos compañía al señor Carmichael mientras te espera.

Daisy pareció dudar durante unos instantes, pero terminó lanzándole una mirada a su madre y se fue de la habitación.

—¿No quiere sentarse, señor Carmichael? Vendré con el té en menos que canta un gallo. —Flora y sus redondeadas y sonrosadas mejillas desaparecieron en dirección a la estancia que debían de usar como cocina.

Gavin tomó asiento en el sofá que había al lado del padre adoptivo de Daisy. El deslucido enyesado, los suelos de cemento y el gastado mobiliario le trajeron a la memoria el apartamento en el que vivía con su familia antes del incendio. Sin dejar de apretar el sombrero en su regazo, reconoció que hacía mucho que no se sentía así de incómodo. Aunque amaba a Daisy y tenía toda la intención de convertirla en su esposa en cuanto superaran la tozudez de ella, no podía obviar el hecho de que se había pasado la mayor parte del mes acostándose con ella. Así que no era de extrañar que encontrara de lo más difícil mirar a Bob Lake a los ojos. La conversación entre ambos tardó un poco en llegar.

—¿Te gusta el rugby? —preguntó por fin Bob, entrelazando los dedos y jugueteando con los pulgares.

—¿Perdón?

—¿Sigues los partidos?

Gavin se lo pensó unos instantes, pues no lograba adivinar a dónde les conducía aquello.

—Fui capitán del equipo cuando estuve en la universidad, pero de eso hace ya mucho tiempo.

—Yo fui boxeador, aunque seguro que no te lo imaginabas por la pinta que tengo ahora mismo. La tisis me ha convertido en un saco

de piel y huesos. —Gavin supuso que se trataba de esa enfermedad en cuanto oyó la tos y vio la anormal palidez que lucía. Hizo un gesto de asentimiento—. Mi especialidad era la lucha con puños al descubierto, sin guantes —continuó Bob, con los ojos brillantes por los recuerdos de los días de gloria—. Serví unos años en la Marina Real y por aquel entonces era conocido como Blarney Bob. Gané casi todos los combates en los que participé.

La aparición de Daisy evitó que tuvieran que continuar con aquella precaria conversación. Haber vivido con ella, aunque brevemente, le había proporcionado conocimientos sobre maquillaje que antes no tenía; de lo contrario nunca se habría dado cuenta del ligero toque de colorete que llevaba para resaltar las mejillas, o que gracias a los polvos aplicados diestramente habían desaparecido las ojeras que hacía unos minutos tenía.

Daisy se miró el vestido que llevaba, un elegante traje de montar de color esmeralda con galones dorados y un sombrero a juego que recordaba haberle visto antes.

—No sé a dónde vamos. Si quieres puedo ponerme otra cosa.

Gavin reprimió una sonrisa. Ella creía que estaba allí porque quería llevarla a algún lado, pero ese no era el caso, al menos no todavía.

—En realidad he venido a ver a Freddie. Pensé que le gustaría visitar el zoo y los jardines del Regent's Park.

La niña debía de estar cerca, porque en cuanto oyó su nombre entró como una exhalación en la habitación.

—*Maman, maman*, ¿puedo ir? Quiero ir...¿*S'il vous plait*?

Sintiendo que la balanza empezaba a inclinarse a su favor, le guiñó un ojo a la pequeña.

—Me han dicho que los elefantes son muy populares entre los niños.

Desde la parte trasera del apartamento, Flora llamó a su marido para que se uniera a ella en la cocina, y él hizo caso a su esposa con expresión compungida.

—Si me disculpa... quiero decir, si nos disculpa. —El sonido de una puerta cerrándose le confirmó que se habían marchado a otra estancia, aunque sospechó que al otro lado de la pared habría dos pares de oídos bien atentos.

—*Maman, maman, s'il vous plait.*

Los ojos de Daisy volaron de la mano de su hija, que estaba tirándole de la manga, al rostro de Gavin. Si las miradas matasen... A continuación se dirigió a Freddie, intercambiaron unas pocas y rápidas frases en francés, y la niña pareció calmarse.

—Ve a tu habitación y busca algo con lo que abrigarte. Las tardes londinenses son bastante frías en cuanto la niebla se asienta.

La expresión de expectación de Freddie se transformó en una que hablaba de felicidad absoluta.

—*Merci beaucoup, maman, merci.* —Soltó un chillido de alegría y se marchó corriendo.

Daisy centró toda su atención en él.

—Sé lo que te propones, Gavin Carmichael, y te lo advierto: ni lo intentes.

Él la miró con fingida inocencia.

—Estás actuando como si fuera a secuestrarla.

Ella meneó un dedo delante de él. Tenía un aspecto muy maternal.

—Puede que Freddie aún no tenga los ocho, pero es más lista que muchos adultos.

—No me sorprende, al fin y al cabo te tiene a ti como madre.

Daisy no hizo caso del cumplido.

—No intentes engañarla ni llevártela a tu terreno —continuó.

—Trataré de recordarlo.

—Y no se te ocurra meterle en la cabeza absurdas ideas románticas sobre nosotros casándonos porque eso no va a pasar.

Como no quería otra pelea, no le llevó la contraria.

—¿Eso es todo?

Daisy dudó.

—Sí, supongo... por ahora.

—Bien. La traeré de vuelta a la hora de la cena.

—Ten cuidado con lo que haces.

Freddie eligió ese momento para irrumpir de nuevo en la estancia. Llevaba un encantador gorrito azul adornado con una cinta de terciopelo negro y traía el abrigo en las manos. Daisy suavizó la mirada, agarró a su hija por la barbilla con dulzura y lentamente la obligó a que la mirara.

—Pórtate bien, Freddie, y prométeme que no te separarás en ningún momento del señor Carmichael.

—*Oui, maman*, te lo prometo.

A continuación lo miró por encima de los rizos de ébano de la niña y pronunció las palabras que más importaban a toda madre.

—Cuida de ella. Es mi vida entera.

—No te preocupes —replicó él en voz alta—. La protegeré como si fuera mi propia hija.

«La protegeré como si fuera mi propia hija.»

Ver cómo Gavin se marchaba de la mano de su hija fue más de lo que Daisy pudo soportar. Con lágrimas en los ojos, cerró la puerta del apartamento y volvió dentro. Se dirigió hacia un apolillado sillón y se puso una mano sobre la frente. El sonido de pasos aproximándose la obligó a levantar la vista.

Flora entró en la estancia portando una bandeja de té.

—¿Al final la has dejado ir con él?

Luchando por no derramar las lágrimas que tenía acumuladas, asintió.

—Sí.

Su madre colocó la bandeja entre ambas.

—Debes de confiar mucho en él.

Ella volvió a asentir.

—Sí... en algunas cosas.

Por lo que se refería a la seguridad de Freddie, no le cabía la menor duda de que Gavin la protegería con su vida. Sin embargo, lo que no le confiaría sería su corazón, al menos no en ese momento. Quince años atrás había sido otra historia. Había creído en él completamente, en todas y cada una de las palabras que salían por su boca, y así le había ido, que había terminado profundamente herida.

Enterró la cabeza entre sus manos.

—Se suponía que tenía que haber sido suya.

Hubo una pausa, seguida del sonido de algo líquido —el té— vertiéndose sobre una taza.

—La vida no siempre transcurre como la habíamos planeado, por lo menos las nuestras, pero a veces los de arriba nos dan una segunda oportunidad para hacer las cosas bien. Puede que esta sea la segunda oportunidad con la que has estado soñando.

—¿Cómo estás tan segura? —preguntó, mirando entre sus dedos.

Flora le pasó una taza sobre un platito y negó con la cabeza. Llevaba demasiado tiempo viviendo en el extranjero como para pensar que el té era el antídoto de todos los males. A continuación, se echó crema y dos azucarillos, y se quedó pensativa unos instantes.

—Cuando la otra vez os separasteis fue por causas ajenas a vuestra voluntad, pero ahora, si os volvéis a alejar, será porque queráis. Al venir aquí hoy, el señor Carmichael... Gavin, ha dejado perfectamente claras sus intenciones. Se ha interesado por Freddie porque está interesado en ti. Más que interesado diría yo: el hombre te ama, Daisy. Quiere hacer las cosas bien por las dos. Me lo dicen mis huesos.

Durante años, los huesos de Flora habían resultado ser un barómetro de lo más efectivo a la hora de medir si el estreno de alguna obra iría

251

bien o estaría plagado de problemas, o si las críticas serían brillantes o pésimas. Y aunque Daisy sentía un gran respeto por el esqueleto de su madre adoptiva, temía que en esa ocasión los huesos de Flora pudieran estar equivocados.

—Los hombres como Gavin no se casan con actrices, mamá, sobre todo con las que ya tienen una familia formada.

Muchos de los hombres que habían pasado por su vida habían salido corriendo en cuanto descubrí que tenía una hija. Un par de ellos incluso habían fingido hacer de padres de Freddie, pero solo como medio para colarse en su cama. Nunca olvidaría la noche en que, cuando llegó al umbral de la puerta de su hija, se la encontró rezando para que Dios le enviara un «papá». El recuerdo todavía le producía un nudo en la garganta... y una rabia intensa en el corazón. Se negaba a quedarse de brazos cruzados y permitir que volvieran a hacer añicos las esperanzas de su preciosa niña.

¿Pero al dejar que se fuera con Gavin no estaba haciendo precisamente eso? Aunque aquella salida fuera completamente inocente por parte de él, y lo dudaba mucho, no había estado preparada para el tirón que sintió en el alma al observar a su hija irse de la mano del hombre que debería haber sido su padre. Porque así debiera haber sido: él y no otro. ¿Por qué la vida la había llevado por otro camino?

Ver cómo Flora se inclinaba en su asiento y agitaba un dedo en el aire la sacó de su ensimismamiento.

—¡Tonterías! Tengo la impresión de que el señor Carmichael es la clase de hombre que hace exactamente lo que quiere sin importarle las consecuencias. Además, si le das la espalda a esta oportunidad para ser feliz, si le das la espalda a él, la única culpable serás tú.

Con la vista clavada en su taza de té, no le quedó más remedio que admitir ante sí misma que tenía ganas de pelea. Por ilógico que fuera haber echado la culpa a un muchacho de catorce años por incumplir su promesa, todos esos años de dolor reprimido tenían que explotar en

algún momento. Puede que fuera esa noche. Cuando trajera de vuelta a Freddie, puede que se desatara el infierno.

«Lo prometiste, Gavin. Me lo juraste.»

El zoo del Regent's Park era uno de los lugares al aire libre favoritos de Gavin en Londres. Exhibía animales como un elefante indio, un caimán, una boa, una anaconda y un koala australiano. Las instalaciones contaban con el primer acuario y sección de reptiles y de insectos del mundo. Con Freddie apretándole la mano confiadamente, pagó las entradas y caminaron hacia la puerta principal.

Lo cierto era que le encantaban los niños, pero excepto por las raras ocasiones en las que un cliente llevaba a sus hijos a la oficina porque no le quedaba más remedio, no tenía mucha experiencia con ellos. Tener a la hija de Daisy bajo su cuidado, aunque solo fuera durante unas horas, le pareció una responsabilidad enorme. No era de extrañar que Daisy vigilara a su hija con la misma fiereza que la hembra puma que observaba a su cachorro al otro lado de la jaula. Que Daisy, su Daisy, se hubiera echado sobre las espaldas una carga tan seria como la maternidad a una edad tan temprana, y sin la ayuda de un marido, le hacía sentir un enorme respeto y admiración por ella. Por primera vez desde que se enteró de la existencia de Freddie, se detuvo a pensar en lo duros que debían de haber sido para ella todos esos años. Apenas debía de haber dejado la niñez cuando tuvo a Freddie, y encima había tenido que ser padre y madre a la vez de una niña pequeña mientras se encargaba de llevar el sustento principal a una casa con unos padres adoptivos demasiado mayores. Si le hubiera tocado a él asumir un papel adulto con tantas obligaciones a tan tierna edad, no sabía si lo habría hecho ni la mitad de bien que ella; pero a juzgar por Freddie, Daisy lo había de hecho de fábula. Había hecho un trabajo excelente.

Sí, la niña era precoz, vivaz y sorprendentemente educada para la edad que tenía. Era la clase de niña que le habría encantado tener. De hecho, cuando una matrona que pasaba a su lado le dijo lo «pizpireta y preciosa» que era y lo orgulloso que debía de sentirse por ser el padre de una niña así, le faltó valor para decirle que se equivocaba.

Freddie dejó de estar pendiente de la jaula de los pumas y le miró con aquellos ojos azul aciano.

—Esa señora se cree que eres mi padre. ¿Lo eres?

Ojalá. No solo quería casarse con Daisy, también quería formar una familia con ella y con su hija. Aquel pensamiento le afectó en lo más profundo. Convertirse en el padre del vástago de otro hombre no casaba con la concepción que tenía de la vida, pero a medida que fue transcurriendo la tarde se dio cuenta de que la identidad del padre de Freddie no le importaba ni la mitad de lo que lo hizo el día anterior. Freddie era la hija de Daisy, y eso bastaba para convertirla en la niña más maravillosa del mundo. O por lo menos de su mundo.

Hizo un gesto de negación, sintiendo auténtica pena.

—No, Freddie, me temo que no. Pero me gustaría mucho ser tu amigo. ¿Te parece bien?

La niña dudó durante un instante, y después, como si acabara de llegar a una decisión, contestó con una enérgica afirmación que sacudió sus brillantes rizos negros.

—Un papá estaría mucho mejor, pero supongo que un amigo también está bien.

—Gracias.

De pronto el rostro de la niña adoptó una expresión más mundana.

—A *maman* le gustas... mucho. —Según pasaban las horas más encantadora le parecía su tendencia a intercalar palabras en francés.

—¿En serio? ¿Qué te hace pensar eso? —preguntó. Como adulto que era sabía cómo tantear el terreno, lo único que deseaba era no haber parecido demasiado ansioso, demasiado... desesperado.

Freddie encogió sus pequeños hombros y se quedó callada un buen rato mientras se afanaba por terminarse un trozo de caramelo que se le había quedado pegado en el pulgar. A Gavin aquel silencio estuvo a punto de volverle loco.

—Después de que te marchaste el otro día —contestó por fin la niña, sacándose el pulgar de la boca—, mamá se dedicó a tirar por los aires los jarrones y la vajilla de té de cerámica china, la buena. La abuela Lake le dijo que parara ya, que si no tendríamos que tomarnos el té en la vajilla de loza y poner las flores en tarros de cristal. Después dijo que nunca había visto a *maman* así, ni siquiera después del duque.

—¿El duque?

—Oh, oh. —Freddie le lanzó una mirada cargada de culpabilidad y se tapó la boca con una mano pegajosa. De nuevo volvía a ser una niña—. Creo que no debería haber dicho nada de él.

—Creo que no. —Sintió cómo se le contraía el estómago—. Pero ya que se te ha escapado, ¿por qué no te compro un helado y me cuentas toda la historia?

Capítulo 17

Habéis acertado en lo primero: la espina
de la flaca penuria me ha privado
de las muestras de civilidad...

WILLIAM SHAKESPEARE, Orlando
Como gustéis

Daisy fingió un catarro como excusa para no acudir al ensayo de ese día y se quedó esperando a que Gavin trajera a su hija a casa. Mientras tanto, y a pesar de que eran poco más de las seis, se preparó para ir a la cama; se peinó, se quitó el maquillaje de la cara y se puso la bata. En circunstancias normales, a esas horas estaría comenzando su jornada laboral, pero la discusión que acababa de enfrentar y el llanto que la siguió la habían dejado extenuada. Sin apartar la vista de la puerta, se sentó en el desgastado sillón, enroscándose en un dedo el tallo de una de las margaritas una y otra vez y pensando cómo había permitido que Gavin hiciera lo único que se había prometido a sí misma no dejar que un hombre volviera a hacer con ella.

Le había hecho daño. Todas esas semanas llenas de educada cortesía, maneras perfectas, sonrisas fingidas y su absoluto rechazo a que se
acercara lo suficiente como para tocar esas partes de él que podían significar algo, que podrían ser importantes. Le había hecho daño, y se lo
seguía haciendo todavía, profunda e intensamente, daño de verdad, y
el cálido reguero de lágrimas que corría por su mejilla muy bien podría
haber sido sangre.

El sonido de la manija de la puerta girando llamó su atención.
Alzó la cabeza y se limpió los ojos con las manos. Segundos después,
la puerta se abrió y Freddie entró corriendo. La muñeca de trapo con
botones negros que hacían la vez de ojos en una mano y una enorme y pegajosa piruleta en la otra indicaban que había tenido un gran
día. Gavin entró detrás, llenando el umbral con sus anchos hombros.
Nada más verlo se quedó sin aliento y su pobre y triste corazón empezó a latir con fuerza.

«Dios, ¿es que siempre va a tener ese efecto sobre mí?»

Deseando que no se diera cuenta de lo nerviosa que estaba, se levantó y centró su atención en Freddie, que estaba tan emocionada que no
podía parar quieta.

—¿Te lo has pasado bien, tesoro?

El que su hija tuviera la boca llena de restos de distintos tipos de
dulces contestaba la pregunta, pero hablar serviría para acabar con
aquel silencio tenso, además de que la distraería de la atenta mirada
de Gavin.

—*Oui, maman*, muy bien. —La tendencia de Freddie a intercalar palabras francesas con el inglés, este último aprendido de los Lake,
siempre le arrancaba una sonrisa—. *Monsieur* Carmichael me llevó al
zoo. Vimos un elefante tan grande como esta casa, ¡no!, ¡más grande!,
y también una jirafa. Era tan alta que llegaba hasta los árboles.

Freddie miró a Gavin por encima del hombro y la radiante sonrisa
que él le regaló le desgarró el corazón como si le clavaran un cuchillo.

«Debería ser suya. Tenía que haber sido suya.» Con cuidado de no mostrar ningún atisbo de rencor en la voz, sonrió y dijo:

—Eso suena fenomenal, cariño. Ahora vete con la abuela y pídele que te ayude a lavarte la cara.

Freddie se volvió hacia ella al instante con cara de pocos amigos.

—Pero, *maman*...

Dispuesta a atajar cualquier lloriqueo, hizo un enérgico gesto de negación.

—¡*Vite, vite*!

—*D'accord* —cedió la niña, arrastrando los pies hasta la parte trasera de la casa.

—Fredericka —la llamó—, ¿no tienes nada que decir al señor Carmichael antes de irte?

La pequeña se dio media vuelta y se fue corriendo hacia Gavin. Se abrazó a sus piernas, miró hacia arriba.

—*Merci beaucoup, monsieur* —dijo.

Él se puso de rodillas para poder mirarla a los ojos.

—Ha sido un placer, Freddie. Espero poder contar con tu compañía muy pronto.

Su hija la miró de soslayo.

—Yo también —replicó.

—Freddie, cariño, ven con la abuela. —La voz de Flora les llegó desde el cuarto al que la niña se fue correteando.

Daisy se volvió hacia Gavin, sintiendo cómo la cólera la invadía por momentos.

—Parece que lo habéis pasado muy bien.

—Pues sí, lo hemos pasado fenomenal. —Dejó que la puerta se cerrara y fue hacia ella—. Freddie es una niña extraordinaria. Debes de estar muy orgullosa de ella.

Daisy alzó la barbilla.

—Lo estoy.

259

Ambos se miraron durante un buen rato, un tiempo que ella contabilizó en base a los latidos de su corazón.

—Lo más extraño de todo —dijo por fin él—, fue cuando, estando delante de la jaula de un puma, una mujer se nos acercó y me felicitó por tener una hija tan encantadora.

Se cruzó de brazos y clavó los ojos en él. El ardor de las lágrimas y quince años de sueños perdidos se agolparon en su interior, amenazando con hacerla estallar.

—Los dos tenéis el pelo negro y los ojos azules. Es normal que se equivocara.

Gavin vaciló.

—Sí, me imagino, pero yo no lo sentí como una equivocación sino como... Bueno, me pareció que estaba bien.

La voz de Flora la salvó de tener que dar una contestación.

—Señor Carmichael, temía que ya se hubiera marchado. —Entró bamboleándose en la habitación, con un delantal húmedo sobre su falda verde de cuadros escoceses—. Quería agradecerle la gran tarde que le ha hecho pasar a mi nieta. Seguro que no parará de hablar de esto en toda la semana.

Gavin dejó de mirar a Daisy para centrar entonces toda su atención en su madre.

—Como estaba comentando ahora mismo con su hija, el placer ha sido mío. Me gustaría pedirles un favor a usted y a su marido.

Daisy se puso tensa. ¿Qué estaría tramando?

—Por supuesto, señor Carmichael, cualquier cosa —canturreó Flora. Ver a su madre deshacerse en elogios con Gavin le estaba dando dentera—. Solo tiene que pedirlo.

—Me pregunto si usted y el señor Lake serían tan amables de llevarse a Freddie a cenar fuera. Serían mis invitados, por supuesto.

Las mejillas de Flora se tiñeron de rojo, parecían dos redondeadas manzanas.

—Eso no será necesario, señor.

Su padre debía de haber estado escuchando a hurtadillas, porque asomó la cabeza como si le hubieran llamado a escena.

—Por supuesto, estaremos encantados de llevarnos a la pequeña a dar un paseo y comer algo. Vamos, Freddie. Le tengo echado el ojo a una tienda de emparedados que hay en la esquina.

—Cerca de aquí hay un restaurante llamado *El ciervo y la paloma*. Su especialidad son los chanquetes. Confío en que les guste. Solo tienen que decirle al propietario que van de mi parte y él les servirá lo que pidan.

Bob hizo un gesto de negación con su canosa cabeza.

—Es muy amable de su parte, señor, pero parece demasiado caro para nosotros.

—¡Pero Bob! —le reprendió su esposa, pegándole un manotazo en el brazo.

Su padre se frotó el lugar en el que había recibido el golpe y se giró hacia su madre.

—No hay razón para darnos postín, Flora. Un tipo listo como el señor Carmichael ya se habrá dado cuenta de que no tenemos ni un penique. Al fin y al cabo mira dónde estamos, desde luego no en el Claridge... Aunque a mí me sirve, cariño. —Miró con ojos contritos a Daisy.

—¿Tendrán pescado frito con patatas fritas? —Ahora la que se asomó fue Freddie, que se estaba limpiando la mejilla con una toalla mojada—. *Maman* siempre está diciendo que esa es una de las cosas que más echa de menos de Inglaterra.

Gavin pasó por delante de ella y se agachó justo enfrente de la niña. A continuación le quitó la toalla y le limpió la punta de la nariz, haciendo que Freddie soltara una risita.

—No te puedo decir a ciencia cierta que en el menú haya pescado frito con patatas fritas, pero si le dices al camarero que te apetece comer eso, estoy seguro de que encontrará la manera de complacerte y

así podrás probar por ti misma lo delicioso que es ese plato. Y ahora, termina de limpiarte la cara.

Freddie volvió a soltar otra risita y se marchó dando trotes. Gavin se puso de pie y se giró hacia los adultos.

Flora le miró esbozando una sonrisa.

—Es tan bueno con ella, señor Carmichael. Es lo que yo llamo un padre nato, ¿a que sí, Bob?

Daisy quiso que la tierra se la tragara en ese momento y Bob le lanzó a su esposa una mirada de advertencia.

—Flora, ¿recuerdas lo que hablamos sobre no entrometernos en las vidas de otras personas?

El comentario hizo que se ganara el ceño fruncido de su mujer.

—Voy a por nuestras cosas, si la memoria no me falla las noches londinenses pueden ser muy frías.

A los Lake les llevó varios minutos ponerse los sombreros y abrigos, y, como era de esperar, Freddie insistió en llevarse a su nueva muñeca a cenar.

Daisy había pasado de temer la llegada de Gavin a contar los segundos que le quedaban para poder quedarse a solas con él. De modo que tan pronto como la puerta se cerró detrás del alegre trío se volvió hacia él.

—No tienes derecho a usar a mi familia en mi contra.

—No me ha parecido que los estuviera usando de ese modo. —Dispuesto a no ceder terreno, Gavin tiró el sombrero sobre una silla vacía y fue directo hacia ella—. Pero en favor de la discusión me gustaría señalar que a ti sí que se te da muy bien usarlos cuando te conviene, sobre todo cuando quieres ocultar algo.

Ella negó con la cabeza de forma categórica y en ese instante le recordó mucho a la niña que fue cuando la sorprendían hurtando dulces en la cocina del orfanato.

—Eso no es cierto.

—¿Ah, no? Has tenido innumerables ocasiones para contarme que tenías una hija. La noche en que nos acostamos por primera vez podrías habérmelo dicho. Incluso cuando encontré la carta que le estabas escribiendo dejaste que creyera que era tu amante. ¿Por qué, Daisy, por qué?

—He tenido otros amantes, varios amantes, aunque no siempre a la vez, al menos no normalmente. —Sonrió, usando la que él había llamado su sonrisa Delilah, y el resultado fue tan doloroso que Daisy muy bien podía haberle clavado un cuchillo en el corazón y retorcérselo con saña.

—Para.

Ella enarcó una de sus perfectas cejas y le miró.

—¿Que pare qué?

—Que pares de intentar escandalizarme. Después del otro día en el parque, creo que estoy más allá de cualquier asombro, o por lo menos estoy empezando a inmunizarme.

—Yo no estaría tan segura, Gavin. Además, estoy siendo sincera. Eso es lo que quieres, ¿no? Sinceridad absoluta, ningún secreto, solo tu preciosa y morbosa verdad sin ninguna máscara que la cubra. ¿Quieres saber quién es el padre de Freddie? Pierre era bastante mayor que yo y un poco cabrón, pero se daba un aire a ti y, bueno, yo estaba lejos de casa y sola. No tuvo que convencerme mucho para que me dejara seducir, tan solo decirme que era bonita y acariciarme un par de veces los pechos. Ah, y fue el que me dio a probar por primera vez la absenta... ¿Sabías que además de sus propiedades narcóticas también actúa como afrodisíaco? Pero lo que consiguió hacer que cayera rendida a sus pies fue su parecido contigo. Cuando cerré los ojos y le abrí mis piernas, casi podía pensar que estaba contigo... casi.

—Daisy... yo...

Ella alzó una palma para silenciarle. Había esperado quince años a que llegara ese momento, y no había terminado de recriminarle todo lo que tenía que echarle en cara, al menos no todavía.

—Después de Pierre vinieron un buen número de hombres, como si de una lista negra se tratara. Si te soy sincera, no creo que pueda acordarme de los nombres de todos ellos.

—Detente. —Cruzó la distancia que los separaba en dos grandes zancadas.

Negándose a dar su brazo a torcer, Daisy alzó la barbilla y se rió, a pesar de que por dentro sentía como si le estuvieran desgarrando el corazón. El que al hacer daño a Gavin también se lo estuviera haciendo a sí misma era un efecto secundario con el que no había contado. De todos modos, tampoco había previsto que las cosas se resolvieran de esa forma. Además, no podía parar, o no quería hacerlo en ese instante. Seguro que después de aquello se sentiría bien, o al menos mejor de lo que estaba. El problema era que no sabía si aguantaría hasta el final.

—¿Quieres que empiece con el director que me compartió con su hermano gemelo, el acróbata, o prefieres que te hable del duque, que llamó a su joven y preciosa doncella para que se uniera a nosotros? También era francesa y al parecer muy buena en la cama, a juzgar por lo que hizo. A él pareció gustarle mucho, o quizá lo que más le gustó fue verme en acción.

—Termina con esto de una vez. —Él la agarró por los hombros y la sacudió. Al ver que aquello no funcionaba, cubrió su boca con la suya en un beso salvaje.

Ella consiguió liberarse y retrocedió un paso.

—¿Lo ves? Ya está cambiando todo. Ayer me tocabas como si estuviera hecha de la más delicada porcelana china, como algo precioso y frágil, y tan querido que no podías soportar que se rompiera. Pero ahora ya lo sabes, ¿verdad, Gavin? Sabes muy bien cómo usarme como la puta que soy. No te quedes ahí parado. ¿A qué estás esperando? Eres más fuerte que yo y estás furioso, lo veo en tus ojos. ¿Sabías que tu labio superior apenas se ve cuando estás de mal humor? Te lleva pasando desde niño.

—Déjalo ya.

Pero la llama ya se había prendido y no había forma de que diera marcha atrás.

—¿Que deje qué? ¿De ser sincera? Muy bien, cambiemos las tornas entonces. ¿Por qué no me dices lo que estás pensando? Dímelo, Gavin. Admite que a pesar de todo me sigues deseando. Que me quieres más que nunca, pero esta vez me quieres en plan rudo.

Él hizo un gesto de negación. Sus ojos habían adquirido un tono más oscuro y tenía la cara roja.

—Sí, te quiero. Que Dios me ayude, pero en eso sí tienes razón.

—¿Y qué es lo que te frena? Levántame las faldas y tómame. Esa mesa de ahí seguro que nos sirve. La suavidad es una pérdida de tiempo para una mujer como yo.

—Déjalo, Daisy. Te quiero, pero no así.

—Usa mejor el nombre de Delilah. Mira, te lo pondré más fácil. —Se abrió la bata y se mostró en todo su esplendor—. ¿Qué te pasa, Gavin? Ayer no tenías suficiente de mí, y ahora apenas puedes mirarme. ¿Es que no me quieres? ¿Prefieres que sea yo la que dé el primer paso? —Se alzó los pechos en una tácita ofrenda.

—Claro que te quiero, pero no así.

—Lo siento, cielo, pero esta es la única forma en que valdrá. O lo tomas o lo dejas, ¿qué dices?

—Que Dios me ayude, sí.

Ella cayó de rodillas al suelo. Al día siguiente tendría unas bonitas magulladuras que mostrar, pero esa noche no le importaba. Con todo el dolor que se interponía entre ellos, un confortable colchón de plumas, o incluso el desgastado que ahora tenía, no funcionaría.

—Buena elección, cariño. Dentro de poco te cabalgaré como nunca lo han hecho, pero primero te daré esto.

Apoyó las manos sobre su cintura y presionó la boca entreabierta sobre su erección, lamiendo la protuberancia y humedeciendo la tela de sus pantalones.

—Dios, Daisy. —La agarró del pelo con dureza, acercándola más a su miembro.

Ahora sí que iban por buen camino, aunque no hacía falta que él se hubiera tomado esa última molestia, porque la cruda realidad era que ella no quería estar en ningún otro sitio. Volvió la cabeza hacia un lado y le acarició con la mejilla.

El deseo de Gavin representaba un traidor para su noble causa. Aunque su cabeza y su corazón eran reticentes a continuar con lo que estaban a punto de hacer —sexo puro y duro, placer para el cuerpo—, su virilidad cobró vida propia. Tenía el pene duro y grueso, y los testículos pesados y dolorosos.

—Dios, Daisy —volvió a repetir. La tomó por la mandíbula y la obligó a mirarle.

Con ojos triunfantes, ella dejó descansar la barbilla sobre su entrepierna.

—¿Sí, Gavin?

—Tienes razón, quiero esto... Te quiero a ti.

—Igual que yo. —Le desabrochó los pantalones y se los bajó hasta el suelo.

Cuando se vio allí de pie, con la arrugada prenda alrededor de los tobillos, se sintió ridículo, como un payaso de circo.

Ella debió de leerle los pensamientos porque le empujó, obligándole a caer sobre una silla. A continuación, volvió a arrodillarse entre sus piernas abiertas y le quitó los zapatos y las medias de caballero. «Ah, así mucho mejor.» Él echó la cabeza hacia atrás y cerró los ojos, plenamente consciente de todo lo que ella hacía, de cada uno de sus movimientos y respiraciones. Ya estaba bastante excitado, así que cuando sintió los dedos femeninos cerrarse en torno a su pene pensó que estallaría en llamas hasta convertirse en un puñado de cenizas, no como en el incendio que devoró su casa y destruyó a su familia. Daisy se tomó su tiempo con él, jugando con sus testículos, sopesando cada uno de ellos

y acariciándolos y lamiéndolos como si fueran fruta madura. Cuando finalmente se metió el pene en la boca él estaba desesperado por ella, era su esclavo más absoluto.

Entonces ella retrocedió unos centímetros y lo miró con sus intensos ojos.

—Imagínate que estás dentro de mí. Quiero que me folles la boca, Gavin, hasta el fondo y sin contenerte. Y cuando alcances el orgasmo, quiero que te corras dentro de ella.

Él abrió los ojos y la miró.

—¿Por qué haces esto?

—Porque puedo, porque me estás dejando hacerlo, porque por mucho que quieras parecer honorable, educado y respetable de cara al exterior, sigues siendo un hombre, y tenerme de rodillas frente a ti, como si fuera una esclava, te excita lo admitas o no.

—De acuerdo, hagámoslo a tu manera. —Deslizó una mano sobre su pelo y la acercó a su miembro. Ella no se resistió, sino que se dejó hacer. Tenía los pezones enhiestos como frambuesas y sus pechos subían y bajaban con cada jadeante aliento que tomaba. Abrió la boca y se metió todo su pene dentro, jugueteando con la lengua por toda su longitud mientras lo succionaba. Él se movió hacia delante y hacia atrás, dentro y fuera, imaginándose que sus labios eran sus pliegues vaginales y que la cálida humedad que se cernía en torno a él era su palpitante cavidad.

Daisy se sacó el pene de la boca, lo lamió desde la base hasta la punta y volvió a repetir la operación. Lo mordisqueó, lo succionó, le aplicó una exquisita tortura, y cada vez que creía que estaba a punto de alcanzar el clímax, que por fin llegaría la ansiada liberación, volvía a empezar de nuevo.

—Todavía no, cariño, casi, pero no. —Sentía su aliento como si fuera una cálida brisa sobre su pene, y sus pestañas, como el aleteo de unas mariposas.

Hundió los dedos sobre su precioso pelo, amándola y odiándola al mismo tiempo.

—¿Qué demonios me estás haciendo? ¿Quién te crees que eres?

Ella levantó la cara y le sonrió con aquellos labios húmedos y rosados que tanto le excitaban.

—Ya te lo he dicho, Delilah.

—Eres Daisy. Mi Daisy. —Se puso de pie, la agarró por los codos y la obligó así a levantarse. Su erección marcaba la distancia que había entre ellos.

Ella negó con la cabeza.

—No lo soy. La niña que conociste murió hace tiempo.

—No murió. Está aquí, justo delante de mí.

—¿Por qué no puedes ver que es demasiado tarde? —La cara de Daisy se contrajo y las lágrimas empezaron a caer por sus mejillas.

Le dolían los testículos, le dolía el pene, y en cuanto al corazón, no solo le dolía sino que sentía una añoranza como jamás había conocido.

—No lo es. ¿Por qué no puedes ver tú que esto no es el final, sino solo el principio?

La alzó en brazos y la atrajo contra su pecho. Con un brazo sobre sus hombros y otro debajo de sus rodillas preguntó:

—¿Dónde está tu habitación?

La llevó por el pequeño apartamento hasta la zona que había más al fondo. El dormitorio de Daisy apenas era más grande que un armario, pero ni la suite más lujosa del Claridge le habría venido mejor. La depositó en el centro de una cama estrecha y se puso encima de ella.

—Lo que queda de noche vamos a hacer el amor a mi manera. Y si eso te ayuda, piensa en mí como tu amo.

Daisy se aferró a las barras de metal del cabecero de la cama y abrió las piernas, ofreciéndose a él.

—Seré tu esclava. Seré lo que quieres que sea y haré cualquier cosa que te complazca.

Gavin bajó la vista hacia su sexo, rosado e hinchado, y hundió dos dedos en su interior. Estaba resbaladizo, húmedo y olía a gloria. Luego se apartó muy despacio y se sentó, apoyándose sobre los talones. La observó estremecerse y recorrió con los dedos empapados de sus fluidos íntimos los labios de ella. Al ver como Daisy se los relamía, saboreando su propia esencia, se excitó más de lo que ya estaba.

—Puedes hacerme daño si quieres. No me importa.

—No volveré a hacértelo jamás. —La penetró lentamente, no porque pensara que todavía no estaba preparada para recibirlo, sino porque quería demostrarle que a pesar de todo todavía seguía queriéndola, reverenciándola. Aunque puede que también lo hiciera porque quería torturarla un poquito y obligarla a esperar; dominarla y convertirla en su servicial esclava, tal y como él había sido de ella momentos antes.

—Más —imploró Daisy, moviendo las caderas. Ahora le tocaba a ella rogar.

Gavin la penetró otro centímetro y se detuvo, deleitándose en la expectación, aunque intentando contenerse con todas sus fuerzas.

—¿Quieres más?

Daisy se mordió el labio inferior y agarró con tal fuerza las barras de metal que los nudillos se le pusieron blancos.

—Sí, Gav, sí.

Otro centímetro más, y de nuevo volvió a parar.

—Te daré más, todo lo que quieras, pero vas a tener que pedírmelo. De hecho, vas a tener que rogarlo.

Daisy se soltó de los barrotes y extendió los brazos hacia él, clavándole las uñas en los hombros.

—Por favor, Gavin, por favor.

Ella volvió a mover las caderas para que continuara penetrándola, pero Gavin la inmovilizó contra el colchón con sus manos de forma que no le quedara más remedio que aceptar lo que él estaba dispuesto a ofrecer, o suplicarle más. Y desde luego estaba más que determina-

do a obtener eso último. Quería que rogara centímetro a centímetro, hasta que su miembro estuviera inmerso por completo en su sedosa humedad y lo único que notara fueran las palpitaciones de sus paredes vaginales. Y una vez que lo consiguió, se detuvo de nuevo y la obligó a seguir implorando.

Daisy se arqueó contra él en busca de la liberación.

—Gavin, por favor —farfulló—. No puedo más. Me estás matando.

—Pues es una lástima.

Se deslizó dentro y fuera de ella con suma lentitud, disfrutando de la forma en que sus perlados pechos se pegaban contra el suyo cada vez que sus cuerpos se encontraban y del sonido de la carne al unirse, que le recordaba a las olas del mar chocando contra una playa arenosa. Después de cada envite, volvía a detenerse, aguantando hasta que ella le rogaba que siguiera, hasta que las lágrimas de frustración se mezclaban con el sudor que caía por sus mejillas. Entonces, y solo entonces, alargaba la mano al lugar donde sus cuerpos se unían y frotaba el sensible clítoris una vez, dos veces...

De pronto Daisy gritó y sus músculos internos se convulsionaron, ciñéndose en torno a su miembro hasta que no pudo esperar más. Embistió contra ella fuerte y profundamente, derramando su simiente en su interior.

—¡Oh, Dios! ¡Oh, Daisy!

Tras aquel tórrido encuentro, se quedaron tumbados, acurrucados el uno contra el otro. Él tenía apoyado un brazo alrededor de la cintura de Daisy y ella tenía la espalda pegada a su pecho y las nalgas contra sus muslos. Entonces él se apoyó en un codo, la miró e hizo la pregunta cuya incierta respuesta tenía la llave para que consiguiera la felicidad absoluta.

—¿Le querías?

Daisy desenrolló una pierna de la de él y se desperezó, extendiendo los brazos hacia delante; pero Gavin ya conocía lo bastante bien su cuerpo para percibir la tensión del gesto.

—¿A quién? —Que ella hiciera una pausa le confirmó que sabía perfectamente a quién se refería.

—Al padre.

No dijo «al padre de Freddie», o «al padre de la niña», ni siquiera «a su padre». Hacerlo de una forma tan impersonal le ayudaba a mantenerse en calma, a mostrarse más objetivo y así evitar el terrible dolor que lo atenazaba cada vez que pensaba en Daisy criando sola una hija. Una hija que no era de él.

—No —contestó ella, sonando completamente despierta—. Nunca amé a Pierre, aunque en ese momento traté de convencerme de lo contrario. Pero ahora ya no tiene importancia. Hace mucho tiempo que se fue.

—¿Murió? —preguntó, intentando no sonar demasiado sanguinario, demasiado ansioso.

—No creo. Desapareció con el dinero de la compañía y una corista rubia y curvilínea.

—Entiendo. —Ahora intentó no parecer demasiado aliviado... o contento.

—¿Sí?

Depositó un beso en su fragante cabello y se prometió cuidarla y mantenerla a salvo desde ese momento en adelante, como no había podido hacer cuando eran jóvenes.

—Cometiste un error de adolescente; una indiscreción, si prefieres.

Daisy se volvió para mirarle a la cara. Levantó la cabeza de la almohada y frunció el ceño.

—Puede que mi hija no fuera concebida por amor, pero lo único que ha traído a mi vida ha sido alegría y dicha.

271

¿Por qué demonios se ponía así? A fin de cuentas, creía que se había tomado la noticia de la hija bastante bien. La mayoría de los hombres habrían salido como alma que lleva el diablo en cuanto se hubieran enterado. Y sin embargo, era ella la que tenía toda la pinta de estar a punto de salir corriendo de allí. Intentó calmarla.

—No te lo he dicho como un reproche. Solo intentaba entenderlo y, bueno, compensarte por el tiempo perdido.

—Sí, claro, tiempo perdido. —Daisy se volvió a girar y le dio la espalda.

Él le puso una mano en el hombro, percibiendo la suavidad de su piel de porcelana.

—Daisy, ¿estás llorando?

Ella movió la cabeza de un lado a otro sobre la almohada, un tácito gesto de negación que no consiguió engañarle ni por un segundo. Extendió la mano y le secó con el pulgar una lágrima.

—Oh, Daisy, lo último que quería era ponerte triste.

—Se suponía que Freddie... es decir... Maldita sea, Gav, se suponía que tenía que ser tuya. Daría lo que fuera por volver al pasado y que fuese tuya. —Se llevó las manos a la cara y el colchón vibró por la intensidad de sus sollozos.

Él le bajó las manos muy despacio.

—No es demasiado tarde, cariño. No podemos retroceder en el tiempo, pero sí que podemos mirar hacia el futuro. No me importa quién fuera el padre de Freddie. Lo único que me importa es que es hija tuya. Y quiero que seamos una familia.

—Oh, Gav, ¿qué quieres decir?

—¿Todavía tienes que preguntarlo? Ya deberías saber que estoy enamorado de ti. Y al diablo con nuestro acuerdo. No quiero que te vayas cuando termine el mes, ni tampoco quiero perder a Freddie. Prométeme que os quedaréis conmigo después de que expire el mes.

—Si estás seguro de que eso es lo que quieres, entonces sí, te lo prometo. Nos quedaremos.

Capítulo 18

¿Es posible que recién conocida te gustase?
¿Que al verla te enamorases?
¿Que al punto la cortejases?
¿Que ya te haya dado el sí?
¿Y querrás hacerla tuya?

WILLIAM SHAKESPEARE, Orlando
Como gustéis

Una semana después

Gavin se despertó días después sintiéndose más fresco y en paz de lo que jamás había recordado. Se volvió hacia un lado y se encontró con Daisy, también despierta, que le estaba mirando. Con las manos metidas debajo de la cabeza, parecía un ángel en reposo. Su ángel.

—Va todo bien entre nosotros, ¿verdad? —preguntó ella, aunque la sonrisa de satisfacción que mostraba le hizo ver que ya conocía la respuesta.

—Yo diría que va muy bien. Mejor que bien. Es un milagro, un sueño hecho realidad. —La atrajo hacia sí y posó los labios en su cuello.

—Me haces cosquillas. —Mientras se reía, fingió empujarlo para que la dejara tranquila, aunque él sabía que le gustaba—. Además, vas a hacer que llegue tarde al ensayo general. —El estreno de la obra estaba previsto para la noche siguiente.

—Tal vez merezca la pena. Hoy no tengo que ir a los tribunales. Puedo mandar una nota a mi despacho diciendo que llegaré tarde.

Ella sonrió de oreja a oreja.

—Vaya, vaya, Gavin, ¿qué te ha pasado? Antes no podía convencerte para que dejaras de trabajar y ahora lo único que quieres hacer es juguetear. Tengo la sensación de que he creado un monstruo.

—Tú me has pasado. Puede que no hayas creado un monstruo, pero sí que has despertado a la bestia que habitaba en mi interior. —Se puso a cuatro patas, simuló un gruñido y la agarró.

Daisy fingió pelear, pero se la veía demasiado dispuesta a ser sometida. Instantes después, la tenía debajo de él y con las manos sobre la cabeza. Entonces ambos dejaron de jugar y se miraron a los ojos.

—Sabes que te quiero, ¿verdad?

—Lo sé. —Daisy todavía no le había dicho las palabras mágicas, pero estaba convencido de que llegarían pronto. Lo sentía. Y en cuanto cayera esa barrera final, nada se interpondría entre ellos.

Hicieron el amor en una delicada cópula que los llevó a ambos a un rápido y satisfactorio clímax. Tumbada debajo de él, Daisy se dedicó a acariciarle los hombros, las nalgas, la parte trasera de los muslos, diciéndole sin palabras lo mucho que lo amaba, hasta que se puso de lado y le dio una ligera palmada en el trasero. Aunque debía tomarse aquel gesto como una pequeña broma, le trajo a la memoria la vez en que ella insistió en que la castigara, azotándola, y al recordar sus adorables glúteos y muslos desnudos, excepto por las medias, se puso duro de nuevo.

—Será mejor que te vayas mientras me quede voluntad para dejarte marchar.

Daisy se quedó pensativa y se mordisqueó el labio inferior del mismo modo que solía hacer cuando era niña y tenía que decidir si le contaba o no algo.

—Gavin, estoy nerviosa. Estoy sufriendo el episodio más grave de miedo escénico que he tenido en mi vida. Solo de pensar en mañana por la noche, me empiezan a sudar las manos y se me revuelve el estómago.

Aliviado, dejó escapar el aliento que no se había dado cuenta estaba conteniendo. A pesar de esa última y maravillosa semana, todavía había momentos en los que temía que ella fuera a salir por la puerta de un momento a otro y perderla de nuevo.

—Tonterías, vas a hacer una actuación brillante. En realidad toda tú eres brillante. —Le dio un beso en la coronilla—. Y si no te vas ahora mismo, llegarás tarde a tu ensayo general. Venga, vete ya.

—Oh, está bien. —Soltando una risita, se separó de él, rodó por el colchón y deslizó una larga pierna fuera de la cama, seguida de la otra. Sentada en el borde del lecho, lo miró desde su cremoso hombro y sonrió—. Señor Carmichael, ¿no le han dicho nunca lo exigente y estricto que puede llegar a ser?

—Tienes razón en parte. Soy duro y estoy duro, yo diría que bastante duro, gracias a una actriz muy ardiente a la que le gusta faltar a sus ensayos. —Apoyó la afirmación mirándose la abultada erección que sobresalía de la sábana.

Con una sonrisa traviesa en los labios, Daisy echó hacia atrás la sábana y apoyó la mano sobre su protuberancia.

—¿Me prometes que seguirá así cuando termine?

—Tienes mi palabra. De hecho, ¿por qué no me paso después por tu camerino y te doy un beso de buena suerte antes de tu ensayo?

—Solo un beso, señor Carmichael —le avisó, fingiendo una mirada contrariada.

De pronto Gavin se puso serio.

—Te daré todo lo que quieras —contempló mientras le acariciaba la mejilla—. Lo sabes, ¿verdad? Solo tienes que pedírmelo.

—Lo sé, pero por ahora el deber me llama. —Hizo una mueca de disgusto, aunque tenía los ojos brillantes y una expresión radiante. Se la veía feliz, o eso le pareció a él.

Aunque Daisy no lo sabía, Gavin se había despertado esa mañana con la intención de pedirla en matrimonio. En un principio, había tenido la intención de esperar a que pasara su debut como Rosalinda, pero ahora se estaba cuestionando esa decisión. Si bien no había ningún motivo por el que tuviera que llevarla al altar a toda prisa, no podía quitarse esa sensación de que cuanto antes lo hiciera, mejor. Además, si se lo pedía antes de la función, tendrían dos razones para celebrarlo entre bambalinas al día siguiente por la noche... ¿Se podía ser más feliz?

La conexión sexual que compartían se había hecho mucho más intensa, hasta abarcar no solo el plano físico. Esos últimos días, después de hacer el amor, Daisy parecía disfrutar con el simple hecho de estar entre sus brazos durante horas. Lógicamente aquello terminaba de manera inevitable en más sexo, algo de lo que él no se quejaba en absoluto. Acariciar el arco de su elegante columna, besarle los delicados hombros, el sensible punto que tenía justo debajo de las orejas o las palmas rosadas de sus esbeltas manos era lo más cerca del cielo que había estado nunca. Jamás se saciaría de ella, y sospechaba que nunca tendría suficiente. Además, la saciedad era un estado demasiado sobrevalorado, y mientras pudieran darse placer el uno al otro, ¿para qué molestarse en dormir?

Durante esos últimos días Daisy también le había confiado los sueños que tenía con respecto a Freddie. Como la mayoría de las madres

que habían crecido con penurias, estaba determinada a que su hija no tuviera que luchar como se había visto obligada a hacer ella. Por su parte, él estaba encariñándose con la pequeña en exceso, y no solo porque fuera la hija de Daisy. Curiosa, llena de energía y predispuesta a las travesuras bienintencionadas, Freddie era la niña que todo el mundo querría tener. Esa semana había sentido que los tres se estaban convirtiendo rápidamente en una familia, y tenía el presentimiento de que la pequeña estaba más que preparada para aceptarle como padre.

En cuanto a él, se sentía tan unido a ella que muchas veces se le olvidaba que no era su verdadero padre. Sí, él sí que estaba más que preparado para adoptar a Freddie y darle la protección de su apellido. Pero eso tendría que esperar hasta que Daisy diera el «sí, quiero». Además, quería que se casara con él porque le amaba, no por los privilegios que con ello pudiera obtener su hija.

No obstante, antes de todo aquello, había algo que el honor le obligaba a hacer. Aunque él y su abuelo hubieran estado enfrentados toda su vida de adulto, no quería que se enterara de sus planes de boda leyendo un anuncio de compromiso en el periódico. Por muy tirano que fuera, Maximilian St. John se merecía la cortesía de una notificación cara a cara, por lo que, en vez de irse directamente al teatro a dar el beso de buena suerte que había prometido a Daisy, envió un mensaje a su abuelo para que se encontraran en su club a las doce y media para tomar el almuerzo.

El comedor del Garrick se estaba llenando cuando entró a las doce y cuarto. Aunque llegaba temprano, no le sorprendió encontrarse con su abuelo, sentado en una de las mesas con mantel de uno de los laterales, frunciendo el ceño a su reloj de bolsillo.

Cuando se acercó a él, Maximilian alzó la mirada. Ambos se saludaron con un apretón de manos y Gavin tomó asiento.

—Abuelo, ha sido muy amable al aceptar reunirse conmigo con tan poca antelación.

El hombre cerró la tapa grabada de su reloj y se lo metió en el bolsillo del chaleco.

—Lo cierto es que tu invitación me ha pillado un poco por sorpresa. ¿Qué es lo que pasa? —preguntó.

Haciendo caso omiso de su irritación —¿es que siempre tenía que pasar algo?—, hizo un gesto al camarero y pidió dos copas de jerez. Después volvió a centrarse en su interlocutor.

—No pasa nada, abuelo —repuso—. Todo lo contrario, le he pedido que viniera para compartir con usted una buena noticia.

El rostro curtido del hombre se suavizó.

—¿Has conseguido la cuenta de Stonebridge? ¡Bien hecho! Sabía que en cuanto dejaras de encargarte de todos esos casos de beneficencia y te dedicaras a lo importante lo lograrías.

El buen humor de Gavin empezó a agriarse. Fiel a su costumbre, su abuelo era incapaz de pensar en algo que no fuera el trabajo y, como era obvio, solo eran dignos de su atención los clientes rentables.

—La noticia que le traigo es de naturaleza personal.

El brillo en los ojos de su abuelo se desvaneció.

—Entiendo.

Gavin dudaba de que lo hiciera, pero prosiguió de todos modos.

—He decidido casarme.

—Vaya, Gavin, es una noticia magnífica. Isabel será una esposa admirable. Su padre y yo hemos sido buenos amigos desde nuestros tiempos en Harrow.

El camarero regresó con sus copas y dos menús. Ambos los miraron por encima y pidieron la sopa de rabo de toro y el rodaballo con salsa de mantequilla.

Gavin tomó un sorbo de jerez y dejó la copa sobre la mesa.

—No me voy a casar con Isabel Duncan.

Los buenos modales evitaron que añadiera que prefería pasar el resto de sus días recluido como monje en un convento que contraer

matrimonio con una arpía tan miserable como Isabel. Nunca le había gustado esa mujer, pero desde que se enteró de que ella había sido la culpable de espolear al Comité de Vigilancia en contra de Daisy no podía ni verla.

Su abuelo enarcó una espesa ceja y le miró fijamente.

—Si no es con Isabel, ¿entonces con quién?

Se preparó mentalmente para la tormenta que se avecinaba. Conocía bien la pobre opinión que su abuelo tenía de cualquiera que se dedicase al teatro, y que Daisy hubiera empezado su carrera actuando en espectáculos de variedades no ayudaba en nada. Aun así, era la mujer que había elegido, y a Maximilian no le quedaría otra que acostumbrarse a la idea.

—La señorita Daisy Lake.

—¿La actriz a la que estás manteniendo? —Su abuelo puso la misma cara de asombro que si acabara de confesarle que había contraído la sífilis o la peste.

—Sí, es una actriz, y absolutamente brillante. De hecho, va a representar el papel de Rosalinda en la producción de *Como gustéis* que se está llevando a cabo en el Drury Lane, lo que es un gran un logro para una recién llegada como ella.

—Si se trata de una broma, Gavin, y espero de corazón que lo sea, tengo que decirte que es de muy mal gusto.

El camarero regresó y procedió a servirles la sopa. Cuando les preguntó si querían pan con la comida, ambos se volvieron al unísono y respondieron con un enérgico «no»; el hombre los miró, murmuró un somero «muy bien» y se alejó de ellos lo más rápido posible.

Dejaron que la sopa se enfriara y se miraron detenidamente. La expresión de enfado del viejo St. John le había intimidado un millón de veces cuando era niño, pero ahora era un hombre adulto, y en vez del habitual terror y encogimiento de estómago sintió cómo la cólera iba bullendo en su interior.

—Le aseguro que no se trata de ninguna broma, abuelo. Amo a Daisy y ella me corresponde de igual modo.

—Consérvala como tu amante si eso es lo que quieres, pero por el amor de Dios, Gavin, no eches por la borda tu futuro por una zorrita del vodevil.

Gavin se agarró al borde de la mesa. Durante años, en más de una ocasión había fantaseado con la idea de golpear a su abuelo, pero nunca antes había estado tan cerca como ahora.

—¿Cómo hizo mi madre con el suyo por un jardinero?

Max St. Claire lanzó chispas por sus legañosos ojos.

—Cuidado con lo que dices, muchacho.

—No soy ningún muchacho, soy un hombre —replicó él con la mandíbula apretada.

En ese momento llegó el camarero con el pescado. El hombre vaciló y se inclinó para retirar la sopa, pero su abuelo lo despidió con un rudo gesto de mano.

—Ya que has tenido el poco tacto de sacar a colación la indiscreción de tu madre, deberías saber que no me sentaré a observar cómo se repite la misma historia. Si es necesario, te dejaré sin un penique.

Tras un tenso silencio en el que ambos se dedicaron a medirse las fuerzas con la mirada, Gavin luchó por mantener el poco control que le quedaba y decidió ser el primero en hablar.

—Y usted también debería saber, señor, que le he invitado como mera cortesía. Me casaré con Daisy con o sin su bendición. En cuanto a su dinero, puede metérselo donde le quepa e irse ambos al diablo.

A Maximilian se le torció el gesto.

—Si yo fuera tú, no nos mandaría al Hades con tanta ligereza. Hoy en día una actriz joven y bonita, y con la mitad de talento que ella, puede conseguir un elevado número de protectores con un buen patrimonio, incluso con algún que otro título. Y tal vez te encuentres de repente con que tu Daisy está menos ansiosa por casarse con un abogado combativo

280

que con un rico heredero. Por otro lado, si te detuvieras el tiempo suficiente como para usar ese famoso cerebro que tienes, te darías cuenta de que podrías tenerlo todo. Cásate como corresponde, Gavin, y podrás conservarla a tu lado y mantener el ritmo de vida que llevas.

—La mera sugerencia, bastante grosera por cierto, solo prueba lo poco que conoce el carácter de Daisy, o el mío, ya que nos ponemos. Ella no es cómo piensa. Es una persona cariñosa, encantadora, audaz, brillante... y una madre maravillosa para su hija, Freddie.

Al fijarse en que estaban llamando la atención de los ocupantes de las mesas adyacentes se dio cuenta de que no tenía sentido seguir con aquella discusión, así que echó hacia atrás la silla y se levantó.

—Si hubiera dejado a un lado sus prejuicios hace años —continuó—, su hija, yerno y nieta no habrían tenido que vivir en un edificio que se convirtió en una trampa mortal en cuanto se incendió, y hoy seguirían con vida. Y ahora, contésteme, abuelo, ¿quién de los dos es el más necio? —Dicho esto, arrojó su servilleta encima de la mesa, giró sobre sus talones y abandonó el salón con paso decidido.

Una vez solo, Maximilian sintió que todo el temblor que había tratado de contener durante la discusión se apoderaba de él. Extendiendo una trémula mano, tomó el vaso de agua que tenía delante y se lo llevó a los labios a duras penas. Tras tomar un trago, lo depositó de nuevo en la mesa, no sin antes derramar una generosa cantidad sobre el mantel blanco. El camarero acudió de inmediato para limpiarlo y él, sintiéndose cansado y viejo, aprovechó la oportunidad para irse antes de ponerse más en evidencia. Puede que en público diera la apariencia de ser un patriarca vengador del Antiguo Testamento, pero lo cierto era que los años no pasaban en balde. Si cumplía su amenaza de desheredar a Gavin, su patrimonio y la firma de abogados irían a parar a manos del hijo de un primo, y la línea de los St. John pasaría a mejor vida. Además, durante la última década y media le había tomado mucho cariño a aquel joven extraño de ojos azules y alma de poeta

que le recordaba tanto a su querida Lucy. Lo último que quería era otra deserción en la familia. Ya había renegado de una hija, y como consecuencia de ello su amada muchacha había perdido la vida. Aunque nunca lo admitiría en voz alta, cargaba con la culpa de su muerte, la de su nieta y, para qué negarlo, la de su marido irlandés; era la particular cruz con la que había tenido que lidiar durante los últimos quince años. Y ahora era demasiado viejo como para volver a soportar una pena tan inmensa como aquella. De modo que cuando se detuvo delante del guardarropa para recuperar su sombrero y bastón, se juró que no perdería a Gavin, y mucho menos a manos de una meretriz que solo buscaba su fortuna.

«Delilah du Lac, Daisy Lake o como quiera que te llames, te acabas de encontrar con la horma de tu zapato.»

«¿No será mejor, puesto que soy más alta de lo corriente, que me vista del todo como un hombre? Con intrépida espada al costado, venablo en mano y, guardado en el pecho el temor de mujer, tendré un porte ufano y marcial...»

Esa misma tarde, Daisy recitaba uno de los tempranos ejes centrales de la trama —la parte en la que Rosalinda decidía vestirse de muchacho—, paseándose de un lado a otro de su camerino, guión en mano. No sabía por qué seguía molestándose en hacer aquello; se sabía sus frases de memoria, así como las del resto del reparto, pero por alguna extraña razón sentir el peso del guión la reconfortaba. La gente que se dedicaba al teatro era bastante supersticiosa, y aunque se consideraba menos crédula que la mayoría, nunca estaba de más seguir algún que otro ritual de vez en cuando. En su caso, por ejemplo, siempre llevaba un penique escondido en su zapato izquierdo cuando necesitaba tener suerte.

Y la última semana con Gavin no solo había sido la más afortunada de su vida, sino también la más feliz. Antes echaba tanto de menos a Freddie que no podía ser todo lo dichosa que quería, por no mencionar el desgaste que le llevó hacer creer a Gavin que tenía un amante esperándola. Si se retrotraía a una semana antes, la treta le parecía ridícula y hasta contraproducente. Ahora que había jurado dejar de mentirle, los pedazos sueltos de su vida por fin parecían encajar en el lugar adecuado. Tenía al hombre que amaba, a una hija que adoraba y a unos padres por los que sentía devoción, y todos ellos estaban en suelo inglés. No tenía el futuro asegurado, pero por vez primera se veía capaz de darles todo lo que necesitaran durante su vejez. Por último, y no por ello menos importante, había conseguido el papel principal en una obra como Dios mandaba, y de Shakespeare nada menos. Con tantas bendiciones cayendo sobre ella, ¿cómo no iba a estar completa y absolutamente feliz?

Unos golpes impacientes en la puerta de su camerino la sacaron de sus ensoñaciones. Imaginándose que quizá se tratara de Gavin, que había acudido allí para darle el beso de buena suerte que le había prometido antes, se concedió unos segundos para mirarse en el espejo. Puede que no fuera la mujer más guapa del teatro —la boca con las comisuras hacia abajo y la nariz respingona no ayudaban mucho—, pero sí que era la más feliz. Y se estaba dando cuenta de que la dicha proporcionaba un brillo y una lozanía imposibles de conseguir con ningún maquillaje. Se colocó un rizo detrás de la oreja y luego respondió a quien llamaba:

—Adelante, Gavin, *chéri*, no esperaba...

En vez de Gavin, en el umbral de la puerta del estrecho habitáculo apareció un hombre de más de sesenta años con una expresión feroz en el rostro.

—Presumo que es usted la señorita Lake, ¿cierto?

Ella retrocedió un paso y asintió.

283

—Sí, pero me temo que el teatro no está abierto al público en estos instantes. Si ha venido para la función de mañana, puede comprar su entrada en cuanto la taquilla abra a las cinco.

—No estoy aquí por la obra, sino por mi nieto. Soy Maximilian St. John, el abuelo de Gavin.

Daisy sintió como si una ráfaga de aire helado entrara en el camerino y se hizo a un lado para permitirle pasar.

—¿Quiere entrar?

El hombre aceptó la invitación. La punta de su bastón golpeteó sobre el suelo alfombrado. Daisy le hizo un gesto, señalando un par de sillas, pero él negó con la cabeza y la miró de arriba abajo.

—No he estado en París desde el *Grand Tour* que hice cuando era joven, pero su acento no me ha resultado muy francés.

—Es que no soy francesa —replicó ella, deseando llevar otra cosa que no fueran sus bombachos—. Soy tan inglesa... como usted —añadió en un impulso del que se arrepintió al segundo siguiente. Al fin y al cabo, ese hombre era el abuelo de Gavin. Dispuesta a demostrarle que tenía la educación de una dama, aunque no el pedigrí, preguntó—: ¿Le gustaría tomar algún refrigerio? ¿Quiere que nos sirvan un té?

—No se moleste. Estoy aquí por negocios, no en una reunión social.

No iba a dejarse intimidar por él.

—¿Y qué negocios podría querer tratar conmigo?

—Estoy aquí en nombre de mi nieto.

Se puso en alerta de inmediato, invadida por una sensación de pánico.

—Gavin se encuentra bien, ¿verdad? Me refiero a que no le ha pasado nada, ¿no? Le dejé hace apenas unas horas y...

Prefirió no seguir hablando, dadas las circunstancias en las que lo había dejado: tumbado desnudo en su cama y ella acurrucada contra él, de manera que podía oír el fuerte latido de su corazón contra su pecho, y con las extremidades entrelazadas de forma que parecían un único cuerpo. Cuando estaba así con él se sentía llena y completa, to-

talmente satisfecha y contenta por primera vez en su vida de adulta. Incluso nerviosa por la actuación de esa noche, y sobre todo por cómo su éxito o su fracaso afectarían a su futuro, apartarse de él y de la paz que en ese momento la embargaba había requerido una enorme fuerza de voluntad por su parte.

—Su estado físico no corre peligro, aunque tiene afectado el juicio gravemente.

—Me temo que no le entiendo.

—Acabo de salir de almorzar con Gavin en mi club y parece que mi nieto tiene la intención de casarse con usted.

Daisy necesitó respirar profundamente varias veces para asimilar la noticia. Aunque Gavin le había mencionado en diversas ocasiones su intención de formar una familia, nunca se le había pasado por la cabeza que aquello incluyera el matrimonio. El que hubiera abordado el asunto con su abuelo significaba que lo estaba considerando seriamente.

—¿Disculpe?

—Por favor, no se sienta obligada a demostrar sus dotes interpretativas en mi presencia, señorita Lake. No me cabe la menor duda de que lleva un tiempo intentando conducir a Gavin en esta dirección, seguramente desde que consiguió que él la viera actuar en ese... club. No me sorprendería que sus otros dos amigos, el escocés y el fotógrafo, estuvieran confabulados con usted desde el principio.

—Le aseguro que yo no planeé nada. Nuestro encuentro fue fruto de la más pura casualidad. Y debería saber que intenté alejarme de él.

St. John soltó un resoplido.

—Como mujer de mundo sabía muy bien cómo incrementar su ardor por usted, pero no importa. Sea como fuere, no tengo intención de permitir que arruine la vida de mi nieto. Y si me veo en la necesidad de hacerlo, soy capaz de dejarle sin un penique.

—No le haría daño a Gavin por nada del mundo. Yo... Yo le amo.

—Aunque todavía no le había confesado su amor a Gavin, se encontró haciéndolo delante de ese hombre de mirada acerada por miedo a no encontrar nunca el coraje, o la oportunidad, de hacerlo.

—Tengo en mi bolsillo un cheque por valor de cinco mil libras. Cantidad suficiente para que pueda mantenerse con cierta soltura el resto de sus días y llevar una vida más que acomodada si sabe administrarlo bien.

—No me puedo creer que esté tratando de sobornarme. —El hombre intentó pasarle el cheque, pero ella retrocedió, negando con la cabeza.

—No sea estúpida, señorita Lake. Tómelo, mande a paseo a mi nieto y empiece una nueva vida con su familia.

—Aquí el único estúpido es usted, señor St. John. Su soborno y amenazas son innecesarios. No tiene que tratar de convencerme para que no acepte un compromiso con el que nunca habría estado de acuerdo. Por mucho que ame a Gavin, no soy tan tonta como para creer que la sociedad o su familia aceptarían un matrimonio como el nuestro.

—Si la mitad de lo que ha dicho es cierto, señorita Lake, entonces es usted una joven con un extraño sentido común.

Ella le quitó el cheque, lo rompió en dos y se lo devolvió.

—¿Qué significa esto? No la entiendo. Le advierto, jovencita, si lo que quiere es más dinero...

A Daisy le ardían los ojos por las ganas que tenía de ponerse a llorar, pero no le dio la satisfacción de derramar ni una sola lágrima.

—Me da lo mismo si me ofrece cinco mil o quinientas mil. Puede que lo necesite, y desde luego que sabría cómo usarlo, pero no voy a aceptar ni un solo penique.

Por primera vez desde que entrara en su camerino, el hombre no pareció tan seguro de sí mismo.

—En ese caso, retiro lo anteriormente dicho. Está usted loca, jovencita. Si no quiere mirar por su futuro, hágalo al menos por su hija.

Al ver cómo mencionaba tan despectivamente a Freddie, sintió como su temperamento se desataba.

—El bienestar de mi familia es un asunto que solo me concierne a mí, y no toleraré ninguna interferencia suya, del mismo modo que usted no toleraría la mía. En cuanto a lo otro, y por lo que se refiere a Gavin, sí, señor, estoy loca, loca de amor. —Pasó por delante de él y le abrió la puerta. A continuación se hizo a un lado y señaló con el dedo el pasillo vacío—. Que tenga un buen día. Y desde este momento, considere finalizado para siempre cualquier negocio que creyera tener conmigo.

Capítulo 19

Os lo ruego, de mí no os enamoréis,
pues soy más falso que promesa de borracho.

WILLIAM SHAKESPEARE, Rosalinda
Como gustéis

El sonoro golpe con el que se cerró la puerta del camerino sacó a Maximilian St. John del estado de estupefacción en que se había sumido. Jamás se hubiera imaginado que aquella mocosa pudiera rechazar su oferta... o su cheque. La primera negativa le dio a entender que quería más dinero, pero por lo visto no era esa la razón. En vez de ponerse a regatear, lo había despachado y le había mostrado la salida sin pestañar siquiera, un comportamiento nada habitual en una aventurera que solo buscara dinero. ¿Era posible que la actriz de su nieto tuviera más sustancia de la que se podía ver a primera vista?

«Por lo que se refiere a Gavin, sí, señor, estoy loca, loca de amor.»

Era un discurso muy bonito, pero para cualquier actriz que se preciara sería relativamente fácil pronunciar un soliloquio como aquel. Sin embargo, más que las palabras, lo que había calado en su viejo y

cascarrabias corazón fue la sinceridad que brilló en sus ojos y cómo le temblaron los labios al decirlo. La edad debía de estar causando mella en su cerebro, porque casi se había creído que de verdad estaba enamorada de su nieto.

Su nombre artístico era Delilah du Lac, el mote de una fulana, pero Gavin la había llamado por su auténtico nombre. Daisy Lake, ¿verdad? ¿Por qué le sonaba tanto ese nombre? Ah, ¿no era así como se llamaba la pequeña huérfana que tanto había mencionado Gavin, sobre todo el primer año?

¿La misma huérfana que había escrito todas esas cartas que él se aseguró de que su nieto nunca recibiera...?

De pronto le dio la sensación de que le faltaba el aire, como si su corbata le estuviera asfixiando. «Dios mío, ¿qué he hecho?»

Salió a la luz de la calle y fue en dirección a su carruaje. El cochero, al ver que se aproximaba, se apresuró a bajarse del pescante, pero Maximilian le hizo un gesto con la cabeza.

—Voy a dar un paseo.

Y se puso a caminar a ciegas. Por primera vez en sus setenta y cinco años, no prestó atención a dónde iba ni a cuánto tardaría en llegar. Era uno de esos raros días primaverales bendecidos con un cielo azul completamente despejado. Incluso corría una ligera y apaciguante brisa, pero cada vez que se acordaba de la fría mirada esmeralda de Daisy Lake le daba la sensación de estar en noviembre en vez de en mayo. Antes de darse cuenta estaba en la entrada de un pequeño parque público. Se detuvo unos instantes para recuperar el aliento y sacó su reloj de bolsillo, una reliquia regalo de su propio abuelo que todavía daba la hora. ¡Vaya!, llevaba andando casi una hora.

El parque no era un parque en sentido estricto, sino más bien un espacio verde salpicado de bancos y un lago artificial de reducidas dimensiones. En el césped, un trío de niños estaban jugando a lanzar piedras sobre el agua, disfrutando cada vez que alguno de los peces or-

namentales que había en el lago huía despavorido. Sobre un montículo cubierto de hierba merendaban un hombre y una mujer jóvenes, sospechaba que recién casados, que parecían muy enamorados el uno del otro, pues ella, que estaba en el borde de la manta al lado de los restos del festín consumido, se inclinó sobre la canasta y aceptó el trozo de queso que el hombre deslizó en sus labios entreabiertos.

Aquella imagen hizo que a Max le entrase la nostalgia y se sintiera cansado e irremediablemente viejo. Se volvió, fijándose en el banco más cercano, uno que estaba ocupado por una mujer vestida de forma muy elegante que debía de tener más o menos su edad. Aunque los rasgos de su delicado rostro quedaban medio ocultos por las sombras que proyectaba su sombrero, le resultó demasiado familiar. Entrecerró los ojos, pestañeó y volvió a mirar antes de darse cuenta de quién era. La mujer que estaba tejiendo tranquilamente y que de vez en cuando miraba hacia el césped era su vieja amiga Lottie Rivers. No la había visto desde el baile de caridad de los Stonevale, al que su sobrina política, Caledonia, había acudido acompañada del amigo fotógrafo de Gavin, con el que se casó bajo extrañas circunstancias. Dios bendito, cómo podía haber pasado un año tan rápidamente.

Durante un fugaz instante, consideró la posibilidad de dar media vuelta y marcharse de allí antes de que le viera, pero justo en ese instante ella alzó la mirada y sus ojos se encontraron. Lottie sonrió y levantó una mano enguantada a modo de saludo, haciéndole señas para que se acercara a ella. La cortesía exigía que se acercara, aunque solo fuera para decir un somero «hola».

—Creía que eras tú, aunque no estaba muy seguro —dijo cuando llegó al banco.

Protegiéndose los ojos del sol con la palma de la mano, la mujer miró hacia arriba y sonrió.

—Yo también he creído reconocerte, pero sin mis gafas no lo tenía muy claro.

—No sabía que llevaras gafas. —Mirando hacia abajo se percató de cómo los años habían matizado sus una vez brillantes ojos violetas en un encantador tono azul grisáceo. Aunque fueran del color que fuesen, era un pecado esconder la luz que irradiaban tras unas gafas de alambre.

—El problema precisamente es que no las llevo. —Le dio un golpecito con el parasol cerrado que llevaba y dejó escapar una risilla que a él le recordó al sonido que hacía una campanilla o las copas de champán al brindar. Contra todo pronóstico se encontró riendo con ella.

—Siéntate, Max —le invitó ella, señalando un espacio vacío que había a su lado mientras se movía un poco para hacerle más sitio.

Aunque se lo pensó durante unos segundos, terminó aceptando y se sentó al lado de Lottie. La rigidez de sus rodillas apenas le molestó.

—Gracias.

Estuvieron en silencio durante un rato, haciéndose compañía y disfrutando de las vistas del parque. Hacía tiempo que no se sentaba con una mujer así, pensó. Tanto, que casi se le había olvidado lo placentero que podía llegar a ser.

Finalmente Lottie decidió romper el silencio.

—Si no te importa que te lo pregunte, ¿qué te ha traído por aquí, Max?

Todavía no estaba preparado para romper la serenidad del momento, así que clavó la vista en la empuñadura de su bastón y se encogió de hombros.

—¿Es que no puede un hombre sentarse tranquilamente en un banco en el parque y disfrutar de un bonito día primaveral a su antojo?

—Por supuesto que puede, pero hasta ahora no sabía que ese hombre fueras tú. Llevo viniendo y sentándome aquí todos los días siempre que el tiempo acompaña, y hoy es el primer día que te he visto.

Dándose por vencido, se volvió hacia ella y admitió la verdad.

—Acabo de tener un encuentro con una mujer joven, una actriz, y me temo que he armado un buen follón.

Su amiga arqueó una ceja y le miró.

—¿Una actriz? ¿Max, a tu edad? Vaya, no sé si felicitarte o darte un golpe en los nudillos y echarte una buena reprimenda.

—No será necesario ni lo uno ni lo otro. —Sintió cómo su rostro enrojecía, a pesar de que el sombrero le proporcionaba una protección más que suficiente del sol—. No ha sido... digamos que no se ha tratado de un encuentro de esa... clase.

Al volver a mirarla se dio cuenta de que ella estaba sonriendo de nuevo, una sonrisa traviesa y bastante atractiva que envió un cálido cosquilleo a su corazón. Sí, dejaría que Lottie le librara de su amargura con sus bromas y su encanto.

—¿Entonces de qué clase ha sido? No me gusta husmear en la vida de los demás, pero pareces... preocupado.

Esa mujer siempre había tenido un talento innato para leerle la mente.

—Me temo que es una historia larga y compleja.

Lottie le dio un golpecito en la mano.

—Muy bien, Max. A nuestra edad, ¿qué nos queda sino tiempo?

—De acuerdo, pero cuando termine no te sorprendas si te entran ganas de meterme la punta de esa aguja en el ojo.

Ella ladeó la cabeza y le miró con detenimiento.

—Es malo, ¿verdad?

—Me temo que peor.

Tomó una profunda bocanada de aire y empezó a contarle la historia sin escatimar detalle, comenzando quince años atrás, cuando entró en el despacho del director de Roxbury House, dispuesto a borrar a fuerza de voluntad cada doloroso recuerdo del pasado de Gavin, incluida su estancia en el orfanato.

Lottie le escuchó pacientemente y en silencio, y solo cuando concluyó con su reciente y desastroso encuentro con Daisy él se atrevió a mirarla. Aunque se había preparado mentalmente para ver el odio reflejado en su adorable rostro, solo encontró compasión y tristeza.

—Oh, Lottie, ¿qué debo hacer? Si he juzgado mal a la muchacha puede que haya perdido a mi nieto, y él su oportunidad para ser feliz. Y aunque sea cierto que ama a Gavin como dice, es una actriz, aún peor, una antigua corista. Quiero que mi nieto sea feliz, pero ¿cómo podría bendecir tal unión?

—¿Cómo? —Lottie dejó la labor de punto de forma descuidada en su regazo y se tomó unos segundos antes de continuar—: Permíteme que te haga una pregunta, ¿fuiste feliz al casarte con tu Rose?

Aunque se preguntó a dónde quería llegar con esa cuestión, no dudó en responder.

—Sí, lo fui.

—Rose y yo fuimos al mismo colegio francés para señoritas. Si lo recuerdas, éramos amigas, ¿o acaso lo has olvidado? —Cuando admitió que no se acordaba de ese detalle ella añadió—: ¿Te llevarías una sorpresa si te contara que en aquella época el comportamiento de Rose se consideraba escandaloso? Siempre estaba buscando la forma de escaparse por la noche, y en el último curso incluso tuvo un flirteo con un profesor de danza francés que a punto estuvo de costarle una expulsión. Eso sí lo sabías, ¿no?

—Algo había... oído. Pero eso sucedió hace mucho tiempo, llevo años sin pensar en ello.

—Pero en ese momento lo sabías y aun así te casaste con ella, y tal y como acabas de decir fuiste feliz.

Tragó saliva para deshacer el nudo que de repente le obstruyó la garganta.

—Rose fue la luz de mi vida. —En cuanto sintió cómo se le humedecían los ojos volvió la cabeza hacia un lado—. La primera vez que discutimos fue cuando Lucy se fugó, hasta ese momento no nos habíamos cruzado ni una sola mala palabra. Ella nunca me perdonó que no abriera las puertas de nuestra casa a nuestra hija y a su marido.

—En ese caso, no cometas el mismo error por segunda vez.

—Me temo que es demasiado tarde.

—Tonterías, mientras respires nunca es demasiado tarde.

—¿Qué estás diciendo?

—Que te corresponde hallar la forma de que las cosas entre Gavin y su actriz terminen bien. Haz lo que sea, Max, pero por encima de todo hazlo bien.

Daisy pasó el resto de la tarde sumida en una especie de neblina. Participó en el ensayo general sin ser muy consciente de lo que decía o hacía, más o menos como lo haría un sonámbulo. En varias ocasiones el director tuvo que parar para recordarle algunas de las líneas que había memorizado desde hacía semanas pero que ahora se le habían olvidado o llamarle la atención porque, por primera vez, no había entrado a escena en el momento debido. Para cuando terminaron el acto tercero había conseguido sacar de quicio tanto a este como al resto de actores. No les culpaba, al fin y al cabo Rosalinda era el personaje central de la obra y el éxito de la representación descansaba sobre sus hombros. Si fallaba la noche del estreno, las críticas serían nefastas y su carrera teatral terminaría antes de haber empezado siquiera. Y para colmo, no solo tenía que preocuparse por líneas olvidadas o críticas dañinas, sino que le era imposible dejar de pensar en Gavin. Era como si la obra auténtica, el drama real, estuviera teniendo lugar en su cabeza, y no en el escenario.

De regreso a su camerino, se desvistió, se puso la bata de seda y se recogió el pelo. Estaba buscando la crema que usaba para quitarse el maquillaje cuando oyó voces en el pasillo. ¿Sería otra vez el señor St. John? Esperaba que no. La visita del abuelo de su amante no había sido una experiencia que quisiera repetir ese día, ni ningún otro. Abrió la puerta y asomó la cabeza. Por alguna razón desconocida no se sorprendió cuando vio a Gavin andando con paso decidido por el corredor, seguido de dos corpulentos tramoyistas que, en cuanto llegaron a la puerta, se apresuraron a pedir disculpas.

—Lo sentimos, señorita. Se nos coló sin darnos cuenta.

—Está bien, muchachos, no os preocupéis. El señor Carmichael es un... amigo.

Ambos inclinaron sus cabezas cubiertas con gorras y se marcharon, cerrando la puerta tras ellos. Sabiendo lo que debía hacer, Daisy odió verles partir.

Gavin se acercó a ella con los brazos abiertos y un ramo de margaritas en su mano enguantada.

—¿Un amigo? Esperaba ser algo más a estas alturas. Aunque por ahora me sirve, supongo. Creo que me he retrasado en darte el beso de buena suerte que te prometí esta mañana. Pero ya sabes, más vale tarde que nunca, ¿no? —Se inclinó hacia ella.

Daisy volvió la cabeza de manera que los labios de él le rozaron la mejilla.

—El ensayo ha terminado hace unos minutos. Ahora iba a lavarme la cara. Ten cuidado no vaya a mancharte.

—Da igual, no será la primera vez ni la última. Un poco de maquillaje de vez en cuando es uno de los peligros que uno asume cuando está en compañía de una actriz, y un precio insignificante a cambio de besar unos labios tan dulces como los tuyos. Creo que merece la pena correr el riesgo. —Volvió a inclinarse sobre ella.

—¿Eso es lo que hacemos? ¿Hacernos compañía? —Una frase tan sumamente apropiada hizo que pareciera una debutante en su baile de presentación y Gavin su pretendiente en vez de lo que realmente eran: amantes que tendrían que dejar de serlo.

Gavin le acarició con un dedo enguantado la curva de la garganta haciendo que se estremeciera.

—Entre otras cosas.

Incluso con el corazón destrozado como lo tenía, no pudo evitar querer estar una vez más con él ni pensar en lo fácil que sería desabrocharse la bata y abrir las piernas para tomarlo dentro de sí.

Percibió el deseo reflejado en sus ojos justo cuando extendía las manos para volver a tocarla, y como no se veía capaz de resistirse levantó una mano para detenerle. Después le dio un ligero empujón en el pecho.

—Gavin, he dicho que no.

—Ya veo. —Su sonrisa se desvaneció mientras le daba el ramo, uno mucho más presentable que el que le regaló la última vez—. Me imagino que el ensayo no ha ido muy bien, ¿verdad?

Ella se volvió.

—Sí.

Gavin se puso detrás de ella. Segundos después, sintió sus cálidas manos sobre los hombros.

—Es solo un ensayo. Es normal que estés nerviosa, pero en cuanto mañana se abra el telón estarás espléndida, ya lo verás. —La atrajo hacia sí, y durante un breve instante se permitió el lujo de apoyarse sobre aquel torso tan masculino y fingió que nada había cambiado—. Tenía la intención de esperar hasta que llegaras a casa pero no he podido, o más bien no he querido. —Gavin retrocedió un paso y la obligó a darse media vuelta para poder mirarla a los ojos—. Seguro que no es el mejor momento para darte esto, pero tengo que confesarte que soy incapaz de esperar un minuto más. —Con ojos resplandecientes, se sacó una cajita de terciopelo del bolsillo de su abrigo.

—Oh, Gavin. —Daisy alzó la mano y la deslizó por su pelo oscuro, deseando que el tiempo se parara justo en ese instante.

Por supuesto, aquello solo era una fantasía. No podía detener el tiempo, del mismo modo que tampoco podía invocar una varita mágica y transformarse en una auténtica dama para dejar de ser la mujer que era: una actriz con un pasado escandaloso y una hija ilegítima.

—Me encanta que me lo hayas pedido —continuó—, pero debes saber que mi respuesta solo puede ser un «no».

La luz que irradiaban sus ojos y sonrisa desapareció por completo.

—¿Por qué no?

—¿Necesitas preguntarlo? Sabes perfectamente que no soy la mujer adecuada para ti.

Él hizo un gesto de negación.

—Eres mi otra mitad, la reina de mi corazón, el amor de mi vida. ¿Qué es más importante que eso?

Lo dijo tan completamente en serio, con tanta sinceridad y cariño, que la idea de rechazarle le rompió el corazón. Pero aquello era precisamente lo que tenía que hacer.

—Oh, Gavin, estas semanas hemos vivido un cuento de hadas maravilloso, pero ha llegado el momento de ponerle fin para que podamos continuar con nuestras vidas. Soy una aspirante a actriz con un dudoso pasado y nada que ofrecer salvo un par de piernas de bailarina y un baúl lleno de vestidos mohosos y bisutería barata.

—Tienes mucho más que ofrecer, y ambos lo sabemos. Y te amo. Me gustaría pensar que eso es algo a tener en cuenta, ¿no?

Como temía que si no lo echaba cuanto antes no tendría la fuerza necesaria para dejarle marchar, decidió hacer uso de la única arma que funcionaría.

—Hoy he recibido una visita... de tu abuelo.

La forma como frunció el ceño le recordó mucho a Maximilian St. John, haciéndola consciente del ligero parecido que tenían.

—¿Qué demonios quería? No importa, ya se lo preguntaré, y de paso aprovecharé para decirle que se meta en sus asuntos. —Se dio la vuelta, dispuesto a marcharse.

—No, espera, no te vayas. —Lo agarró por la manga del abrigo—. Tu abuelo me ofreció dinero, mucho dinero, a cambio de que le prometiera que saldría de tu vida para siempre.

298

El soltó un sonoro resoplido.

—Ese viejo zorro nunca ceja en su empeño de intentar controlarme la vida. Debes de haberle dejado boquiabierto cuando lo rechazaste. Cómo me habría gustado hacer un agujero en la pared y haberlo visto todo de primera mano. —Incapaz de mirarle a los ojos, Daisy bajó la vista al suelo. Gavin enarcó una ceja y la miró—. Porque lo rechazaste... ¿verdad?

Se mordió el labio superior y negó con la cabeza.

—No, Gavin. No lo hice. Yo... acepté. Lo... lo siento, pero cinco mil libras es mucho dinero para alguien como yo, y tengo una hija en la que pensar.

—Me habría ocupado de ambas, habría tratado a Freddie como si fuera de mi sangre. Dios, Daisy, si hasta estaba pensando en adoptarla.

—Gavin... Lo siento.

—¿Que lo sientes? —La miró como si acabara de salirle otra cabeza, una con cuernos y llena de pelo y horribles verrugas—. ¿Eso es lo único que tienes que decir en tu defensa? ¿Que lo sientes?

Debía de estar interpretando su papel muy bien quizá demasiado, porque a juzgar por la frialdad con que la miraba y el hiriente tono de su voz, en ese momento la odiaba de verdad. Eso era lo que quería, ¿verdad? En unos pocos minutos había conseguido lo que se había propuesto: alejarle de ella para siempre. ¡Bien por ella! Daba igual que se hiciera llamar Delilah du Lac o Daisy Lake, porque era mucho mejor actriz de lo que nadie, incluida ella misma, se había imaginado.

Quería gritar a todo pulmón que le había mentido y solucionar todo antes de que fuera demasiado tarde. Pero por el bien de Gavin, se mordió la lengua y se obligó a mirarle a los ojos y al visceral dolor que estos reflejaban sin parpadear.

—¿Acaso hay algo más que decir?

—Cierto. —Gavin echó hacia atrás la cabeza y soltó un amago de carcajada similar al sonido que hacía un vaso al romperse en mil pedazos.

—Lo siento, Gavin.

—Yo también lo siento, Daisy. Siento haberme fijado en ti, pero siento aún más haber vuelto a enamorarme de ti. Porque te amo, ¿lo sabes? Que Dios me ayude, pero a pesar de la perra codiciosa que eres te sigo queriendo en mi cama y en mi vida. Y tal y como están las cosas, no sé cómo voy a expulsarte de mi cabeza y de mi corazón, y conseguir reunir los despojos en los que me has convertido para seguir adelante.

Daisy hizo un gesto de negación mientras las lágrimas caían a raudales por sus mejillas.

—Oh, Gavin, Shakespeare tenía razón en una cosa. —Tragando saliva, recordó la única frase de Rosalinda de la que no se había conseguido acordar durante el ensayo, pero que ahora le venía a la mente con claridad cristalina—. «Los hombres se mueren y se pudren, pero no por amor».

Gavin salió a la calle completamente estupefacto, sintiendo que el futuro que había imaginado para sí mismo saltaba en mil pedazos por momentos. Dentro, sobre el tocador de Daisy, se había dejado el anillo de pedida, no porque lo olvidara, sino porque no quería volver a verlo... Ni a ella tampoco.

Pero en ese momento había alguien a quien odiaba mucho más que a Daisy. Su abuelo. De modo que fue directo a por él.

Irrumpió en el despacho de Maximilian hecho una furia, solo para encontrarse a su reservada secretaria, que le informó de que el señor St. John no había regresado desde que salió a tomar el almuerzo. Según el reloj de su abuelo quedaba poco para las cuatro, y para un hombre que estaba acostumbrado a comer en su mesa de escritorio una ausencia tan prolongada resultaba demasiado notable.

—¿Quiere que le diga que ha estado aquí?

—No se preocupe. Ya se lo digo yo.

Sin perder ni un segundo más, se dirigió a la residencia de los St. John. Situada en una zona con vistas al Marble Arch en la elegante vía Park Lane, poseía una fachada *palladiana* que a Gavin siempre le había parecido más propia de un edificio público que de una casa particular. Normalmente intentaba evitar el lugar como si fuera la peste, pues le traía un montón de recuerdos del final de su adolescencia, al menos de sus vacaciones escolares, y muy pocos podían considerarse felices.

—Señor Gavin, que alegría verle —le saludó el mayordomo de su abuelo desde la puerta de entrada coronada con un montante en forma de abanico.

Una vez dentro del vestíbulo se sorprendió de que la frialdad y pulcritud que despedía aquella casa todavía le produjeran aquella sensación de ahogo. Las paredes contaban con paneles empotrados en los que habían colocado bustos de mármol de filósofos griegos y romanos, y los muebles y objetos de plata brillaban inmaculados.

—Lo mismo digo, Wentworth. —El mayordomo debía de estar cerca de los setenta. El primer recuerdo que le venía a la cabeza cuando pensaba en él era el de tener que levantar la mirada para verle, pero ahora apenas le llegaba a los hombros—. ¿Está mi abuelo en casa?

—Sí, acaba de regresar. Está en su estudio. ¿Quiere que le anuncie su visita?

Gavin negó con la cabeza.

—No será necesario. Conozco muy bien el camino.

Durante su adolescencia le habían llamado demasiadas veces al santuario de su abuelo, sobre todo para increparle por alguna supuesta transgresión, y muy pocas veces para recibir alabanzas. Incluso recordaba perfectamente uno o dos golpes de vara. Inclinado sobre el escritorio, con los pantalones bajados hasta los tobillos y los dientes apretados para evitar llorar o gritar, aquellos episodios se encontraban entre los más humillantes de su vida.

Cuando llegó al despacho, la puerta estaba entreabierta. Llamó con los nudillos como exigía la buena educación y luego entró sin esperar respuesta.

Maximilian, sentado detrás del escritorio de caoba, alzó la vista y le miró.

—Dado cómo terminó nuestro almuerzo, no esperaba volver a verte tan pronto.

Gavin lo dudaba mucho. Había muy pocas cosas que pillaran por sorpresa a su abuelo y, teniendo en cuenta el último intento de intromisión en su vida, seguro que sabía que su nieto llamaría a su puerta más temprano que tarde.

Pero en vez de seguirle el juego esta vez, Gavin decidió ir directamente al grano.

—Acabo de salir del Drury Lane. Estoy convencido de que le alegrará saber que la señorita Daisy Lake ha rechazado mi propuesta de matrimonio.

—¡Será posible! —Su abuelo también debía de ser un magnífico actor, porque la expresión de asombro que tenía y la desolación en su rostro parecían muy reales.

—Discúlpeme si encuentro su reacción un tanto afectada, sobre todo cuando le pagó precisamente para que hiciera eso.

Por primera vez en quince años vio a su abuelo vacilar. El hombre se humedeció los cenicientos labios y bajó la vista al papel secante de su escritorio como si... como si le avergonzara mirarle a los ojos.

—¿Eso fue lo que ella te dijo?

—Sí.

—Pues solo te contó la verdad a medias. Sí que le ofrecí dinero, una buena suma, pero se negó a aceptar un solo penique.

Aquella confesión hizo que de pronto no tuviera tan claras sus intenciones.

—Pero ella me dijo que estuvo de acuerdo.

—Si no me crees, quizá lo hagas si te muestro la prueba palpable. —St. John metió la mano en el bolsillo de su abrigo, sacó dos trozos desgarrados de lo que había sido un cheque y se los dio—. Ella lo rompió delante de mis narices, me mandó al diablo y me echó de su camerino. Sea lo que sea, está claro que es toda una mujer, una mujer que debe de estar muy enamorada de ti.

—Y una mujer que me ha mentido. —Gavin se contuvo de añadir un «otra vez» porque cualquier engaño pasado o presente solo les concernía a Daisy y a él—. Por cierto, el lunes por la mañana tendrá mi carta de renuncia.

—Espero que lo reconsideres.

—No puedo trabajar con un hombre que intriga para minar mi vida, del mismo modo que no puedo casarme con una mujer que me engaña.

Su abuelo negó con su entrecana cabeza. Verlo tan cansado y frágil volvió a impactarle. Parecía como si el tirano de su juventud se hubiera convertido en un hombre viejo de la noche a la mañana.

—Nadie es perfecto, Gavin.

Rourke le había dicho lo mismo la noche en que se presentó borracho en la puerta de su casa. En ese momento no le había prestado demasiada atención a la frase, pero últimamente no dejaba de darle vueltas. ¿Era posible que su perfeccionismo y altas expectativas llevaran a sus seres queridos a mentirle por miedo a decepcionarle... o a arriesgarse a perder su amor?

—Puede que sea demasiado tarde para nosotros —continuó su abuelo—, pero no permitas que tu testarudo orgullo te impida ser feliz con la señorita Lake. Si aún quieres casarte con ella, no me interpondré en tu camino.

—Aunque estuviera dispuesto a rebajarme y volver a preguntárselo otra vez, está claro que ella hará o dirá cualquier cosa para librarse de mí.

—Todo lo contrario, lleva intentando acercarse a ti durante los últimos quince años.

—¿A qué juego está jugando ahora, abuelo?

—Al de contar la verdad y asumir las consecuencias, por llamarlo de algún modo. —St. John abrió un cajón del escritorio y depositó un fajo de cartas sobre la mesa—. Debería haberte enseñado esto hace mucho tiempo. Solo le pido a Dios que no sea demasiado tarde. —Empujó las cartas atadas con un cordel para que pudiera examinarlas.

Con el corazón en un puño y las manos sudorosas, Gavin miró alternativamente a las cartas y a su abuelo.

—¿De qué trata todo esto?

—Son las cartas que la señorita Lake, Daisy, te escribió hace años.

Gavin sintió una extraña renuencia a tocarlas, como si supiera que estaba a punto de abrir la caja de Pandora, de hacer algo que no tenía vuelta atrás, ni ahora ni nunca.

—¿Por qué nunca me fueron entregadas?

—Créeme si te digo que lo hice pensando en que era lo mejor para ti.

Gavin volvió a mirarle.

—Me las ocultó adrede, ¿verdad? —En realidad, aquello no era una pregunta.

Maximilian se lo pensó unos segundos y después asintió.

—Cuando fuiste al internado, di instrucciones al director para que solo te llegara la correspondencia proveniente de una lista de personas que yo mismo aprobé. Cualquier otra carta de alguien que no estuviera en el listado tenían que enviármela a mí. Quería que comenzaras de nuevo, darte la oportunidad de desterrar los malos recuerdos del pasado.

—No todos eran malos. Aparte de los del incendio, la mayoría eran bastante buenos.

—Pero yo no lo sabía. Cuando te traje aquí, muchas noches estaba trabajando en este mismo despacho cuando oía tus desgarradores gritos. Sabía que estabas soñando con tu vida anterior, con el incendio. Ya habías sufrido bastante y no estaba dispuesto a quedarme de brazos cruzados y ver como seguías pasándolo mal.

—Sufrí cuando me separó de mis amigos. Eran los únicos que me servían de consuelo, la única familia que me quedaba. Los conocía desde hacía más de un año y al arrancarlos de mi vida fue como si me arrancaran una extremidad.

—Sí, ahora me doy cuenta, pero entonces no lo hice. Si te sirve de algo, lo siento, Gavin. Solo intentaba protegerte.

—No, solo pensaba en una sola persona, la misma que siempre ha priorizado por encima de todas las cosas: usted mismo. Casi mató a mi madre con su despotismo y sus estrictas y rígidas normas. Y se ha pasado los últimos quince años intentando someterme. Pues bien, abuelo, no voy a dejar que continúe. Aquí se acaba todo. Usted y su firma se pueden ir al diablo. Prefiero hacerme pescador en el Fleet Bridge que aceptar un caso más que pueda beneficiarle a usted o a sus intelectuales amigos.

—Gavin, espera, no te vayas así... Por favor.

—Váyase al infierno, abuelo.

Gavin agarró las cartas y salió a la calle iluminada por los últimos rayos del crepúsculo.

Capítulo 20

Los enamorados nos metemos en unos líos
extraordinarios.
Y es que, así como todo lo vivo es mortal,
todo lo vivo enamorado se muere de tonto.

WILLIAM SHAKESPEARE, Parragón
Como gustéis

El día del debut teatral de Daisy amaneció frío y despejado. Según Flora, un clima tan excelente solo podía traer algo bueno; además, lo sentía en los huesos, como ella misma afirmó, aunque la anatomía de su madre siempre había tenido especial predilección por los climas más cálidos y secos. Debido a la ruptura con Gavin, había pasado muy mala noche, y necesitaba algo más que unos rayos de sol disipando la niebla para animarse. Había estado llorando en privado durante un buen rato, pero después decidió recobrar la compostura. No solo tenía una hija y unos padres mayores a los que mantener, sino que la compañía de teatro también dependía de ella. Sir Augustus le había confesado que la venta de entradas en taquilla

307

no había sido tan buena como le hubiera gustado y contaba con que su actuación recibiera buenas críticas para obtener mejores ventas el resto de las representaciones.

De modo que se recordó a sí misma que su tiempo con Gavin siempre había tenido fecha de caducidad, al menos por su parte, y que si no lo hubieran dejado el mes que habían acordado habría concluido de todos modos. Sí, era cierto que esa última semana se había permitido creer que podían tener un futuro juntos, pero el encuentro con su abuelo le había confirmado que lo suyo nunca podría ser. Y aunque atesoraría los recuerdos del tiempo compartido como adultos el resto de sus días, había llegado el momento de cerrar página y seguir adelante.

Sin embargo, a pesar de aquella nueva resolución, le había costado mucho dormirse, y cuando finalmente lo consiguió lo hizo a intervalos, con sueños inquietantes en los que alternaba su propio yo con su personaje de Rosalinda. Al igual que esta última, deambulaba por un bosque, pero en vez de buscar comida y refugio trataba de averiguar dónde estaba Gavin. De pronto, el bosque se transformaba en las atestadas calles londinenses y se encontraba a Gavin, quieto al otro lado de la calle Catherine, frente al teatro. Cada vez que intentaba cruzar en medio del tráfico para alcanzarle, pasaba otra fila de carruajes que se lo impedía. En otro de sus sueños estaba de pie, sobre la cornisa del teatro. Gavin estaba debajo de ella, organizando su rescate con el vehículo de bomberos y una enorme red de circo extendida para atraparla cuando cayera.

Él la llamaba.

—Venga, Daisy, ven conmigo.

—No puedo —gritaba ella—. Quiero pero no puedo.

Él la miraba durante unos largos y tristes segundos, y entonces toda la escena se desvanecía en medio de la niebla y ya no podía ver ni la calle ni a Gavin. Se quedaba sola en la cornisa, y cuando sus pies se resbalaban y caía hacia abajo no había ninguna red ni ningún Gavin para salvarla.

En ambas ocasiones se despertó empapada en sudor y con las sábanas echas un lío. Cuando acarició el lado vacío del colchón, el lado en el que solía dormir Gavin, la ironía de la situación no le pasó desapercibida. Ella, que siempre se había enorgullecido de no dejar que ningún hombre pasara la noche con ella, de pronto no podía dormir sin uno al lado. Pero no solo echaba de menos la sensación de tener un cuerpo duro y cálido junto al de ella. Echaba de menos mucho más. Echaba de menos a un hombre en particular. A Gavin.

Al final perdió las esperanzas de conciliar un sueño reparador sola y terminó en la cama de Freddie. El lecho apenas era lo bastante ancho para contener a una persona, pero al sentir a su preciosa hija junto a ella encontró la paz suficiente para caer dormida.

La mañana llegó enseguida. Se despertó cansada y con los ojos hinchados, lo que no le daba su mejor aspecto, pero como muy bien dijo alguien, el espectáculo debía continuar. Varias tazas de té la ayudaron a pasar los momentos más espinosos de la mañana, y en cuanto se fue al teatro y se vio inmersa en el remolino de preparativos y caos en general sintió que iba recuperando sus energías.

Cuando terminó la última prueba de vestuario junto con la ubicación de utillería todavía faltaban unos minutos para que se levantara el telón. Entonces se dio cuenta de que no tenía nada más que hacer, excepto controlar los nervios y esperar. Alzó un poco el telón y miró a hurtadillas hacia la sala. No había lleno absoluto, pero sí una cantidad respetable de espectadores. Dada su experiencia en esas lides, calculó que tres cuartas partes de las tres mil localidades que tenía el teatro estaban ocupadas, lo que no estaba nada mal para el estreno de una obra de Shakespeare con una actriz desconocida en el papel protagonista. Se fijó en el palco de Gavin. Harry y una atractiva morena que de-

bía de ser su esposa, Callie, estaban sentados junto con Rourke, al que no acompañada la escurridiza heredera con la que él había esperado asistir. Lady Katherine había demostrado ser una digna adversaria a la hora de esquivar los avances amorosos del escocés, aunque Daisy sospechaba que el testarudo de su amigo no tardaría en poner en marcha otro ataque. Los Lake habían llevado a Freddie, a la que había dejado seguir despierta a esas horas por lo especial de la ocasión. Su hija estaba preciosa con el vestido azul que le había comprado y que conjuntaba perfectamente con sus ojos y unos lazos del mismo color que adornaban sus rizos negros. Todos sus seres queridos, todos a los que les importaba algo estaban allí para desearle suerte. Todos excepto Gavin.

Le había enviado flores, aunque no las acostumbradas margaritas, sino un precioso ramo de rosas rojo pasión. A ella le había gustado pensar que el color significaba que aún había algo de esperanza para ellos dos, pero la tarjeta que lo acompañaba no contenía mensaje alguno, solo su nombre.

¿Y qué derecho tenía a esperar más que eso después de todo lo que había hecho para alejarlo? Sin él en su vida podía centrarse en su carrera. Debería estar feliz, exultante. ¿No era eso lo que siempre había querido?

Entre las comedias, *Cómo gustéis* era una obra bastante alegre. Las bromas ocurrentes, muy bien traídas, y su final feliz ahora le parecían hasta molestas. Quién sabía, pero a pesar de su bagaje en las operetas de París quizá con su experiencia actual se encontraría mejor interpretando una tragedia. Al fin y al cabo su relación con Gavin era más similar a la de Romeo y Julieta que a la de Rosalinda y Orlando. «¡Oh, Gavin!»

Al sentir un ligero golpecito en el hombro se volvió, preguntándose si ahora poseía el don de convocarle.

En cuanto se dio cuenta de que en realidad se trataba del director del teatro se le cayó el alma a los pies.

—Sir Augustus, no esperaba verle antes de la actuación.

—Estaba en mi palco, pero no he podido resistirme a hacer una pequeña incursión entre bambalinas para comprobar algunos detalles de última hora, incluida mi actriz principal. ¿Cómo lo estás llevando, querida? Espero que no estés muy nerviosa.

Daisy tragó saliva, rogando que el espeso maquillaje que se había aplicado le cubriera las ojeras.

—Estoy bien.

Deseó poder decir lo mismo de él, ya que su rostro estaba cubierto por una fina capa de sudor y crujía los nudillos como si fuera a él al que estuvieran a punto de llamar a escena para actuar delante de una audiencia de miles de personas.

—Bien, muy bien. —Juntó los talones, miró rápidamente a izquierda y derecha, y al ver que no había nadie cerca se inclinó y le susurró al oído—: No me decepciones, Daisy. El futuro del Drury Lane muy bien podría depender del éxito o fracaso de la función de esta noche.

El director de escena escogió ese momento para acercarse a ellos con su omnipresente tablilla sujetapapeles en mano.

—Levantamos el telón en cinco minutos, Daisy —anunció.

—Gracias —dijo ella. Rosalinda no aparecía hasta la segunda escena del Acto I, así que todavía tenía tiempo. Se volvió hacia el director del teatro—. Lo haré lo mejor que pueda, señor.

—Estoy seguro, querida. Me gustaría desearte suerte pero ya sabes que en el mundo del teatro somos muy supersticiosos, así que, como dirían los americanos, rómpete una pierna. —Sir Augustus esbozó una tenue sonrisa—. Y recuerda, durante las dos siguientes horas eres Rosalinda. —Se dio media vuelta y se dirigió hacia una de las puertas de salida.

«En realidad ahora mismo no sé quién soy», pensó mientras lo observaba partir, «si Daisy, Delilah o Rosalinda. Puede que lo mejor es que sea esta última. Al menos ella termina con el hombre al que ama».

Desde el instante en que se abrió el telón, Daisy se metió completamente en el papel, y no solo interpretó a la valerosa Rosalinda, sino que se convirtió en ella echando mano de sus recientes penas y alegrías para enriquecer aún más al personaje. Cuando Rosalinda gritó a la actriz que hacía de Celia: «Ah, prima, primita mía, si tú supieras a qué profundidad llega mi amor», las lágrimas que caían por sus mejillas eran auténticas. Y cuando al final del acto, ella y su *partenaire* Orlando iban de camino al altar, se imaginó que era a Gavin a quien besaba cuando aceptó el tenue beso del actor.

La representación terminó con el consabido final feliz para todos los personajes. Y cuando las luces bajaron de intensidad, ocultando al resto del reparto y al colorido escenario en un manto de oscuridad, Daisy avanzó hacia las candilejas con paso comedido. Mirando hacia la audiencia, con la esperanza de que quizá Gavin se hubiera animado a acudir, se imaginó su atractivo rostro e hizo una reverencia.

El teatro estalló en una estruendosa ovación de aplausos, «bravos» y bises. Las luces de la sala se encendieron, alzó la cabeza y vio a toda mujer, hombre y niño de la audiencia en pie. Casi sin aliento, retrocedió para unirse a la fila de actores, dándose las manos con el compañero que hacía de Orlando y la actriz que interpretaba a Celia, para hacer el saludo de rigor. Antes de que se bajara definitivamente el telón, se vieron obligados a salir y saludar un par de veces más.

Como tras la función estaba prevista una recepción con champán en la sala de actores del teatro, en cuanto terminaron se fue corriendo a su camerino, se quitó el maquillaje, se peinó y se puso un vestido de noche de seda verde. Una hora más tarde estaba rodeada de la élite teatral londinense, con una burbujeante copa de champán en la mano, recibiendo los elogios de renombradas celebridades del escenario, a los que conocía por su reputación, pero que nunca se hubiera imaginado poder ver cara a cara, incluido el brillante libretista W.S. Gilbert, que no paraba de alabarla.

Inclinándose sobre ella hasta que la punta de su bigote blanco le hizo cosquillas en la mejilla, sir Gilbert le susurró al oído:

—Me imagino que no podré convencerla para que haga de Mabel, la protagonista de *Piratas de Penzance*, la próxima producción que estoy preparando con Sullivan, ¿no?

—Sir Augustus ha sido muy bueno conmigo —dijo Daisy vacilante.

—¿No me diga que ya ha firmado un contrato de exclusividad con él? —Gilbert parecía realmente afligido, pero en cuanto le respondió que no, la sonrisa retornó a su boca—. En ese caso venga a vernos a Sullivan y a mí al Savoy tan pronto como pueda. Le aseguro que podemos hacer frente a cualquier salario que el Drury Lane le esté ofreciendo. Y para hacer más apetecible la oferta, incluso le daré un porcentaje de la taquilla si firma un contrato de exclusividad con nosotros.

—Lo he oído —adujo sir Augustus con el ceño fruncido mientras se acercaba sigilosamente a ellos—. Veo que sigues como siempre, intentando robarme los actores en cuanto me descuido.

Gilbert no lo negó.

—La señorita Lake no es solo una actriz con mucho talento, sino una joven encantadora. Precisamente en este momento estábamos hablando de su futuro.

—Cierto. En cuanto la vi supe que sería una Rosalinda espléndida. —La miró y suavizó su expresión—. Tu interpretación de esta noche ha superado con creces mis expectativas. Has estado increíble, querida.

—Gracias a los dos. Son muy amables.

—No todas las actrices reciben una ovación como la tuya en su primera actuación. Después de esta noche, serás conocida como la niña mimada del Drury Lane.

El señor Gilbert entremetió su canosa cabeza entre ambos y añadió:

—O la futura novia del Savoy.

Completamente rojo, sir Augustus se volvió hacia su rival.

—Vamos a ver, Gilbert...

Mientras veía como ambos se enfrentaban, Daisy apenas podía creer en su buena suerte. Que el director del Drury Lane y el gran Gilbert de Gilbert y Sullivan se estuvieran peleando por ella resultaba embriagador, y lo que era más importante, casi venía a significar que podría mantener sin problemas a Freddie y a los Lake, así como empezar a pagar a Gavin todo el dinero que había invertido en ella.

Gavin. Al pensar en él le dio un vuelco el corazón. Había creído en ella más que nadie, y de no ser por él todavía estaría metida en el oscuro y sucio camerino de El Palacio, con las pantorrillas doloridas al terminar la tercera función del día. Le debía mucho... y le había dado tan poco. Además de la inmensa gratitud que sentía por él, lo quería a su lado.

—¿Dónde está el señor Carmichael? —preguntó sir Augustus como si ahora pudiera leerle la mente. Se acababa de despedir del señor Gilbert y había vuelto a centrar su atención en ella—. Creía que sería el primero en felicitarte.

Daisy dudó unos segundos. Se sentía más incómoda de lo que hubiera imaginado.

—Desgraciadamente... tenía otro compromiso.

—Es una pena. La próxima vez que le vea en el Garrick, me aseguraré de darle un informe completo de lo espléndida que ha estado.

Como no sabía qué responder a eso, se limitó a pronunciar un simple «gracias».

—Hay una persona que ha estado esperando pacientemente para conocerte. Un caballero muy influyente —añadió sir Augustus, señalando a un hombre alto con gafas que la saludó desde un rincón juntando los talones.

Sintiéndose como en una burbuja, presentó sus disculpas al señor Gilbert y dejó que sir Augustus la guiara.

El «caballero muy influyente» resultó ser un crítico teatral de *The London Times,* y Daisy se pasó los siguientes minutos escuchando alabanzas sobre su interpretación. Sus elogios no eran sino una versión

más culta de la presentación que de ella solía hacer el maestro de ceremonias de El Palacio antes de salir a escena, y aunque apenas había pasado un mes de aquello le pareció toda una vida.

De pronto se encontró desviando la atención y buscando en toda la estancia a la única persona de la que haber recibido una sola palabra o alabanza habría significado todo un mundo.

«Gavin, sé que he tenido más segundas oportunidades de las que me merecería, pero si pudieras encontrar en tu corazón una razón para darme una más...»

—¡*Maman, maman*! —Freddie se soltó de los Lake y fue hacia ella como un potrillo que de repente se viera libre de su arnés.

Le lanzó al crítico una mirada de disculpa y se inclinó para abrazar a su hija.

—Es mi hija, Freddie.

El crítico sonrió y le informó de que él era padre de cuatro niños pequeños.

—Fredericka, para de una vez. Mamá está trabajando —ordenó una jadeante Flora, acercándose a toda prisa hacia ellos.

—Está bien, mamá. —Agradecida por sentir aquellos pequeños y fuertes brazos alrededor de su cintura, le colocó uno de sus rizos negros—. ¿Te ha gustado la obra, preciosa?

Freddie asintió con contundencia.

—*Oui, maman*. Me ha encantado.

—¿Cuál ha sido tu parte favorita?

Su hija se tocó con el dedo una comisura de la boca y se lo pensó unos instantes.

—El final, cuando todo se soluciona y todos se casan y viven felices para siempre.

Daisy tragó saliva para deshacer el nudo que se había instalado en su garganta y admitió:

—Sí, esa es también mi parte preferida.

Las felices parejas en el escenario habían sido otro amargo recordatorio de su situación. Cuando la obra terminaba, Andrea tenía a Guillermo, Febe a Silvio, Celia a Oliver, y, por supuesto, Rosalinda a Orlando. Lástima que en la vida real no hubiera una deidad Himeneo que pudiera proporcionarle un final feliz con su alma gemela.

Sintiendo unos ojos sobre ella, alzó la vista. Se trataba de Flora, que le lanzó una mirada de comprensión.

—Creo que ha llegado el momento de que cierta señorita se despida y se vaya a la cama. Y su abuela con ella. No te importa que nos vayamos, ¿verdad, cariño? Hoy ha sido un día muy largo y Bob tiene un poco de hambre.

Daisy miró en dirección a su padre, que estaba sentado en una silla al lado de la puerta. Se separó de Freddie y se irguió.

—Por supuesto que no. Podéis iros ya. Espero que esto no se alargue mucho. Estoy deseando irme a la cama.

No mucho tiempo atrás, hubiera estado orgullosa de celebrar algo como aquello hasta el amanecer, pero el mes con Gavin la había cambiado profundamente, incluyendo el enseñarle a diferenciar el falso regocijo de la auténtica felicidad.

Flora agarró a Freddie de la mano y la sacó de allí, y aunque la niña protestó, alegando que no tenía sueño, la pesadez de sus párpados decía lo contrario.

Miró la copa medio vacía de champán que tenía en la mano y que cada vez estaba más caliente. El alcohol debía de haberla puesto un poco sensible, porque lidiar con la celebración de su éxito le estaba exigiendo más dotes interpretativas que hacer de Rosalinda.

Justo en ese momento apareció Rourke con una copa del burbujeante líquido en la mano. Sin preguntar, le quitó la que tenía y le dio esta nueva. A continuación se colocó a su lado y dijo:

—Parece como si te apeteciera tomar algo más fuerte, aunque no creo que pasarte mi petaca de *whisky* ahora te convenga.

—Seguramente no, pero esto sí. Gracias. —Tomó un pequeño sorbo del champán ahora frío para ver si por fin conseguía deshacerse del nudo que tenía en la garganta.

El escocés dio un paso atrás y la estudió detenidamente.

—Si no te importa que te lo diga, no pareces una mujer que acaba de poner a todo el mundo teatral a sus pies.

Daisy, que estaba a punto de echarse llorar, hizo un gesto de negación.

—Oh, Patrick, me temo que he cometido un tremendo error y no sé cómo arreglarlo.

—¿Se trata de Gavin?

Ella asintió, hundida.

—No ha venido esta noche, y lo peor de todo es que no puedo culparle. Lo he liado todo, y la que debería haber sido la noche más feliz de mi vida está siendo de todo menos eso.

De pronto, el poco autocontrol que le quedaba se vino abajo y las lágrimas empezaron a caer por sus mejillas. Maldiciendo por lo bajo intentó hacerse con su pañuelo, pero entonces se dio cuenta de que se había dejado el bolsito en el camerino.

—Ya está, pequeña, tranquila. —Rourke se sacó un pañuelo doblado del bolsillo y se lo pasó discretamente—. Salgamos fuera a tomar un poco de aire fresco. O mejor aún, déjame que te saque de aquí.

—¿En serio?

—Sí, ya sabes cómo somos los de las Tierras Altas; no nos sentimos muy cómodos cuando estamos demasiado tiempo en lugares cerrados.

Permitiendo que Rourke la ayudara a encontrar de nuevo la sonrisa en medio de ese manto de lágrimas, bromeó con él.

—Te criaste en Londres y en Kent. A menos que conserves los recuerdos de cuando estabas en el vientre de tu madre, hasta que no compraste ese castillo que tienes no sabías más de Escocia de lo que yo sé.

—Vaya, Daisy, eso son solo meros apuntes geográficos —contestó él con un guiño.

—En ese caso acepto —sentenció ella, secándose los ojos—. Solo necesito unos instantes para despedirme de un par de personas y pasarme por el camerino para recoger mis cosas.

Dar las buenas noches a sir Augustus y algunos de sus compañeros de reparto le llevó más tiempo del que había previsto, pero Rourke demostró tener una paciencia infinita. Al final consiguió escaparse, fue a su camerino y salió por una puerta lateral. Una vez en la calle, el escocés le señaló un carruaje lacado en negro estacionado bajo una farola de la calle Russell.

—Es este. Sube.

Alzó la mirada y en cuanto vio al atractivo cochero sentado en el pescante parpadeó y se volvió hacia Rourke.

—¿Qué hace Harry conduciendo tu carruaje? —preguntó, pensando que la noche acababa de tomar un giro inesperado.

El escocés terminó de subir los escalones antes de contestar:

—Hace una noche estupenda para una excursión y a él le apetecía conducir. Lo cierto es que se le da muy bien, pero no le digas que te lo he dicho. —Abrió la puerta del vehículo y le dio un ligero empujón.

La mujer de Harry, Callie, estaba sentada dentro. Se habían conocido antes, pero apenas hablaron un minuto.

—Buenas noches, Daisy.

—Callie. —Preguntándose de qué iba todo aquello, vaciló unos segundos para después sentarse en el asiento de enfrente.

Callie la saludó con la que parecía ser su serena sonrisa habitual.

—Has hecho una interpretación excelente de Rosalinda. Te habría felicitado antes, pero en la recepción había tal cantidad de gente que me fue imposible acercarme a ti.

—Ha sido todo un detalle por tu parte asistir a la función.

Callie se encogió de hombros.

—De ninguna manera. Siempre he tenido una especial predilección por *Como gustéis*.

—¿Estás segura de que no prefieres *La fierecilla domada*, cariño? —comentó Harry desde el pescante con tono irónico.

—Sí, claro. —Callie hizo una mueca y corrió la cortina, escondiendo su cabeza de la ventana abierta. Después se recostó sobre su asiento y añadió—: Siempre he adorado al personaje de Rosalinda. Aunque la obra tiene unos cuantos siglos de antigüedad, hay algo refrescante y moderno en ese personaje, ¿no crees? —Queriendo saber dónde podía llevarla esa conversación, Daisy asintió—. Y tú, además, le has dado algo único y especial. Nunca he visto que alguien la representara tan bien.

Rourke se unió a ellas y cerró la puerta del carruaje. ¿Por qué se irían todos juntos a casa? Sabía por Gavin que Harry y Callie vivían en Mayfair, en la zona oeste de la ciudad, mientras que las habitaciones de Daisy en Whitechapel se encontraban en la zona este, o lo que es lo mismo, en dirección contraria. Mirando al par que tenía frente a sí con caras de avergonzados, decidió ir al grano.

—Creo que va siendo hora de que me contéis qué está pasando.

Callie se volvió hacia Rourke y sacudió la cabeza.

—Te dije que era demasiado lista. ¿Cuándo aprenderéis los hombres a no subestimar a las mujeres?

—De acuerdo, cuéntaselo.

Callie la miró.

—Para simplificar las cosas seré bastante breve. Querida, te estamos secuestrando.

—¡Qué me estáis secuestrando! —Daisy miró alternativamente a Rourke y a Callie, sin dar crédito a lo que acababan de escuchar sus oídos.

—El secuestro es uno de los rituales más antiguos de cortejo de los hombres... y de las mujeres, si vamos al caso —puntualizó Callie con una sonrisa.

—Sí —añadió Rourke—. Los clanes de las Tierras Altas han estado robando a sus futuras mujeres hasta el siglo pasado. Y si tengo que volver a aguantar un baile o velada más, voy a plantearme muy en serio recuperar esa vieja costumbre.

Tanto Callie como Daisy enarcaron una ceja.

—Patrick, sabes que te adoro, pero creo que es hora de que te unas a Harry en el pescante.

El escocés pareció vacilar unos segundos, aunque al final se encogió de hombros y cedió.

—Muy bien, os dejaré cotorreando con vuestras cosas de mujeres.

En vez de soltarle una reprimenda, Callie echó hacia atrás la cabeza y se rió. Se notaba que estaba acostumbrada a ese tipo de bromas, tanto por parte de su marido como de sus amigos.

—¡Qué magnánimo de tu parte! Además, ni Daisy ni yo queremos agobiarte con nuestro «cotorreo» cuando mi marido y tú tenéis tantas cosas interesantes de las que hablar.

Rourke fingió sacarse un cuchillo invisible del corazón. A continuación abrió la puerta del carruaje y saltó fuera, pero no antes de que Daisy captara la medio sonrisa que esbozaron sus labios. Al percibir el ambiente desenfadado en el que se desenvolvían los tres, se relajó y se recostó contra el lujoso respaldo acolchado tapizado en cuero.

El carruaje continuó su camino dando tumbos y Callie siguió con sus explicaciones:

—Al principio desaprobé una táctica tan primitiva, pero Rourke y Hadrian terminaron persuadiéndome. Al fin y al cabo, toda regla tiene su excepción, y en tus circunstancias hay mucho en juego.

A Daisy le gustaba mucho la esposa de Harry, pero no pudo evitar irritarse ante aquel comentario.

—Eres muy amable al preocuparte, Caledonia, pero no te ofendas si me pregunto qué puede saber una mujer como tú de mí o de mis... circunstancias.

Callie arqueó una ceja perfecta y la miró. «Nobleza obliga», pensó Daisy, o lo que era lo mismo, cuando uno nacía en una posición privilegiada se veía obligado a conducirse de forma altruista. Pero si ese mismo comportamiento lo hubiera llevado a cabo una persona normal, en ese caso, se le hubiera llamado «entrometerse en los asuntos de los demás».

Justo cuando el pulso que ambas estaban manteniendo se hizo casi insoportable, Callie decidió romper el silencio.

—Prefiero que me llames Callie. Todos mis amigos lo hacen. Y en tus circunstancias, cuando se trata de un asunto en el que está envuelto el corazón y los sentimientos, quizá te sorprenda comprobar que no somos tan diferentes. No hace mucho tiempo, estuve a punto de dar la espalda a la felicidad por seguir unas creencias muy rígidas y bastante contraproducentes. En mi caso, alguien en quien confié plenamente cuando era muy joven hizo algunos comentarios hirientes sobre mi aspecto. —Una sombra cruzó el rostro de Callie, como si el recuerdo todavía le doliera—. Durante años, toda una década de hecho, viví con la certeza de que no era una mujer deseable, que era demasiado fea y torpona como para atraer la pasión de un hombre, y mucho menos ganarme su corazón.

Daisy negó con la cabeza.

—Perdóname si me resulta difícil de creer.

Esa misma noche, había visto a Callie desenvolverse en la recepción con la soltura propia de una persona acostumbrada a acudir a eventos sociales de ese tipo. Aunque no fuera una belleza en el sentido clásico, la escultural morena se veía exquisita con un escotado traje de noche color ébano con tirantes de pedrería que acentuaba la suavidad de sus hombros y sus generosos «encantos». Como Daisy había estado en París, reconoció el vestido como una copia del llevado por «*Madame X*» en el retrato de Sargent.

Callie esbozó una tenue sonrisa.

—Es la pura verdad. Pero entonces llegó Hadrian, o Harry si prefieres, e hizo que me viera no solo a través de su cámara sino a través de sus ojos. Y empecé a creerle... hasta que todo se desmoronó.

Gavin le había puesto en antecedentes sobre el escándalo que se había formado. Por lo visto, un miembro muy importante del Parlamento había ofrecido una gran cantidad de dinero a Harry para que fotografiara desnuda a Callie y así desacreditar tanto a ella como al movimiento sufragista que representaba. Como el fotógrafo necesitaba desesperadamente dinero aceptó, pero nunca se imaginó que terminaría enamorándose de la famosa sufragista. Antes de poder destruir la fotografía, se la robaron de su estudio y la filtraron a la prensa de la calle Fleet. Seguro que muchas mujeres que se hubieran visto expuestas del mismo modo que Callie se habrían muerto de la vergüenza y no habrían querido que las volvieran a ver en público jamás, pero la esposa de Harry estaba hecha de otra pasta, y esa misma noche se había paseado por la recepción con total naturalidad, como si medio Londres no la hubiera visto vestida solo con ropa interior. Pensándolo bien, puede que ella y la mujer de alta alcurnia que tenía frente a sí no fueran tan diferentes.

Callie se inclinó hacia ella.

—Puede que haya llegado el momento de que te enfrentes a tus demonios interiores... ¿Qué es lo que te impide amar plenamente?

En circunstancias normales le habría respondido educadamente que se metiera en sus asuntos, pero en ese caso la confesión anterior invitaba a otra. Además, ¿no se había hecho esa misma pregunta una y otra vez durante las últimas veinticuatro horas? Las acaloradas palabras de Gavin acudieron a su mente: «De qué tienes miedo? ¿De que podríamos haber sido felices juntos? ¿De que pudiera estar enamorándome de ti?». ¿De verdad se sentía tan atemorizada que estaba dispuesta a aceptar una vida llena de soledad en vez de enfrentarse a sus miedos?

Se le disparó el corazón y sintió el interior de la boca tan seco como un algodón. Solo con que saliera a colación la palabra «amor» en una conversación bastaba para que le entrara el pánico.

—Es como si Gavin tuviera una imagen de mí en su mente a cuya altura nadie va a conseguir estar nunca, y mucho menos yo. A veces, cuando estoy con él, tengo la sensación de estar compitiendo por su cariño con otra mujer... Pero esa mujer soy yo misma, o mejor dicho, la niña que fui. No tiene ningún sentido, ¿verdad?

—Todo lo contrario, tiene mucho sentido. Continúa.

Daisy bajó la mirada al bolso de mano que tenía en el regazo.

—El día que el abuelo de Gavin fue a Roxbury House para llevárselo a Londres, Gavin subió al desván donde me había escondido. Era nuestro sitio especial, un lugar en el que Gavin, Rourke, Harry y yo nos refugiábamos de vez en cuando para sumergirnos en nuestro propio mundo. Incluso hacíamos reuniones mensuales con juramento de fidelidad incluido que siempre repetíamos. Seguro que te parece una tontería. —Se aventuró a alzar la vista en dirección a Callie.

La mujer de Harry la miró con ojos amables y negó con la cabeza.

—En absoluto.

—Le supliqué que me llevara con él. Obviamente Gavin no podía, pero en ese momento yo no lo entendí, aunque después de conocer al señor St. John me alegro de que no lo hiciera. Gavin prometió escribirme, me juró que algún día haría lo que fuera para que volviéramos a estar juntos, pero en cuanto su abuelo lo trajo a la capital se olvidó de mí. Mucho peor, me ignoró. Durante dos años, le estuve escribiendo, carta tras carta, pero nunca me contestó. A ninguna.

Callie frunció el ceño como si estuviera tratando de colocar las últimas piezas de un puzle que hubieran estado perdidas durante mucho tiempo.

—No conozco a Gavin desde hace mucho, pero por lo que me ha ido contando Hadrian del tiempo que todos pasasteis en Roxbury

House, y por lo que he visto por mí misma, no me puedo creer que no te contestara ni una sola vez. En cuanto a lo de olvidarse de ti, simplemente no es verdad. Según me dijo Hadrian, el año pasado se gastó una pequeña fortuna en un detective privado para encontrarte.

Daisy alzó la cabeza de golpe.

—¿Que Gavin pagó a alguien para que me buscara? ¿Estás segura?

La forma tan categórica de asentir de Callie no le dejó lugar a dudas.

—El detective te siguió la pista hasta Dover, pero después de eso no logró averiguar nada más. Las noticias dejaron a Gavin con el ánimo por los suelos, así que Hadrian y Rourke decidieron llevarle al club donde actuabas para que se divirtiera y se olvidara un poco de ti.

¿Gavin la había estado buscando todo ese tiempo? Si aquello era cierto, entonces su vida había sido muy semejante a las rocambolescas historias que leyó una vez en unas novelas de poca monta en las que un caso de error de identidad o las maquinaciones de un taimado villano separaban a los amantes durante años solo para verse reunidos de nuevo al final. En su historia, sin embargo, la persona que Gavin volvía a encontrar no era la inocente niña que recordaba sino una corista emperifollada brincando medio desnuda en un escenario. No le extrañaba que hubiera reaccionado como lo hizo. Tuvo que suponerle un enorme impacto.

—Y en lugar de que me encontrara el detective, me encontró él mismo por pura casualidad.

Callie volvió a asentir.

—Sí, aunque soy de las que opino que las casualidades no existen. Que tú y Gavin os hayáis reencontrado después de todo este tiempo es un regalo de Dios. De todos modos, independientemente de cuál sea la razón por la que volvéis a estar juntos, no desaprovechéis esta oportunidad. Las segundas oportunidades son tan raras como los tréboles de cuatro hojas. Las terceras... Bueno, casi nadie habla de ellas, ¿verdad?

Daisy negó con la cabeza, que estaba empezando a dolerle, y no precisamente por el champán que se había bebido.

—Aunque Gavin no me abandonara en el sentido estricto de la palabra, ya no soy la niña que él conoció, y no lo he sido durante quince años, es imposible que estemos juntos siendo quienes somos. Él es un reputado abogado y yo una corista... Bueno, supongo que ahora una actriz, pero siempre me perseguirá mi pasado. Mientras nos quedemos en Inglaterra, no veo cómo podríamos ser algo más que amantes.

Hacía tan solo unas semanas aquello le habría parecido perfecto, pero el tiempo pasado con Gavin había cambiado su forma de ver muchas cosas, incluidas las relaciones. Ahora que había experimentado un atisbo de cómo podía ser la relación entre un hombre y una mujer, del cariño, respeto, compasión y, sí, las cotas que podía alcanzar la intimidad física cuando mediaba el amor, quería más, mucho más. Lo quería todo —la casita de campo con verja, el final feliz de cuento de hadas y el «hasta que la muerte nos separe» de los votos matrimoniales—, todo lo que diferenciaba a las almas gemelas de los amantes temporales.

—Puede que haya llegado el momento de dejar atrás esa creencia y correr el riesgo y recuperar la confianza perdida, ¿no crees?

Correr el riesgo. Recuperar la confianza. ¿Qué era lo peor que podía pasar? Puede que estuviera muy dolida, pero también era cierto que las últimas veinticuatro horas que llevaba separada de Gavin habían sido las peores de su vida.

El silencio se apoderó del interior del carruaje; no uno de esos silencios incómodos en los que la gente se examina las uñas o mira a través de la ventana, sino uno mucho más cordial en el que todo se había dicho y escuchado, y en el que uno se ponía a pensar no solo en los «qué habría pasado si...» sino en, y lo que era más importante, «qué viene a continuación».

Cuando Daisy volvió a mirar a Callie, fue consciente de que había perdido la noción del tiempo. Podía ser medianoche o media mañana,

haber pasado cinco minutos o cincuenta desde que se había subido al carruaje.

—Me imagino que no vas a decirme a dónde me lleváis, ¿no?

La lámpara que había en el interior del vehículo osciló, iluminando la misteriosa sonrisa de Gioconda de Callie. La que una vez fuera líder de las sufragistas negó con la cabeza.

—Por supuesto que no. Se supone que tiene que ser una sorpresa. Si te lo dijera, después de todo lo que nos ha costado elaborar el plan, Hadrian y Rourke pedirían mi cabeza en una bandeja de plata, y con razón. Así que recuéstate y no te preocupes por tu destino, solo disfruta del viaje.

Capítulo 21

Ver enamorados alimenta a los que aman.
Llevadnos allá y así podréis ver
que en esa función yo tengo un papel.

WILLIAM SHAKESPEARE, Rosalinda
Como gustéis

Daisy se percató de que estaban viajando hacia el este. Las calles se iban haciendo cada vez más estrechas y serpenteantes, y los aromas que llegaban a través de la ventanilla menos placenteros. De pronto, el carruaje se detuvo. Echó un vistazo a través del cristal y vio que se habían apartado de la calle principal. Observó también una enorme estructura de madera estilo Tudor cuya entrada estaba iluminaba por una única antorcha. El edificio estaba alejado de la vía y el camino que llevaba a él pavimentado con adoquines, señal de que era muy antiguo.

La puerta del carruaje se abrió y Rourke le ofreció una mano para ayudarla a bajar. Pero antes de hacerlo Daisy se dirigió a Callie:

—¿No vienes?

La morena hizo un gesto de negación.

—Esta es tu noche. Y tu segunda oportunidad. Buena suerte.

—Gracias. —Se volvió hacia Rourke y aceptó su mano extendida.

Cuando bajó del vehículo, el escocés, farol en mano, la escoltó hasta la puerta principal. Por alguna extraña razón, verle abrirla sin necesidad de llave alguna no le sorprendió.

—Este es el final de mi trayecto, pero el principio del tuyo —anunció Rourke, haciéndose a un lado.

—Gracias. —Intentó esbozar una sonrisa, pero la sintió tan temblorosa como el resto de su cuerpo.

—Ha sido todo un placer, muchacha. —Se echó hacia atrás y vaciló unos instantes—. Gavin te ama de verdad, lo sabes, ¿no?

—Sí, lo sé, o al menos lo sé ahora. Y yo también le amo, con todo mi corazón.

—Adelante, entonces. —Le pasó el farol y volvió al camino.

Daisy agitó la mano para despedirse de sus amigos y accedió al interior. La antigua puerta de madera en forma de arco chirrió al cerrarse detrás de ella. Una vez dentro ya no necesitó el farol. Varias velas alumbraban el camino hacia el auditorio. Siguió el sendero iluminado por el pasillo central que había entre unas filas de bancos sin respaldo que daban a una plataforma que hacía de escenario. La andrajosa cortina que servía como telón fue ascendiendo a medida que se acercaba, mostrando una mesa para dos cubierta con un mantel. Al lado, había una cubitera de hielos con pedestal que contenía lo que parecía una botella de champán enfriándose.

Entonces Gavin apareció en el escenario. Se le veía tremendamente atractivo vestido con un traje formal de noche.

—Estaba empezando a pensar que Hadrian os había perdido en la oscuridad del camino.

—Gavin, ¿qué es todo esto? ¿Por qué te has tomado la molestia de convencer a nuestros amigos de que me secuestren y me saquen de un

teatro para llevarme a otro? Uno cubierto de polvo —añadió, conteniendo un estornudo.

Él se encogió de hombros.

—Quería pasar un rato a solas contigo, tener una celebración privada, y Hadrian y Rourke saben muy bien cómo hacer de cochero y escolta. —Extendió una mano para ayudarla a subir.

Cuando ascendió los tres escalones y se situó sobre el escenario, comentó irónica:

—Querrás decir que saben cómo ser conspiradores en un secuestro.

Él volvió a encogerse de hombros y la acarició con la mirada.

—Era la única forma que tenía para asegurarme de que vendrías.

—Una sola invitación hubiera bastado.

Gavin enarcó una ceja.

—¿Habrías aceptado?

Daisy pensó en mentirle, pero enseguida descartó la idea. Había demasiadas mentiras entre ellos como para añadir una más.

—No estoy segura.

—¿Ya has cenado?

Daisy trató de hacer memoria y se dio cuenta de que no había comido nada desde el desayuno. A pesar de que los emparedados de langosta, quesos franceses y fresas cubiertas de chocolate negro que se habían servido en la recepción tenían una apariencia muy tentadora, no habían conseguido despertar su apetito.

—No —contestó. Al sentir otro par de ojos sobre ella, cambió de posición para ver de quién se trataba y se encontró a Jamison, asomando su canosa cabeza a través del telón, como si estuviera esperando alguna señal de Gavin. Según parecía, el mayordomo era otro de los conspiradores.

—En ese caso —dijo Gavin, siguiendo su mirada—. Tengo una botella de champán enfriándose y una cena fría esperando entre bastidores, de modo que durante las siguientes horas no tendrás ni sed

ni hambre. La única condición es que debes quedarte aquí conmigo, hablando, solos tú y yo. ¿Te importa?

Daisy no estaba para andarse con remilgos.

—¿Que si me importa? ¡Que si me importa! Me he pasado casi todo el día y toda la noche después de la representación deseando tenerte a mi lado.

Fue hacia él, pero Gavin alzó una mano para detenerla.

—Primero tenemos que solucionar las cosas entre nosotros de una vez por todas. Necesitamos establecer unas bases, un acuerdo con el que ambos podamos vivir. Si tú quieres, por supuesto.

Toda esa conversación sobre términos y acuerdos le hacía parecerse más al duro y reputado abogado que era que al amante tierno que ella conocía. Abrió la boca para contestarle cuando se le ocurrió pensar que lo que él iba a proponerle no distaba mucho del acuerdo sin sentido que ella le había exigido aquel primer día en su apartamento.

Si diseñar su futuro por escrito era lo que hacía falta para tenerlo a su lado, estaba dispuesta a hacer o a firmar cualquier trato que él le propusiera. Quería, necesitaba a Gavin en su vida. Eran las dos mitades de una misma alma, y aunque él era la mejor parte, no había nada que ella deseara más que pasar el resto de su vida intentando hacerle feliz, completarlo tanto como él la completaba a ella.

Rezando en su fuero interno para que no fuera demasiado tarde, se dejó llevar.

—Oh, Gavin, acabo de vivir la que se suponía que tenía que ser la mejor noche de mi vida, pero...

—¿Pero? —Seguía sin acercarse a ella, aunque ahora su tono era mucho más suave.

—Pero no ha significado nada sin ti a mi lado para compartir la experiencia.

—He estado allí, la mayor parte del tiempo. Tuve que marcharme a mitad del último acto.

—Pero no estabas en el palco. Te... te busqué. —La vergüenza que sintió hizo que las mejillas le ardieran y deseó con todas sus fuerzas que la tenue iluminación impidiera que él se diera cuenta. Aunque no podía asegurarlo a ciencia cierta porque él la estaba mirando con expresión inescrutable.

Cómo le hubiera gustado poder leerle los pensamientos con la misma facilidad que lo hizo días antes, pero Gavin, que hasta ahora había mostrado sus sentimientos abiertamente, parecía haberlos guardado bajo llave.

—Me puse en la parte trasera, justo al lado de la cortina. No podías verme pero yo a ti sí. Estuviste magnífica, «fuiste Rosalinda». Tu actuación de esta noche será equiparada a las de Sara Siddons y Dorothy Jordan.

—Gracias, pero prefiero que me vean más como a Nell Gwynne —consiguió decir a pesar del nudo en la garganta que tenía. El cumplido de Gavin era mucho más importante para ella que los elogios de cualquier prestigioso crítico teatral de Londres.

Gavin se volvió hacia la cubitera.

—¿Champán?

Sabía que no debía —la cabeza ya le estaba dando suficientes vueltas sin necesidad de más ayuda—, pero terminó aceptando.

Lo miró por encima de la copa con el espumoso líquido y bajó la vista hasta sus manos. Aquello le trajo a la memoria la sensación de esas firmes extremidades acariciándola, moviéndose por todo su cuerpo, penetrándola con sus dedos, y sintió un estremecimiento que no tenía nada que ver con la temperatura del ambiente.

—Tienes frío. Toma. —Gavin se quitó la levita y se la puso encima de los hombros—. Así es como empezamos, ¿recuerdas?, con mi levita sobre tus desnudos y adorables hombros. ¿Creíste que estaba loco?

Daisy sonrió.

—Por supuesto. Y tú, ¿pensaste que era una descarada?

—No lo sabes tú bien. Pero estas últimas semanas he descubierto que me encantan todos tus descaros, como esas piernas tan largas que tienes, aunque prefiero que los exhibas solo conmigo, en privado.

Era incapaz de pensar teniéndolo tan cerca. Con la copa de champán en la mano, se alejó un poco con el pretexto de estudiar el panel de madera tallado que había en un lateral del escenario. A pesar del polvo y las telarañas que tenía era un trabajo exquisito.

—Por cierto, ¿dónde estamos?

Él también retrocedió un paso.

—En un antiguo teatro abandonado, construido en la época de Shakespeare, que era conocido como The Parisian. La última obra que se representó fue *El misántropo* de Molière. Lleva vacío décadas, puede que más.

—Qué lástima.

Gavin esbozó una ligera sonrisa.

—Sí, estoy de acuerdo. —Hizo una pausa, mayor que la anterior, y continuó—: En ocasiones las personas abandonan sus sueños del mismo modo que se abandona un edificio viejo. Porque así da menos problemas, porque no hay suficiente amor para llevarlo a cabo.

Aquella metáfora apenas disimulada consiguió que levantara la cabeza ipso facto y le mirara a los ojos.

—Nunca dije que no te amara. Siempre te he amado. Nunca te mentí en ese aspecto.

Pero le había mentido en tantas otros. Ahora que lo pensaba, había malgastado un montón de energía cuando decir la verdad habría sido mucho más sencillo.

—¿Por qué no me dijiste que me habías escrito durante todos esos años?

La pregunta y la acusación velada la tomaron por sorpresa. Con manos temblorosas, depositó la copa de champán sobre la mesa.

—Di por hecho que lo sabías.

—No.

Incluso ahora, no sabía si podía creerle.

—Una carta hubiera podido perderse en el camino, Gavin, pero te escribí tantas veces. La última te la envié desde Calais.

—No recibí ni una sola de ellas... hasta ahora. —Hizo una mueca—. Mi abuelo ordenó al internado en el que estudié que controlaran mi correspondencia. Incluso le dio al director un listado de personas de las que sí podía recibir cartas. Todo lo demás se lo enviaban a él.

Daisy sintió el escozor de las lágrimas en los ojos.

—Cuando no me contestaste pensé que ya no te importaba, que en esa nueva vida tan fantástica que tenías no había espacio para una huérfana que ni siquiera tenía apellido. Cuando te envié la última carta y vi que pasaba un mes y que seguía sin recibir respuesta tuya, me dije que era hora de afrontar el hecho de que habías seguido adelante y que yo también tenía que hacer lo mismo.

—No seguí adelante. Me quedé a la deriva. Allá donde fuese o cualquier cosa que viera o hiciera siempre pensaba en ti, en lo mucho que te gustaría o en cómo te lo contaría en cuanto volviéramos a vernos. Cuando regresé a Londres, lo primero que hice fue contratar a un detective para que te encontrara, pero ya era demasiado tarde. No había ningún rastro tuyo que poder seguir, ni en Londres, ni en el campo... ni en ningún otro sitio. Nunca se me ocurrió buscarte en Francia, ni que pudieras haber tomado un nombre artístico. Qué tonto, qué tonto... —Negó con la cabeza.

—¿Cómo has terminado enterándote de lo de las cartas? ¿Ha sido gracias al detective?

—No. Mi abuelo me confesó lo que hizo y me las dio. También me habló de su intento de soborno para que me dejaras, y que te negaste a aceptar ni un solo penique. Incluso me enseñó el cheque roto. ¿Por qué me mentiste, Daisy? Hacerme creer que tenías un amante ya fue bastante malo, pero engañarme para que pensara que me habías traicionado por unas bíblicas monedas de plata... ¿Por qué lo hiciste?

Daisy miró el polvoriento suelo de tablas.

—Porque no quería arruinarte la vida. Tu abuelo me dio a entender que te desheredaría si nos casábamos y no quería destruirte de ese modo.

Gavin meneó la cabeza de un lado a otro como si estuviera delante de una niña que hubiese cometido una travesura.

—Si ese mismo día me lo hubieras contado todo te habría dicho que el dinero de mi abuelo me importaba un bledo.

—Eso dices ahora, pero hace mucho tiempo que dejaste de ser pobre. Es muy duro volver a ese tipo de vida.

—Duro, pero no imposible. Y lo habría hecho, todavía lo haría sin pensármelo dos veces si fuera la única forma de poder estar contigo. De todos modos, aunque pasara, he amasado un pequeño patrimonio propio. No es una suma cuantiosa, pero sí lo suficientemente importante como para cuidar de ti, de Freddie y hasta de los Lake. Pero como era de esperar no me lo contaste, ¿verdad, Daisy?, porque a pesar de todo lo que hemos compartido sigues sin confiar en mí, sigues sin quererme lo suficiente, sin creer que lo nuestro puede funcionar.

—Oh, Gavin, no pienses eso. Si hay alguien a quien no quiera suficiente o en quien no confíe es en mí misma. Alejarte de mí para no hacerte daño me pareció lo mejor... Pero ahora me doy cuenta de que fue un acto cobarde y bastante contraproducente. Sé que te he hecho sufrir, aunque también me he hecho mucho daño a mí misma. Si pudiera volver atrás en el tiempo, a hace un mes, actuaría de forma muy diferente... Sin embargo, eso sí que es algo imposible. Ya es demasiado tarde, ¿verdad?

En vez de contestarle Gavin dijo:

—Casi se me olvida. Tengo algo para ti. —Buscó en el bolsillo de su abrigo y sacó un paquete muy fino envuelto en papel marrón.

—¿De qué se trata? —preguntó ella en cuanto lo tuvo en sus manos—. Soy la última persona que se merece un regalo.

—Ábrelo y lo sabrás —comentó Gavin, pendiente de su expresión.

Desató el cordel y tiró del papel. En cuanto vio el contenido levantó rápidamente la cabeza.

—Es una escritura. La escritura de este teatro... ¡Y está a mi nombre! Me has comprado un teatro. ¡Este teatro! —Nunca había tenido una propiedad en toda su vida, y mucho menos todo un teatro. Completamente abrumada, se quedó sin palabras, sintiendo un inmenso amor por el hombre que tenía frente a sí.

Gavin asintió.

—Sé que no es el Savoy, todavía... He mandado hacer una inspección y me han dicho que la estructura es sólida. Todo lo demás necesita un arreglo, pero es tuyo. Si lo quieres, por supuesto, no te sientas obligada a aceptar. También puedes quedártelo y no tener que volver a verme nunca más, aunque me encantaría formar parte no solo de este proyecto sino de tu vida... y de la Freddie, si aceptas.

—Gavin, ¿me estás preguntando lo que creo?

Su sonrisa fue la respuesta, esa maravillosa sonrisa que llegaba hasta sus ojos e iluminaba su atractivo rostro.

—Cásate conmigo, Daisy. Cásate conmigo para que ambos dejemos de ir a la deriva. Cásate conmigo para que los tres podamos ser una familia.

—Oh, Gavin, no sé qué decir.

Él dejó su copa sobre la mesa y fue hacia ella.

—Di que sí. Di que te casarás conmigo. No más demoras, y por lo que más quieras, no más mentiras. Cualquier contratiempo que nos depare el futuro lo enfrentaremos honesta y abiertamente, y sobre todo juntos. Y por mucho que te ame, no quiero que me aceptes por el bien de Freddie o de los Lake. Si lo haces que sea por mí mismo. Porque te lo advierto, Daisy, espero que me ames con todo tu corazón, con toda tu alma, y sí, también con todo tu cuerpo, el resto de nuestras vidas. ¿Puedes prometérmelo? ¿Podrás quererme de esa forma?

Daisy tragó saliva.

—Sí, puedo y lo haré. —Le amaba tanto que creía que su corazón se desbordaría de todo el amor que sentía—. Pero, Gavin, ¿estás seguro de que esto es lo que quieres? Soy una actriz y una antigua corista, unas credenciales de lo menos apropiadas para la esposa de un abogado.

—De lo que estoy seguro es de que te quiero. Todo lo demás no me importa. Me da igual si decides elegir otro nombre artístico escandaloso, o el color con el que quieras teñirte el pelo. Puedes vestirte con tafetán púrpura y plumas, si te apetece; no importa, porque te quiero. Eres la mujer con la que quiero compartir mi vida, y me encantaría que tú quisieras compartir la tuya conmigo. Quiero ser un padre para Freddie y todos los hijos que Dios quiera darnos. Quiero envejecer contigo, hacerte el amor mucho después de que nuestros huesos empiecen a crujir. Y cuando me llegue el momento de morir, rezo porque sea antes que tú, porque no puedo soportar un mundo, mi mundo, sin ti. ¿Qué me dices?

Daisy le contestó abalanzándose sobre él. Lo abrazó, y poniéndose de puntillas le besó con toda la intensidad, pasión y amor que había atesorado durante esos quince largos años. Después, apoyó una mano sobre sus hombros, ladeó la cabeza y terminó el beso acariciándole la boca con los labios.

—Gracias por amarme —le dijo en apenas un susurro.

—De nada. —Él enredó una mano sobre su pelo y atrajo su cabeza hacia sí. Con la boca a escasos milímetros de la suya volvió a preguntarle—. ¿Te casarás conmigo?

—Oh, Gavin. —Le enmarcó el rostro con las manos, le besó las cejas, la mandíbula, los labios, confiando en que la respuesta se viera reflejada en sus ojos, en sus besos, en la forma de acariciarle. Pero por si acaso aquello no era suficiente, se echó hacia atrás, sonrió a través de las lágrimas de felicidad que inundaban su rostro y dijo—: Prometo amarte en lo bueno y en lo malo, por siempre jamás. Y pase lo que pase, permaneceremos juntos... como una familia de verdad.

Epílogo

Allí donde haya un teatro
el mundo irá bien.

WILLIAM HAZLITT

Seis meses después

Daisy bebió un sorbo de la copa de champán que tenía en la mano con una sonrisa de satisfacción en los labios y recorrió con la mirada su recién pintada sala de recepciones, que estaba a rebosar con la *crème de la crème* del mundo teatral londinense, junto con su familia, la de Gavin y sus mejores amigos. Incluso el abuelo de Gavin se había dignado a asistir al estreno de *El sueño de una noche de verano* con una encantadora señora mayor del brazo, la tía política de Callie, Lottie Rivers. Por lo visto ambos se conocían desde hacía décadas, pero había sido en esos últimos seis meses cuando el romance floreció. Se fijó en el par de tortolitos que estaban en un rincón, también con dos copas de champán, y se dio cuenta de que el señor St. John estaba sonriendo. Asombroso.

Hadrian y Callie habían llegado a tiempo para presenciar el acto final, pero el que se había perdido la función fue Rourke. El escocés había presentado sus disculpas por medio de un telegrama en el que también mencionada algunas noticias que los habían dejado estupefactos. Se había fugado —algunos lo llamarían secuestro— con lady Katherine Lindsey, y los recién casados viajan en ese momento en tren hacia el norte, al castillo medio en ruinas que Patrick poseía en las Tierras Altas. Según Hadrian, que había visto la edificación, a lady Kat le esperaban meses de duro trabajo con sus delicadas manos para hacerlo mínimamente habitable. Daisy no tenía muy claro que un castillo en ruinas fuera el lugar más adecuado para conquistar a una novia reacia, pero cuando se lo había comentado antes a Gavin, él se limitó a guiñarle un ojo y recordarle dónde, y cómo, pasaron su noche de bodas. Recordar cómo habían hecho el amor hasta en el último polvoriento recoveco del todavía no renovado teatro les animó a repetir la experiencia durante toda la mañana y la tarde de ese mismo día.

Justo en ese momento se fijó en Gavin. Llevaba en brazos a una dormida Freddie, lo que le provocó una dulce sonrisa. Instantes después la trasladó a los brazos de Flora para que se la llevara a la cama y se dirigió hacia ella.

—Pareces bastante satisfecha contigo misma, cariño.

—Lo estoy. Estaba pensando que si tenemos que hacer el amor entre polvo y telarañas, prefiero un antiguo y grandioso teatro a un castillo en ruinas... o el desván de un antiguo y grandioso teatro —añadió, guiñándole un ojo.

Ella y Gavin habían retomado sus reuniones del Club de Huérfanos de Roxbury House, aunque esta vez habían reducido el número de miembros a dos y en lugar de tomar caramelos de limón y barras de menta se servían champán y se daban besos no aptos para menores.

—Pues mejor, porque dado todo lo que hemos invertido en este teatro, el castillo va a tardar mucho en llegar. En cuanto a lo otro...

—Las comisuras de su atractiva boca se alzaron hacia arriba—, que Rourke se haya casado con una fierecilla de sangre azul no solo es un caso de justicia poética sino también un buen argumento para una obra teatral.

—Vaya, querido, veo que esa mente brillante tuya no te sirve solo para cuestiones legales. —Al observar su mirada inexpresiva procedió a explicárselo—. Como diría Shakespeare si siguiera vivo, el teatro es la red. En este caso la obra ya está escrita... desde hace varios cientos de años.

Gavin la miró y sonrió abiertamente.

—¿Por algún casual no te estarás refiriendo a *La fierecilla domada*? Daisy asintió.

—Efectivamente. Y me aventuraría a decir que, dadas las circunstancias, se impone un regalo especial de boda. Nunca se sabe, pero podría servir como lectura instructiva.

—Eso depende de que Rourke lo lea. Todavía no le he visto prestar atención a algo que no sea un periódico o algún documento financiero relacionado con el ferrocarril.

—Das por sentado que la que necesita ser domada es lady Katherine. Gavin esbozó una sonrisa tolerante.

—En ese caso, lo enviaré por correo a primera hora.

Como él había dejado su copa de champán para alzar en brazos a Freddie, le ofreció la suya. Al ver como sus labios rozaban el borde de cristal se le aceleró el corazón y empezó a arder por dentro. La pasión que compartían no parecía detenerse nunca, al igual que la conexión de cuerpos, mentes y almas que los unía de tal forma que parecía que estuvieran dentro de una misma piel. Separados eran meras personas, pero juntos formaban parte de algo muy grande y maravilloso. Y aunque aquella noche significaba el triunfo de su carrera por muchas razones, apenas podía esperar a que se marcharan los invitados y volver a hacer el amor con su marido.

Gavin la agarró por la muñeca y se llevó la palma de la mano a sus labios, tocando ese punto que sabía que la volvía loca. Daisy sintió la calidez de su aliento a través del satén del guante, que fue ascendiendo hasta el codo. El dedo de él acariciándole los labios la silenció con mayor efectividad que cualquier palabra.

—¿Te he dicho ya lo adorable que estás esta noche? —le susurró con los ojos llenos de ternura—. ¿O lo perdidamente enamorado que me tienes?

Era tan cariñoso, tan caballeroso... Era Gavin, su marido, su amante y su mejor amigo. Esos últimos meses había tenido que hacer un esfuerzo titánico para dejar de cuestionarse cómo era posible que tuviera tanta suerte y aceptar su buena fortuna por lo que era: pura y simple felicidad.

—Yo también te quiero, con todo mi corazón. —«Y con toda mi alma y cuerpo.»

Ahora que por fin había superado sus miedos a expresarle su amor en voz alta, no podía dejar de decírselo. Le amaba con todo su ser y con todo lo que esperaba llegar a ser. Y en cuanto se marcharan los invitados, tenía toda la intención de pasarse el resto de la noche demostrándole lo mucho que significaba para ella.

El brillo en los ojos de él y su repentina sonrisa le dijeron que sabía exactamente en lo que estaba pensando, porque él también tenía en mente la misma idea.

—Sé que me quieres, Daisy. Lo sé. Y no te puedes imaginar lo feliz que me hace.

Vencida

Hope Tarr

Conocida por todos como la «doncella de Mayfair» por su virtud
inquebrantable, su resolución y su elevado concepto de la dignidad,
Caledonia Rivers, Callie, es la líder de las sufragistas londinenses, la
imagen perfecta de lo que tanto disgusta a todos aquellos que están en
contra de que las mujeres se metan en líos políticos y pretendan tener
un papel en la sociedad. Agitadores, lunáticos e incluso prostitutas la
detestan. Sin embargo, estos no son sus mayores enemigos: Caledonia
tiene uno peor, un parlamentario dispuesto a no detenerse ante nada
para evitar que las mujeres puedan votar y, al mismo tiempo, alguien
que desea destrozar su reputación por encima de todo.

Hadrian St. Claire lleva una mala temporada con las cartas, muy
mala, que amenaza con hacer que sus huesos acaben en el fondo del Támesis. Por eso, aunque a regañadientes, acepta por dinero seducir a la
famosa líder para después fotografiar con su cámara la que ha de ser su
caída en desgracia. Pero la bella Callie, encantadora y de voz seductora,
poco tiene que ver con la idea que él se había hecho de una solterona
desgarbada que odia a los hombres. Y mientras la pasión entre ambos
pasa de las chispas a un fuego más que ardiente, quien finalmente está
en peligro de ser vencido es el propio Hadrian.

Vencida

Hope Tarr

Libros de
seda

Los señores de
Roxbury House

Indómita

Hope Tarr

Patrick O'Rourke es un duro escocés, y también un hombre de negocios de éxito, mientras que lady Katherine Lindsey es una bella señorita inglesa, con clase y demasiados años para interesar a los solteros de su círculo. Sin embargo, cuando se ve chantajeada para aceptar un matrimonio de conveniencia con el atractivo escocés, enseñará al que ha de ser su marido otra cara.

Tras la precipitada boda, Rourke la aparta de los refinados y elegantes salones londinenses para instalarla en su castillo de las Tierras Altas de Escocia, un lugar decrépito que se cae a pedazos. Rourke está decidido a domar a su indómita esposa y llevársela a la cama, y para lograrlo, la única guía con que cuenta es un ejemplar de *La fierecilla domada*, de Shakespeare. Sin embargo, cuando la pasión se desate entre ellos, ¿quién será el domador y quién el domado?

Indómita

Hope Tarr

Libros de seda

Los hombres de
Roxbury House

Síguenos:

librosdeseda.com

facebook.com/librosdeseda

twitter.com/librosdeseda